Baiser

Publiés par la même auteure :

Baiser. La vengeance de la veuve joyeuse, 2015
Baiser. Les dérapages de Cupidon, 2015

Histoires à faire rougir (t. 1), 1994, format poche, 2000
Stories to Make you Blush, 2000
Nouvelle édition (Rougir 1 : *Histoires à faire rougir*), 2011

Nouvelles histoires à faire rougir (t. 2), 1996, format poche, 2001
More Stories to Make You Blush, 2001
Nouvelle édition (Rougir 2 : *Nouvelles histoires à faire rougir)*, 2012

Histoires à faire rougir davantage (t. 3), 1998, format poche, 2002
Stories to Make You Blush, volume 3, 2004
Nouvelle édition (Rougir 3 : *Histoires à faire rougir davantage*), 2013

Rougir de plus belle (t. 4), 2001, format poche, 2004
Nouvelle édition (Rougir 4 : *Rougir de plus belle)*, 2013

Rougir un peu, beaucoup, passionnément (t. 5), 2003, format poche, 2006

Coups de cœur à faire rougir, 2006
(le meilleur des *Histoires à faire rougir*)

Publiés dans la collection *Oseras-tu ?*
Pour les jeunes de 14 ans et plus :
La Première Fois de Sarah-Jeanne, 2009
Le cœur perdu d'Élysabeth, 2009
Le roman de Cassandra, 2010
Le vertige de Gabrielle, 2010
Le miroir de Carolanne, 2011
L'existence de Mélodie, 2012

Publié dans la collection *Dans ta face*
Pour les jeunes de 14 ans et plus :
Frédérick, 2013

MARIE GRAY

Baiser

La belle et les bêtes

roman

Guy Saint-Jean Éditeur
3440, boul. Industriel
Laval (Québec) Canada H7L 4R9
450 663-1777
info@saint-jeanediteur.com
www.saint-jeanediteur.com

....

Catalogage avant publication de Bibliothèque et Archives nationales du Québec et Bibliothèque et Archives Canada

Gray, Marie, 1963-
Baiser : la belle et les bêtes
ISBN 978-2-89455-995-6
I. Titre. II. Titre : Belle et les bêtes.
PS8563.R414B344 2016 C843'.54 C2015-942203-5
PS9563.R414B344 2016

....

Nous reconnaissons l'aide financière du gouvernement du Canada par l'entremise du Fonds du livre du Canada (FLC) ainsi que celle de la SODEC pour nos activités d'édition. Nous remercions le Conseil des Arts du Canada de l'aide accordée à notre programme de publication.

Gouvernement du Québec — Programme de crédit d'impôt pour l'édition de livres — Gestion SODEC

Édition : Isabelle Longpré
Révision : Marie Desjardins
Correction d'épreuves : Lyne Roy
Conception graphique de la page couverture et mise en pages : Christiane Séguin
Photos de la page couverture : Mike Kemp/Agefotostock.com ; chuckchee/Shutterstock.com

Dépôt légal — Bibliothèque et Archives nationales du Québec, Bibliothèque et Archives Canada, 2016
ISBN : 978-2-89455-995-6
ISBN ePub : 978-2-89455-996-3
ISBN PDF : 978-2-89455-997-0

Imprimé et relié au Canada
1re impression, janvier 2016

Guy Saint-Jean Éditeur est membre de l'Association nationale des éditeurs de livres (ANEL).

À toutes celles qui, un jour,
ont eu peur de quelque chose…
Ben oui, je sais, c'est à peu près
tout le monde. Justement !

Merci à ma famille, maman, papa,
Nic, Loulou, Jacquot et J.-F., pour votre présence
et votre amour ; à Charlotte et Samuel, mes enfants
adorés pour... tout ce que je suis grâce à vous ;
à ma chum Claude qui, même après tant d'années,
s'arrange encore pour que je me surprenne
moi-même ; à mes collègues et amis qui ensoleillent
chacune de mes journées et m'encouragent tant ;
à mes amies et confidentes qui sont toujours là
malgré le manque de temps ; à Nathalie L.,
psychologue extraordinaire, pour son aide
précieuse dans la rédaction de ce livre ; à mes
lectrices et lecteurs, évidemment, et à tous ceux
qui, de près ou de loin, me permettent d'écrire
toutes ces histoires qui me trottent dans la tête.
Sans vous tous, je serais encore plus délinquante
et dans la lune... Genre, tout le temps !

DÉCLARATION SOUS SERMENT

Moi, Valérie Leblanc, possédant toutes mes facultés intellectuelles et physiques et résidant au 105, rue Laverdure, à Montréal, déclare que j'en ai plein le cul des choses suivantes et que je ferai tout en mon pouvoir pour m'en débarrasser :

- Avoir peur de l'avenir ;
- M'inquiéter pour des niaiseries ;
- Être terrorisée de vieillir (seule ou pas) ;
- Capoter en avion (en auto, en bateau ou en vélo aussi, tant qu'à y être) ;
- Devoir me tenir le coude quand j'envoie la main à quelqu'un (à cause du p'tit maudit mou qui ballotte) ;
- Penser que je ressemble de plus en plus à ma mère ;
- Me regarder les rides chaque soir en ayant envie de brailler ;
- Brailler ma vie pour rien, justement ;
- M'excuser de tout, de rien, de déranger, d'exister ;
- Me sentir obligée de vider la bouteille de vin quand il en reste juste un peu même si j'ai déjà trop bu ;

- Écouter la p'tite voix fatigante qui me dit d'oublier toute forme de défi avant même de commencer, parce que je risque de me casser la gueule ;
- Être obligée de me rentrer le ventre à longueur de journée ;
- Penser que je suis moins smatte, intelligente ou attirante que tout le monde (surtout Julie et Maryse) ;
- Me dire que je mérite pas d'être heureuse ;
- Attendre trop longtemps pour ma teinture et voir une repousse laide ;
- Chialer après Sabrina quand elle laisse traîner sa vaisselle sale ;
- M'imaginer que j'ai le cancer chaque fois que j'ai un rhume, un mal de tête ou de ventre ;
- Être convaincue que Robert va arrêter de m'aimer, va me tromper, ou les deux ;
- Toujours me promener avec un nuage noir au-dessus de la tête ;
- Parler à mes chiens comme s'ils pouvaient me répondre ;
- Et surtout, je ne veux PLUS avoir peur d'avoir peur.

Signé en ce 19 juin 2015, à Montréal :

Valérie Leblanc

Prologue

OhmyGodOhmyGodOhmyGod. J'ai dû mal entendre. Robert a commencé à me parler il y a une dizaine de minutes ; je comprends pourtant bien, depuis le début, et chacune des surprises qu'il me dévoile m'enchante. Cependant, une dernière question formulée de sa voix chaude et grave, mais quelque peu tremblante, demeure suspendue entre nous, tel un petit nuage de vapeur. Rose tirant sur le gris, évanescent. Je ne perçois qu'une espèce de bourdonnement, comme si j'avais plongé ma tête sous l'eau. Je suis pourtant là, encore nue dans le lit défait ; ça doit être la stupeur, alors. Les lèvres de Robert continuent de bouger et, de cette bouche que j'aime tant embrasser, émanent d'autres mots que je n'entends plus. Sourde. Lui, il a l'air d'un petit garçon nerveux. Je dois le déstabiliser, il ne s'attendait certainement pas à cette réaction de ma part… ou plutôt, à cette non-réaction. Je devrais sauter de joie, être pendue à son cou, en train de l'embrasser avec passion en pleurant ma vie ; je vois cette scène clairement dans ma tête, je suis devenue un témoin qui n'ose se commettre. Oh, il y a bien une grosse boule logée dans ma gorge, mais…

Les cinq dernières syllabes fatidiques résonnent à mes oreilles comme s'il les répétait sans cesse, bien qu'il ne les ait prononcées qu'une fois : « Veux-tu m'épouser ? » Ma première réaction se manifeste : « Voyons, c't'une joke ? Il me fait marcher. C'est une blague cruelle et méchante pour me voir m'écrouler au moment où je vais commencer à y croire. » Tout son préambule du dernier quart d'heure menait pourtant à cette question si lourde. J'essaie de remettre mes idées en place. Recommencer du début, *rewind,* comme dirait mon amie Julie. Moi, je mets plutôt mentalement cet instant sur « pause », pour me repasser le film des événements. Ce sera peut-être plus clair.

Tout à l'heure, il y a à peine une dizaine de minutes, après une nuit merveilleuse d'étreintes douces et passionnées, nous nous sommes réveillés soudés l'un à l'autre. Nous avons fait l'amour une fois de plus, avec lenteur et lascivement, nous éveillant au plaisir de nous revoir et de nous toucher enfin après un long mois d'absence. C'est là qu'il s'est mis à parler, alors que la sueur séchait sur nos corps et que notre rythme cardiaque redevenait relativement calme.

— Val, je veux plus être séparé de toi aussi longtemps. C'est pour ça que je viens d'accepter un nouveau poste. Je vais travailler du siège social à Montréal, à partir du mois prochain.

— Hein ? Sérieux ?

Je n'en crois pas mes oreilles. Depuis deux ans que nous nous fréquentons, ce travail qu'il aime constitue un poids sur notre couple, puisque Robert doit passer la moitié de chaque mois à l'autre bout du pays. Au début de notre relation, je m'en accommodais plus ou moins bien. Malgré mes angoisses, je saisissais que ces séparations temporaires, même douloureuses, m'étaient salutaires. Je crois bien être tombée réellement amoureuse pour la première fois de ma vie – à quarante et un ans, faut le faire ! – et… je ne savais pas comment vivre dans cet état. Étonnamment, j'arrivais à mieux respirer lorsque Robert partait, même si j'avais l'impression qu'on m'arrachait chaque fois la moitié du cœur. Accepter la situation, d'abord, puis l'accueillir, me plongeait dans un combat constant avec moi-même. C'est intense, l'amour. Ça fait peur, aussi. Pire qu'un accouchement et bien plus qu'un nouvel emploi. Je devrais évoquer cet état de façon plus positive, je sais, mais je suis de nature plutôt craintive. Ha ! Ha ! Ha ! L'euphémisme du siècle ! Moi, craintive ? Euh, non. Madame *chicken,* c'est moi.

J'étais habituée à des relations sans éclat, plus pratiques que passionnées. Les sentiments me terrorisent, et je suis accoutumée à la peur. Cependant, celle qui a surgi lors de ma première rencontre avec Robert était de la petite bière comparée à celles que je traînais à la cheville comme autant de boulets depuis aussi longtemps que je me souvienne : peur de décevoir, de ne pas savoir comment agir, de prendre les mauvaises décisions, peur de l'intimité, mais aussi du manque de contact. C'est tout moi. Avec lui, s'ajoutait un élément de taille : la crainte viscérale de le perdre, lui. Plus que tous les autres que j'ai fréquentés, et bien sûr plus que mon premier copain, le père de ma fille Sabrina. À un point tel que cette frayeur s'est insidieusement transformée en obsession.

Alors que les semaines devenaient des mois, puis des années, je me suis mise à imaginer qu'il y avait une autre femme dans sa vie, là-bas, à Calgary. Rien ne l'en empêchait, et il m'aurait été impossible de le prendre sur le fait… Ce genre de situation était à peu près inévitable, non ? Peut-être ai-je été contaminée par mon travail de secrétaire juridique – le droit de la famille regorge d'histoires sordides d'adultère – et par toutes les histoires dégoûtantes de mes amies Julie et surtout Maryse, qui a consacré son récent veuvage à se venger d'hommes infidèles et menteurs. Qu'on le veuille ou non, ça déteint.

J'en étais donc à apprivoiser tant bien que mal mes troubles anxieux depuis deux ans lorsque, durant ses derniers passages à Montréal, Robert a soudainement multiplié les rendez-vous « d'affaires », les « courses importantes » et les entraînements au gym. C'était amplement suffisant pour confirmer mes sombres pressentiments. Son cellulaire était désormais verrouillé et, lorsqu'il l'utilisait, c'était très souvent en chuchotant ou en changeant de pièce. Typique d'un homme qui mène une double vie, comme en témoignent diverses sources sur le Web. Alors, j'ai fait ce que je réussis le mieux : je me suis énervée au point d'impliquer dans ma névrose Maryse et Julie, les membres de notre trio pratiquement inséparable. Gaffe monumentale. Au lieu de me rassurer, mes comparses ont tiré les mêmes conclusions que moi : Robert s'est vu accusé, puis condamné sans jury, sans appel et surtout sans possibilité de se défendre des pires méfaits possibles. Sauf que…

Après vérification par une Maryse vindicative, enragée et déterminée à lui faire payer cher un tel affront, il s'est avéré que les cachotteries de mon amoureux camouflaient non pas une infidélité impardonnable, mais plutôt son intention de changer de statut au sein de sa compagnie. Il me réservait aussi d'autres surprises, qu'il me dévoila en effet ce fameux matin, au lendemain de son retour.

Oui, il m'a émue presque aux larmes dès le début, en m'apprenant qu'il serait dorénavant à mes côtés tous les jours ; le soulagement était indicible, la joie inexprimable. Il a continué :

— Par contre, je vais devoir repartir une dernière fois dans une semaine, pour un autre mois. Il faut que je termine des dossiers là-bas, mais je me dis que c'est pas cher payer pour pouvoir enfin rester ici tout le temps, après. Un p'tit coup de cœur… Qu'est-ce que t'en penses ?

— J'en pense que ça va être dur… C'est si long un mois quand t'es pas là ! Mais sachant que ça va être fini après ça, je vais survivre !

Vraiment ? Comment pouvais-je être certaine qu'il n'allait pas simplement profiter une ultime fois des faveurs de sa maîtresse ? Ravalant mes doutes, je me suis tue en m'accrochant aux maigres révélations de Maryse, attendant la suite.

— Oui, je sais, c'est pas facile pour moi non plus. Mais ça vaut la peine ! Aussi, je voulais te dire que, si tu es d'accord, j'aimerais offrir une auto à Sabrina. Il lui reste deux ans de sa technique au cégep, elle travaille de plus en plus, ça serait vraiment pratique. Je sais que tu aurais aimé l'aider à s'en trouver une, mais j'avais une occasion. Un de mes amis vend quelque chose de pas pire. C'est pas du luxe, mais elle va être bonne pour plusieurs années. Est-ce que c'est OK ?

— Si c'est OK ? Elle va capoter, Robert. T'es si généreux…

— Ben c'est aussi pour la féliciter. Je sais que sa première année a été difficile, mais Sabrina a travaillé fort. Elle va être une sacrée bonne infirmière, et je trouve ça beau de la voir aller. Je sais qu'elle me considère pas comme son père, mais on s'entend bien, elle et moi, et j'ai envie de la gâter un peu.

Ma fille de bientôt dix-neuf ans serait folle de joie. Elle rêvait évidemment de s'acheter une voiture, mais je me sentais incapable de lui en offrir une pour le moment. Quant à son emploi d'été, il ne lui permettrait de s'acheter qu'un tas de ferraille qui, sans doute, deviendrait un gouffre sans fond de réparations et d'ennuis mécaniques.

Sans compter l'état de nervosité dans lequel je serais plongée chaque fois qu'elle prendrait le volant. Déjà que j'avais eu du mal à m'habituer à la laisser conduire ma propre voiture… Bref, cette offre était un cadeau du ciel. J'ai embrassé Robert en essayant de faire passer dans ce baiser toute ma gratitude. La boule qui me serrait la gorge s'est temporairement délogée. Mais je n'étais toujours pas au bout de mes surprises.

— Bon. J'ai autre chose à te dire. Mon nouvel emploi est en fait une promotion ; j'ai droit à toutes sortes d'avantages, mais surtout à une augmentation de salaire assez intéressante. Alors… Promets-moi de me laisser finir avant de dire quelque chose, OK ?

J'ai acquiescé, mais une appréhension m'étreignait le cœur. Qu'allait-il m'annoncer ? Plusieurs hypothèses déstabilisantes se bousculaient dans ma tête, mais au lieu de m'énerver, j'ai choisi – bravo pour moi ! – de respirer profondément et de le laisser parler.

— Eh bien, depuis le temps que tu m'héberges et que tu refuses que je te paie un loyer ou une part des dépenses, j'aimerais t'offrir une compensation. Je me suis renseigné auprès de mon gérant de banque et tout serait prêt, si tu es d'accord encore une fois, pour que je rembourse ce qu'il reste à payer sur ton hypothèque. Je sais que tu aimes ta maison, je ne te demanderais pas de déménager à moins que tu en parles, mais j'aimerais ça contribuer plus concrètement, je me sentirais plus chez moi, et…

— Tu es chez toi, Robert. Ça aurait été niaiseux que tu loues un logement que t'aurais occupé juste deux semaines par mois ! Mais là…

— Là, ça veut dire que je veux vivre avec toi, que je serai toujours là. En as-tu envie ? Moi, j'en suis là. Je t'aime, j'ai envie de me réveiller avec toi chaque jour et de m'endormir dans tes bras chaque nuit. Mais ma condition, c'est que je puisse contribuer financièrement. Tu comprends ?

— Bien sûr…

Oui, je comprenais. Et j'en avais aussi très, très envie. J'en rêvais en fait depuis plus d'un an, mais jamais je n'aurais suggéré que Robert fasse quoi que ce soit pour changer l'état des lieux. Je connaissais ses contraintes dès le début de notre relation, je les ai acceptées. Mais là, de le savoir toujours près de moi me comblait. Enfin, je pensais. Oui. Euh… peut-être ? Voyons, qu'est-ce qui me prenait ? J'avais besoin d'un peu de temps pour digérer tout ça.

— Écoute, j'aimerais simplement en parler à Sabrina, OK ? Je sais qu'elle va être d'accord, elle t'aime beaucoup. C'est une formalité, au fond. Ça me tente depuis longtemps qu'on vive ensemble pour vrai, et pas juste deux semaines à la fois.

Il avait l'air rassuré et moi, à m'entendre, je me croyais. Presque. C'était tout de même gros. Ce pas de géant me donnait un peu le vertige. Je ne remettais pas mon amour pour Robert en question, mais cette nouvelle situation constituait un engagement plus officiel encore, et alors j'ai ressenti une drôle d'appréhension. Je me trouvais stupide : ce n'était pourtant pas la première fois qu'un de mes conjoints emménageait chez moi, loin de là ! Alors, pourquoi était-ce si différent ? Parce que je sentais que Robert était sérieux ? Aussi amoureux de moi que je l'étais de lui ? Que pour la première fois de ma vie, la possibilité de passer le reste de mes jours avec quelqu'un comme lui m'apparaissait plausible ? Quoi qu'il en soit, l'idée que la petite maison que j'avais achetée presque onze ans plus tôt m'appartienne désormais de plein droit, grâce à cet homme magnifique et extraordinaire, m'a ravie. Comme si un poids énorme se soulevait de mes épaules. Et, en échange, j'aurais la joie d'avoir Robert à mes côtés chaque jour. Merveilleux, non ? Oui. Je le pensais. J'avais du mal à avaler tant j'avais la gorge nouée. Si seulement il s'était arrêté là...

Je l'ai embrassé de nouveau, laissant mes lèvres courir sur son cou, ses épaules, s'attarder sur son torse et descendre vers son ventre. J'avais besoin d'une diversion pour réfléchir à tout ça. Quoi de mieux que faire l'amour ? J'ai difficilement retenu un petit éclat de rire : moi qui ai tant détesté cet acte et qui cherchais sans cesse des excuses pour l'éviter ! Eh oui, avec lui, ça aussi, c'est différent. Je n'en ai jamais assez de son corps, de ses caresses. Ça l'amuse et le flatte, moi je suis troublée. Peu importe.

L'effet de mes baisers a été immédiat et sans équivoque. Le drap qui s'est soulevé à la hauteur de son bassin, formant une jolie tente sous son mât érigé, était éloquent. Mais au lieu de m'encourager à profiter de cette belle et appétissante érection, Robert m'a caressé les cheveux en se soulevant sur un coude.

— J'ai pas fini, ma belle...

Très honnêtement, je n'aurais jamais pu deviner ce qui m'attendait. Je le regardais, taquine, feignant de me sentir rejetée par mon amant. Je l'ai interrogé du regard pour qu'il en finisse, afin de revenir aux choses intéressantes. Robert s'est levé et a enfilé un t-shirt et des boxers. Une autre tente s'y est formée, plus tendue, cette fois. Mon amoureux s'est ensuite dirigé vers sa valise, a fouillé dedans puis en a sorti un petit objet qu'il a caché dans sa grande main. Puis, s'approchant du lit, il s'est agenouillé en me regardant d'un air solennel. J'ai ri, mon esprit refusant toujours de comprendre ce qui se tramait. Il ressemblait à un tout petit gamin qui vient se confesser et, tout à coup, j'ai eu peur. Allait-il m'avouer qu'une part de mes craintes – ou chacune d'elles – avaient un fondement ? Je ne pourrais pas surmonter ça. Même le plus petit aveu, je le savais, me démolirait. Une anxiété pourtant injustifiée m'a étranglée. Désarçonnée ? Oui, mais ce n'était rien en comparaison de l'état de confusion totale dans lequel ses prochains mots me plongèrent :

— OK. Valérie, ma chérie, mon amour, t'es une femme merveilleuse, et avec toi je suis heureux. Vraiment heureux, comme je l'ai jamais été. J'ai l'impression que tu es celle que j'attendais depuis longtemps et enfin, je t'ai trouvée.

Ah, fiou ! Après une telle entrée en matière, il n'allait tout de même pas me mettre à mort, n'est-ce pas ? Il était si charmant. Quelle belle déclaration ! J'ai minaudé, rougissant de plaisir, ce qui l'a encouragé.

— Je veux que tu sois la dernière femme que j'aurai dans ma vie. J'ai envie de faire plein de choses avec toi, de te faire rire, de prendre soin de toi, de t'aimer, de te gâter. Bref.

Il a pris une longue inspiration, puis il a expiré de manière hachurée, comme s'il était en proie à une grande nervosité. Puis, il asséna le coup de massue :

— Valérie, veux-tu m'épouser ?

Il m'a alors tendu une petite boîte cubique recouverte de satin. Je savais bien ce que cette boîte représentait, mais j'avais peine à le croire. Quelle fille ne rêve pas du jour où un homme parfait lui présentera un tel symbole ? Pourtant, une grenade dégoupillée à mes pieds aurait eu le même effet.

— …

S'il y avait eu des mouches, j'en aurais certainement avalé plusieurs. J'avais la bouche grande ouverte, j'étais figée comme une statue et je restais là, à regarder Robert sans le voir. La boule dans ma gorge a enfin éclaté, causant une inondation majeure dans mes yeux. Rien de neuf sous le soleil, ni d'étonnant. Valérie qui pleure ? « *What else is new ?* » aurait dit mon amie Julie. « Classique », aurait ajouté Maryse. Elles qui me connaissent si bien, et depuis si longtemps, auraient immédiatement conclu que je pleurais de bonheur, que j'étais sous le choc, renversée de tant de joie d'un seul coup. Elles que je fréquente depuis plus de vingt-quatre ans auraient déduit que j'obtenais enfin tout ce dont j'avais toujours rêvé, et bien davantage. Qu'une joie incommensurable – trop intense pour moi – m'empêchait de manifester autre chose que le plus grand des effarements.

Mes amies n'auraient pas eu tort, mais cela n'était pas la cause principale de mes pleurs. Oh, que non. Elles auraient été choquées de savoir que ce n'était ni la joie, ni l'allégresse, ni la surprise qui me faisaient pleurer à chaudes larmes, même si toutes ces émotions étaient bien réelles. C'était quoi, alors ?

La panique, tout simplement.

Eh oui. Car en plus de pleurer pour tout et pour rien, un autre de mes traits de caractère les plus notoires est ma propension exagérée pour la panique. On ne parle plus de peur ni même de petites pseudo-phobies. La peur « ordinaire », j'ai plus ou moins appris à vivre avec par manque d'options. Là, c'était autre chose. Je me trouvais paralysée, assommée, éberluée. J'avais la gorge sèche, le cœur qui battait comme si je venais de terminer un marathon. (Cette seule image aurait suscité mon hilarité, en d'autres circonstances, mais bon. Moi, courir un marathon ? Aussi probable que d'imaginer Maryse chasser l'orignal ou Julie vivre deux jours avec un ongle cassé.) En tout cas.

J'ai donc laissé Robert me prendre dans ses bras et lui m'a permis de rester là, sans savoir à quel point la tourmente m'étourdissait. Il s'imaginait sûrement aussi que c'était la félicité qui me rendait aphone et me faisait pleurer comme une Madeleine en tremblant et en me rongeant les ongles, mais j'étais incapable de le corriger. Trop lâche. Pas prête. Quasiment catatonique. Je me rends folle moi-même depuis si longtemps que c'est presque banal.

Panique, donc, mais pourquoi ? Il me semblait pourtant, à moi aussi, que j'avais attendu ce moment toute ma vie. Robert mérite amplement l'amour sincère que je lui porte. Qu'importe si, à peine quelques semaines avant, j'étais persuadée qu'il multipliait les aventures en partageant son lit avec une ou plusieurs autres femmes au bout du pays. De toute évidence, j'avais fait fausse route. Alors que ses secrets m'avaient angoissée au point de compromettre mon sommeil pendant des semaines, lui orchestrait cette demande en mariage inattendue. Alors que j'imaginais de sombres manigances, il ne faisait que planifier, calculer, organiser notre future vie ensemble. J'aurais tellement dû être aux oiseaux ! Je l'aime, il m'aime, ma fille l'apprécie, ce qui est en soi miraculeux. Ça aurait dû être simple. J'aurais dû pouvoir l'embrasser, lui manifester mon enthousiasme, crier comme une petite fille et discuter avec lui de ce qui devrait être le plus beau jour de ma vie. Alors pourquoi ne pouvais-je m'empêcher de penser que c'était impossible, qu'en acceptant sa proposition je m'exposais à la plus grande déception de ma vie ? (Et là, en matière de déceptions, j'ai donné, merci beaucoup !) Parce que.

Je voulais me laisser aller à une allégresse toute légitime, mais en même temps, je ne suis plus une petite fille qui croit aux contes de fées. L'ironie était frappante, puisque c'était moi qui insistais auprès de Maryse, la blâmant de ne plus accepter l'idée qu'il existait encore des gens corrects et honnêtes. Oui, même des hommes. Je lui reprochais de ne plus croire en l'amour, à l'engagement et au bonheur. J'ai toujours été rêveuse malgré mes déceptions, je présumais malgré moi de la bonté fondamentale des gens. J'y croyais toujours, même si tant d'événements vécus par Maryse et Julie avaient exposé moult exemples de duplicité, de mensonge et de trahison. Finalement, peut-être que la volonté d'y croire ne suffit pas. Mais je veux, bon ! Alors ? C'est quoi, mon problème ?

C'était seulement quelques minutes plus tôt, et ça me semblait tout à coup évident. C'est une question de karma. Je ne suis pas une mauvaise personne, loin de là. Simplement, certaines méritent le bonheur, d'autres pas. Moi, je pense que j'appartiens à la seconde catégorie, même si j'arrive à me réjouir lorsque d'autres que moi nagent en pleine félicité.

En fait, depuis qu'elle a été formulée, la proposition de Robert ne fait que tourner le couteau dans une plaie mal cicatrisée. J'aime cet homme à la folie. Je veux passer le reste de ma vie avec lui. Aucun doute là-dessus. Mais que vais-je devenir le jour où, inévitablement, il se lassera de moi et aura envie d'une autre ? Je mourrai, au bout de mon sang et de mes larmes, victime d'atroces souffrances.

— Val, dis quelque chose, je t'en supplie, je meurs, moi, là ! avait-il fini par dire.

« Dis quelque chose, dis quelque chose. » Facile à dire ! Ma gorge est pleine de sable, impossible de parler. Mes yeux continuent de couler et Robert me berce doucement, tendre et enveloppant. Il me console, alors que nous aurions dû nous réjouir.

— Pauvre toi, je voulais pas te mettre dans un tel état ! Ça te surprend tant que ça ? Dis-moi pas que ça te tente pas, quand même !

Il se rembrunit et m'offre une moue boudeuse, comme un petit garçon à qui on refuse une sortie. Il croit que je ne veux pas ?

Mais non, ce n'est pas ça. Je ne peux juste pas me remettre… à « *play* ».

Ouais, c'était quelques minutes plus tôt, ça, un beau matin du quatorze juin ensoleillé. MétéoMédia n'aurait pu prévoir de tels orages dans ma tête et dans mon cœur… et je suis toujours dans le même état.

Merde. Je fais quoi, là ?

1

Ce ne sont plus seulement les minutes précédant la demande en mariage de Robert qui volent dans tous les sens dans ma tête, mais tous les moments marquants des dernières années. C'est donc à ça que ressemblent les fameuses dernières secondes de vie alors que notre existence entière se déroule devant nos yeux tandis que notre dernier souffle s'enfuit ? Julie me sermonnerait : « *Drama queen !* Franchement... » Elle n'aurait pas tort.

Je réussis enfin à revenir à l'instant présent et à me calmer un peu. Les bras de Robert sont chauds et confortables, je préférerais m'y blottir tout le reste de mes jours plutôt que faire face. Après avoir expiré longuement, je regarde enfin mon amoureux et l'embrasse, espérant que ce sera suffisant pour le convaincre que seuls la surprise et le choc ont causé mon émoi. Il était temps, car il commençait à s'impatienter et à s'inquiéter. Il a l'air perdu de celui qui ne sait pas comment réagir.

— Val, parle-moi, dit-il. T'as juste un mot à dire pour me rendre vraiment heureux, un tout petit mot : oui. Dis-moi que tu le veux autant que moi, qu'on a ce merveilleux projet, toi et moi. On est pas obligés de décider tout de suite de la date ni du genre de mariage qu'on veut. T'sais, on se fiance, là, et on prend notre temps, si c'est ce que tu veux. C'est toi qui mènes. Ça aussi, faudra que t'en parles à Sabrina, c'est pas rien, je le réalise bien. Mais tu m'inquiètes. T'as pas idée combien je suis nerveux, c'est la première fois que je fais ça !

Pauvre chou ! Je fais de mon mieux pour me mettre à la place de Robert et je comprends trop bien son malaise : il s'est jeté dans le vide et, même s'il n'avait aucune raison de douter de mon amour, je n'arrive pas à lui offrir la réaction d'allégresse qu'il espérait de ma part. Alors, en attendant que le chaos de mes idées se résorbe, je m'accroche à ce qu'il vient de dire.

— Je suis désolée, Robert. C'est juste que c'est soudain, et c'est majeur. Tu sais que je t'aime et que je rêverais de passer ma vie avec toi. J'ai juste besoin d'avaler ça tout doucement. Déjà, m'habituer à dire que je suis fiancée, ça va être quelque chose ! Pour le reste, j'aimerais qu'on prenne le temps de savoir ce qu'on veut vraiment tous les deux, OK ?

— Eh boy, c'est pas à ça que je m'attendais. J'espérais que tu sautes de joie, que tu capotes, que tu danses, j'sais pas trop. Mais là… T'as raison, je le sais pas trop moi-même. J'aurais envie de quelque chose de simple, avec nos amis et la famille, mais j'ai aussi envie qu'on se paye la traite, de me lâcher lousse !

Mon Dieu. Il croit que « pour le reste » fait allusion à la cérémonie, alors que je parle du concept entier du mariage. Je ne me sens pas le courage de rectifier le tir. Lâche, sans doute, mais ce n'est pas la première fois. Pour le moment, mes paroles le rassurent et c'est tout ce qui compte. La seule idée de lui causer plus d'inquiétude me torture, alors je préfère couper court. Je n'ai pas officiellement accepté sa demande en mariage, ni officiellement refusé, et ça ne regarde que moi pour l'instant. Je le pense, du moins. Il faut que j'en parle à Maryse et à Julie, elles sont les seules qui arrivent à m'aider à voir clair quand je suis dans un tel état. D'habitude, en tout cas.

Au retour de sa « mission Robert », Maryse avait été pour le moins énigmatique. Elle m'avait téléphoné de l'aéroport de Calgary, la veille :

— Val, on se fait un souper, Julie, toi et moi. J'ai plein de choses à te dire.

— OK, je réserve le resto ? On pourrait aller au bistro de Sylvie ?

— C'est vrai que je l'ai pas vue depuis qu'elle a repris le resto de son ex… C'est une bonne idée, mais je pense qu'on ferait mieux de rester à la maison. Je vous attends chez moi à six heures.

J'ai senti mon cœur sombrer.

— C'est pas des bonnes nouvelles, c'est ça ?

— Non, au contraire, c'est pas ce à quoi tu t'attends. Mais je sais que tu vas pleurer, alors on a intérêt à éviter les coulées de mascara en public.

— Maryse, si t'as l'intention de me faire brailler, vas-y maintenant. Je suis brûlée, j'en peux plus de pas savoir. *Shoot*, qu'on en finisse !

— Essaye pas, je dirai rien. Demain soir. Chez moi, six heures.

— Jess va être là ?

— Non. Elle a pas d'affaire à venir, pas cette fois.

J'étais soulagée. J'étais encore hésitante au sujet de Jessica, la voisine que mon amie semblait avoir prise sous son aile. Selon moi, cette jeune mère célibataire n'avait pas besoin d'être maternée par Maryse... Je ne parvenais pas à décider si Jess était une petite salope profiteuse et calculatrice, ou plutôt une gentille fille qui cherchait à s'affirmer de la seule manière qu'elle connaissait, soit avec son charme et son décolleté. Bref, un souper à trois me rassurait. Ne sachant pas très bien ce qui m'attendait, j'aurais perçu la présence de la « nouvelle » de notre groupe comme une intrusion, tandis qu'avec Maryse et Julie, mes presque sœurs, je me sentais en sécurité. Après le mois que je venais de passer, j'en avais bien besoin. Je crois sincèrement que rien n'est plus horrible que l'attente de la confirmation que nos pires cauchemars seront, ou non, une réalité. Pendant quatre longues semaines, malgré un mois de mai radieux, j'ai eu l'impression de devenir folle, de dépérir. Là, j'allais enfin savoir et... j'étais morte de peur malgré les mots réconfortants de Maryse.

Julie était déjà là quand je suis arrivée chez notre amie. Impeccable comme toujours, elle portait un short de coton et un t-shirt tout simple ; sur elle, ça avait cependant le même effet qu'une tenue affriolante. Sa peau déjà bronzée avait la couleur du caramel, ses jambes musclées semblaient interminables et son sourire, éclatant. Elle m'enrageait, j'en étais jalouse, et je l'adorais. Même si à côté d'elle j'avais l'air d'un canard déplumé en perpétuel manque de sommeil ou en lendemain de veille – ce qui devait être particulièrement le cas ce soir-là –, je ne pouvais pas lui en vouloir, elle n'y était pour rien. Ses longs cheveux blonds remontés en un chignon improvisé lui donnaient un air sensuel et sophistiqué dont elle ne se doutait pas le moins du monde. Elle est l'incarnation parfaite de la femme Balance, celle qui tient les hommes dans le creux de sa main, indépendante, mondaine, d'une féminité aveuglante. Pas que j'accorde une si grande crédibilité à l'astrologie, mais les traits de personnalité de mes amies sont tellement conformes aux descriptions du zodiaque que c'en est presque troublant. Et ça m'amuse. Qui suis-je, au fond, pour en douter ? S'il existe une lubie inoffensive, c'est bien celle-là !

Julie, ma gracieuse séductrice, m'a prise dans ses bras, et j'ai compris qu'elle n'avait aucune idée de quoi cette soirée serait faite. Par ce câlin empreint d'affection et d'amitié indéfectible, elle m'indiquait clairement qu'elle serait à mes côtés, peu importe ce qu'il adviendrait.

Maryse est arrivée au salon avec son sempiternel champagne rosé, sa marque de commerce. Pas du vulgaire mousseux, que de la Veuve Clicquot pour Maryse Després, veuve, riche, femme d'affaires épanouie. On était loin de la maman un peu ronde et terne de jadis et, chaque fois que je constatais la transformation de mon amie, je ressentais un pincement au cœur. Un peu de jalousie ou d'envie, encore une fois, en même temps qu'une joie sincère. Elle en avait bavé. L'épouse bafouée et maintes fois trompée méritait tout le succès et l'aisance qu'elle connaissait aujourd'hui.

Maryse a ouvert la bouteille, s'assurant de faire sauter le bouchon de manière festive. J'ai alors compris que cette soirée serait joyeuse, que je n'avais rien à craindre des révélations à venir. Maryse a rempli nos flûtes, laissant se former dans chacune juste assez de mousse, et nous avons trinqué. Notre aînée a alors prononcé le discours qui a dissipé mes dernières inquiétudes :

— J'aimerais porter un toast à Valérie, ma douce, qui a trouvé un amoureux qui la mérite enfin. Mais surtout à Robert qui m'a montré une sorte d'homme en laquelle je ne croyais plus. Robert est amoureux d'une seule femme. C'est un amour vrai, basé sur les bonnes raisons. Robert a l'intention de rendre notre Val très, très heureuse. Santé !...

Comme Maryse l'avait si bien prédit, mes yeux se sont remplis de larmes, et je n'étais pas la seule. Elle-même avait le regard humide et l'émotion de Julie était tout aussi palpable. Comme bien souvent, j'ai remercié intérieurement le ciel, Krishna ou quiconque se trouvait là-haut, d'avoir mis ces femmes sur mon chemin, tant d'années auparavant. Une accolade monstre a suivi. Maryse nous a enfin parlé de son « enquête » et des quelques jours passés à Calgary avant sa rencontre déterminante avec Robert. Elle nous a dévoilé certains passages de sa conversation avec lui, tout en demeurant assez évasive pour nous garder en haleine. Je savais qu'il était inutile d'insister lorsqu'elle a conclu :

— Val, je peux pas en dire plus. Robert a une explication à toutes tes questions, tous tes doutes, et je peux seulement te garantir que t'avais aucune raison de te méfier de lui. J'ai vu son studio et je te jure que j'ai pas repéré la moindre trace de femme là. Et crois-moi, j'ai passé les trois pièces au peigne fin sans qu'il s'en rende compte. Le reste, c'est lui qui va t'en parler, OK ?

Je connaissais suffisamment mon amie pour savoir que cette réplique mettait un terme à la discussion. Sans me laisser l'occasion de protester, elle a haussé le volume de la musique et nous avons dansé, même si je mourais d'envie qu'elle me répète toute sa conversation avec Robert. Il était inutile d'essayer d'en savoir davantage ; en véritable femme Cancer, Maryse, sous sa douceur maternelle, est d'une ténacité remarquable. Ce n'est pas par hasard qu'elle a surmonté l'immense chagrin infligé par Gilles, l'homme qu'elle avait choisi, celui en qui elle avait mis toute sa confiance et qui l'a trahie sans remords, du haut de son narcissisme dévorant. Malgré ma soif de connaître tous les détails des révélations de Robert, j'avais un immense sourire aux lèvres et je sentais la tension accumulée au cours du dernier mois s'échapper tout doucement à chaque gorgée de champagne.

Maryse avait fait appel à son traiteur japonais favori et les sushis étaient divins. Le champagne coulait à flot, de la bouteille à ma flûte, puis dans ma gorge. Beaucoup trop facilement. J'essayais de sonder Maryse, mais elle se contentait de me dire, sourire coquin aux lèvres :

— Demain, Val. Tu vas tout savoir demain quand Robert va être là. Sois patiente.

Patiente, moi ? Non, vraiment pas. Alors j'ai dansé et bu encore.

À un moment, je me suis réveillée sur le divan de Maryse, recouverte d'un drap ; la maison de mon amie était silencieuse, la nuit profonde. J'avais soif et mal à la tête. Après avoir bu plusieurs grands verres d'eau et avalé quelques comprimés péniblement repêchés au fond de mon sac à main, je me suis recouchée pour ne revoir le jour que quelques heures plus tard. À mon réveil, la perspective du retour imminent de Robert a évacué les vestiges de mes abus, et je suis partie à la maison sans prendre la peine de réveiller Maryse. Je la reverrais, avec Julie, le surlendemain, pour leur faire « rapport ». Rapport de quoi, au juste ? Je mourais d'impatience de le savoir.

La terrasse où mes amies m'attendent le surlendemain est bondée en cette magnifique soirée. Il y a de l'électricité dans l'air, tout le monde est joyeux : l'interminable hiver n'est qu'un lointain souvenir, la peau s'expose dangereusement et les premiers coups de soleil sont visibles sur les corps des imprudents. Montréal est animée, pimpante, aussi jolie que les filles qui se pavanent sur ses trottoirs. Moi, je suis dans un drôle d'état, à mi-chemin entre l'envie de gambader et celle de me jeter devant un camion. Les extrêmes, je connais ça.

Mes copines sont aussi pétillantes et radieuses que tout ce qui nous entoure. Après les habituelles embrassades, Maryse me tend un verre bien givré de sa boisson de prédilection, et les bulles me chatouillent délicieusement la bouche. Je me demande parfois si elle raffole de ce nectar au point d'en boire en déjeunant le matin, ce qui ne m'étonnerait pas. Ma veuve joyeuse le mérite, si elle en a envie. Dire que j'aurais tant voulu, autrefois, être à sa place ! À mes yeux, elle vivait au sein du mariage parfait, de la famille idéale, de tout ce que j'aurais voulu avoir. Évidemment, je ne connaissais rien de la vérité : un mari méprisant, infidèle, qui l'a fait souffrir bien plus que tout ce qu'il m'aurait été possible de croire. Aujourd'hui, je l'envie toujours, mais pour des raisons différentes. Elle a réussi à bâtir, grâce à une idée de Julie, un impressionnant succès financier et populaire avec Karmasutra.com, et je suis aussi fière d'elle qu'heureuse pour elle. Car ce triomphe ne se serait pas matérialisé si Maryse n'avait pas été une femme aussi intelligente, courageuse, forte et résolue. Il est vrai que j'ai contribué à mettre le site sur pied, mais de manière trop marginale pour m'accorder quelque mérite.

Oui, je mets Maryse sur un immense piédestal; elle m'a toujours paru plus grande que nature. Je l'aurais parée d'une cape et d'une auréole sans la moindre hésitation tant elle représente pour moi un modèle de femme héroïque et inspirante.

Mon admiration pour Julie a des racines différentes. Julie est beaucoup plus impulsive que Maryse; elle fonce, parfois sans réfléchir. Cela lui permet de vivre des expériences fantastiques, mais aussi, à l'occasion, des désastres. Forte, Julie? Oui, mais fragile à la fois. Je soupçonne qu'elle est bien plus vulnérable qu'elle ne le laisse paraître, et ça ne fait qu'ajouter à son charme. Auprès des mâles, en tout cas, c'est indiscutable. Elle les attire comme des mouches, autant les jeunes que les croulants, les hommes d'affaires comme les artistes, les mariés comme les célibataires. C'est la même chose pour les femmes, d'ailleurs, comme en témoigne sa liaison actuelle avec Céline... et son conjoint Alain. Je ne comprends toujours pas comment une union de ce genre peut fonctionner, un triangle amoureux dans sa plus pure expression, mais tant que personne ne souffre, ça ne me regarde pas. Bref, peu résistent au magnétisme de Julie, et ça m'a souvent mise hors de moi. À côté d'elle, j'ai l'air d'un pichou et je me suis souvent demandé si elle ne m'utilisait pas, au moins à l'occasion, comme faire-valoir. Comme si elle en avait besoin! Du reste, je ne la crois pas capable de la moindre mesquinerie. Elle ne semble même pas se rendre compte de son effet sur les gens. Tant mieux pour elle, le contraire pourrait la rendre insupportable, un peu comme Jessica. N'ayant pas envie de songer à cette dernière, je la chasse de mes pensées. J'ai d'autres chats à fouetter.

La curiosité de mes amies est presque comique. Elles

me scrutent, ne sachant trop comment interpréter mon air quelque peu égaré, et attendent que je dise quelque chose. Je suis reconnaissante d'avoir pensé à apporter mes lunettes de soleil; au moins, les filles ne me poseront pas de questions sur mes yeux bouffis. Pas pour le moment, en tout cas. N'y tenant plus, Maryse, en vraie chef d'entreprise, prend les devants:

— Pis, vas-tu nous raconter, un de ces jours, ou tu vas nous laisser poireauter pendant des heures? C'était comment, les retrouvailles?

Je ne sais pas trop ce que j'ai envie de leur raconter. La panique? Non, elles s'inquiéteraient et me bombarderaient de questions; je pleurerais encore et il me semble que ça suffit. Elles s'attendent à ce que je dégouline de bonheur? Je vais leur faire plaisir. On verra ce que ça donne. Tout à coup, je me sens fébrile, comme si j'en avais assez de camoufler mon état réel. Cependant, si je laisse le barrage céder, ça risque d'être laid et perturbant. Pas mon fort, les scènes. Alors je décide de jouer assez maladroitement celle qui veut les faire languir en ménageant mon effet.

— Hmmm. Je sais pas trop quoi vous dire…

— Nounoune! intervient Julie, aussi impétueuse que d'habitude. Go, déniaise!

— OK. Ben c'était… magique. Ça faisait un mois, quand même. Un long mois que j'ai passé à agoniser. En fait, j'ai bien dû mourir quelques fois, avant de revenir à une pseudo-vie de temps en temps, et juste pour Sabrina.

C'était tout à fait vrai. Elle a beau avoir presque dix-neuf ans, ma fille a encore besoin de moi, ne serait-ce que pour manger, m'emprunter de l'argent ou ma voiture. Sinon, je m'étais contentée d'exister, telles une larve, une loque, bref toute chose molle et inerte qu'on peut imaginer. Il ne me semble pas nécessaire de leur en divulguer autant.

— J'étais nerveuse en attendant Robert à l'aéroport. Non, en fait, j'étais dans tous mes états. Si on avait pas bu autant de champagne ensemble la veille, les filles, j'aurais peut-être pu me calmer, mais mon cerveau marinait toujours dans les vapeurs d'alcool, je me sentais faible et j'avais mal au cœur. Tout ça a disparu quand j'ai vu Robert arriver. Il me cherchait du regard et en me voyant, son visage s'est allumé, ses beaux yeux se sont mis à briller et son sourire… wow, je me suis calmée d'un coup. Il s'est précipité vers moi, mais tout avait l'air au ralenti, comme dans le genre de films que j'aime tant et pour lesquels vous me niaisez tout le temps. Y'avait plus rien qui existait, on était tout seuls au monde – ou à l'aéroport, même affaire – et le temps s'est comme arrêté. Il manquait juste la petite musique, des violons quétaines, pour que la scène soit parfaite. Robert m'a ouvert les bras, et je m'y suis pitchée avec la grâce d'une gazelle. Ça devait être super beau à voir ! Il m'a soulevée, m'a embrassée et m'a murmuré tous les mots tendres que je mourais d'entendre.

— Seigneur ! s'exclame Maryse. As-tu apporté du popcorn ?

— Awww ! soupire Julie. C'est vraiment comme dans un film, c'est malade ! ! !

— Oui. Mais un moment donné, quelqu'un a dû dire « Coupez ! » parce que la scène s'est interrompue ben raide, et je me suis fait pousser par des impatients.

— Des frustrés jaloux ! conclut Julie. Même pas capables de s'attendrir devant la scène d'amour du siècle. Franchement !

— T'as raison, mais moi, je savourais pareil. J'ai même fait des gros yeux à une bonne femme qui m'a écrasé les orteils avec sa valise. Mais j'ai rien dit. J'étais toujours dans les bras de Robert, et c'est juste ça qui comptait. Si la chipie pouvait pas s'émouvoir, tant pis pour elle ! Elle doit être ben malheureuse.

— Ou mal baisée, évidemment, ajoute Julie.

— Évidemment. Mais sérieux, je m'en foutais. Robert m'a attirée à l'écart et m'a dit qu'il avait plein de choses à confier. Il m'a demandé si je t'avais parlé, Maryse, et je lui ai répondu que tu m'avais dit le minimum : qu'il était un homme merveilleux et qu'il allait me rendre heureuse. J'me pouvais pus, j'avais trop hâte de savoir c'était quoi tous les secrets. Ça tombait bien, Sabrina était partie chez une amie, on est revenus à la maison et là, ben… Maryse, je pourrai jamais assez te remercier.

J'étais sincère. Sans elle, je n'aurais sans doute jamais recommencé à respirer, ce que j'avais oublié régulièrement de faire depuis que Robert était parti. Sans elle, non plus, je n'aurais jamais su que ce dont j'étais persuadée (malgré le manque de preuve tangible –, de faits accablants hors de tout doute, comme je l'écrirais dans le cadre de mes fonctions de secrétaire juridique) s'avérait sans fondement.

— J'ai juste fait ma job, se défend-elle.

— Oui, mais mettons que la cliente en a eu plus que pour son argent !

En effet, depuis la dernière année, peu de temps après le décès de Gilles, son ignoble mari, Maryse joue les justicières. Puisqu'il a eu la bonne idée de mourir avant qu'elle ait la chance de jeter sur lui tout le fiel accumulé au cours des dernières années, Maryse s'est rabattue sur des substituts, des hommes fourbes qui ont goûté à sa vengeance par le biais de Karmasutra.com, un site dans lequel des centaines, voire des milliers de femmes dénoncent des imbéciles de tout acabit. Véritable détective, juge et bourreau, Maryse aurait fait de Robert l'avant-dernière victime de sa condamnation ; elle était partie à Calgary dans le but de démasquer mon amoureux et de lui infliger une sentence des plus sévères. Or, selon toute vraisemblance, ce qu'elle y a découvert d'inattendu permit enfin à la femme trompée qu'elle avait été jadis – victime trop longtemps consentante d'une union à toxicité élevée – de retrouver une certaine foi en l'humanité. Elle est enfin presque libérée et, même si elle est allée beaucoup trop loin dans sa quête à un certain moment, elle semble avoir retrouvé l'équilibre.

Mes amies attendent la suite à grands coups de soupirs et de manifestations d'impatience. Je poursuis donc mon récit à petites doses :

— Ben, comme vous vous en doutez, j'étais presque ridiculement contente et soulagée, même si j'y crois pas encore tout à fait. J'ai pas plus de raison de douter de Robert que j'en ai eu de le soupçonner, mais faut croire que je suis de même. Si on s'attend au pire, on ne peut pas être trop blessée ; si on n'a pas d'attentes, on ne peut pas être déçue. C'est beaucoup plus *safe* comme ça, non ?

Oui. Mais voilà que Robert défiait les statistiques, déjouait les soupçons et ne trouvait qu'une chose secrète à dévoiler : son amour infini pour... moi. J'insiste :

— *Come on,* les filles, quelqu'un peut m'expliquer ? Ce gars-là a tout. Il est grand, beau, charmant, intelligent, incroyablement cultivé, patient, généreux, doux, viril, conciliant, compréhensif, affectueux, sait exprimer ses sentiments, me faire rire, jouir, chanter.

— Jouir ? *Yes !* Enfin, ça sort ! s'exclame Julie, sans m'étonner.

J'ai dit ça ? Oui, et Julie aurait été incapable de passer outre. Au fait, pourquoi ai-je choisi d'inclure ce mot-là dans mon énumération ? Parce que. C'est sorti tout seul. Pas ma faute si, avec Robert, peu à peu, j'apprends à m'apprécier, à m'exprimer (sans pleurer la plupart du temps) et à me laisser aller (traduction : ... aimer faire l'amour pour vrai, disons-nous les vraies choses). Julie m'a toujours trouvée trop discrète sur cet aspect de ma vie tandis que moi je suis souvent déstabilisée par sa facilité à se dévoiler. Il est trop tard, de toute manière, c'est dit et bien noté. Je n'ai pas le choix de poursuivre :

— Ben oui, Julie, jouir. Mais pourquoi moi ? Qu'est-ce qu'il peut bien voir en moi que d'autres femmes plus belles, plus sexy, plus tout, pourraient pas lui offrir ?

— T'es un cas à part, Val ! répond Maryse.

Un cas, oui. Pas exactement la formule élégante que j'aurais aimé entendre, mais ça doit être juste. Comme bien des femmes aiment « sauver » des hommes introvertis ou tourmentés, Robert doit aussi aimer se consacrer à des causes perdues. Je ne vois pas d'autre explication.

— Val, y'a pas plus *sweet,* loyale, transparente, dévouée que toi. En plus, t'es belle, intelligente, généreuse et super *cute* avec tes insécurités, ajoute Julie.

Vraiment ? Moi ? Pfff ! C'est aussi une part du charme de Julie, et elle y excelle : elle a le don de dire les bonnes choses au bon moment. N'empêche. Soudain, j'ai l'irrépressible besoin de leur dévoiler quelque chose qui saura sans contredit les surprendre :

— Charrie pas, ma belle Julie. En tout cas. On a passé une soirée et une nuit incroyables. Et comme tu veux tout savoir, Ju, ben j'vais te dire. Écoute-moi bien, parce que ça arrive pas souvent que je parle de ça, mais là j'en ai besoin.

On était à peine arrivés à la maison que Robert a laissé tomber sa valise et m'a embrassée. J'avais jamais ressenti autant de désir pour un gars. J'ai même pensé à toi quand tu nous racontais tes histoires avec ton beau Simon. J'me demandais ce que tu voulais dire exactement quand tu parlais de papillons, de passion, de désir qui rend fou, et là je le sais. C'était pas la première fois qu'on faisait l'amour, mais y'avait quelque chose de différent, j'ai capoté plus que je l'avais jamais fait, même avec lui. *Anyway,* c'est une longue histoire que j'vais garder pour un autre soir, mais j'vais juste dire que Robert a été le premier avec qui j'ai réussi à aimer ça, faire l'amour, avec qui j'ai été capable de me laisser aller. Avant lui, eh bien... disons que j'avais pas un grand appétit pour « la chose ». Je suis sûre que vous vous en doutiez, mais là, je vous le confirme. Je sais que vous avez jamais tripé sur mes chums, eh ben franchement, moi non plus, pas de cette façon-là, en tout cas !

— Ben voyons, pourquoi t'étais avec, d'abord ?

L'incompréhension de Julie est presque comique. Comme si c'était la pire aberration qu'il lui ait jamais été donné d'entendre. Je ne peux pas l'expliquer encore et je n'en ai pas envie, de toute manière. J'évite :

— Ça date d'il y a longtemps, très, très longtemps, même, mais c'est pas important. J'vous en ai déjà raconté un peu, au printemps, vous avez pas besoin d'en savoir plus. En tout cas, avec lui, même si ça a pris des longues semaines avant que je le laisse faire, ça n'a rien à voir avec les autres.

Oui, plusieurs semaines en effet. Bien que celles-ci aient sans doute paru beaucoup plus longues pour lui que pour moi, jamais Robert n'a manifesté le moindre signe d'impatience. Ça a porté ses fruits et m'a permis d'apprivoiser tout doucement la sensation de son corps d'homme contre le mien, ses touchers parfois tendres ou fiévreux, sa bouche qui me goûte comme si j'étais un mets raffiné et succulent. Et maintenant, rien qu'à y penser, j'en tremble de désir et d'anticipation. Étrange ! Maryse est étonnée.

— Steeve ? dit-elle. C'est sûr, il a été tellement con ! Mais les autres ?

— Les autres, c'était pareil. Faire l'amour, c'était toujours... inconfortable. Désagréable, même, et souvent. Chaque fois que je rencontrais quelqu'un, c'était un obstacle...

— J'imagine ! Mais comment tu peux avoir envie de continuer à voir quelqu'un si t'as pas le goût de coucher avec ? Je comprends vraiment pas, Val...

— C'est clair que tu peux pas comprendre, Julie, et on est tellement différentes, pour ça, toi pis moi. Mais c'était ça pareil, OK ?

Elles acquiescent à contrecœur et je poursuis :

— Bon. Mettons que pour acheter la paix et pas décevoir, ça m'arrivait de faire semblant... ou je repoussais le gars en espérant qu'il comprenne et qu'il soit patient. Des fois, ça marchait. Mais la plupart du temps, ça finissait par tout gâcher. C'est bien beau, jouer le jeu, mais les hommes sont pas cons, contrairement à ce qu'on peut penser. On peut leur en passer des p'tites vites jusqu'à un certain point, mais faut pas exagérer. Dans mon cas, j'arrivais quand même à donner le change, à leur faire croire que c'était pas aussi pénible que ce l'était en réalité ; mais les gars aiment les filles entreprenantes, cochonnes, et moi, je devais à peine avoir l'air passivement « collaborative ». Pas fort. Oh, il y a sans doute une explication quelque part, dans mon passé, mais Robert a réussi là où les autres ont foiré : je le désire, j'ai envie de lui tout le temps.

Ce que je ne vais pas leur dire, moi qui m'épanche déjà beaucoup plus que je ne l'ai jamais fait, c'est que je veux que Robert me fasse l'amour longtemps, avec douceur ou passion, matin, midi et soir. Pourquoi lui ? J'ai ma théorie. Elle est simpliste, mais irréfutable : je l'aime et il m'aime aussi et, pour une raison que je ne m'explique pas encore tout à fait, je me sens en sécurité avec lui depuis la première fois. Eh oui. Aussi con que ça. Romantique, moi ? Cendrillon ne m'arrive même pas à la cheville. Et ce n'est pourtant pas parce que j'ai vécu de grandes aventures sentimentales enlevantes, loin de là. Un côté de moi se moque de cette fille naïve qui s'imagine que l'amour, plus fort que tout, permet de surmonter toutes les épreuves et autres mièvreries du genre. Au fond, par contre, je sais très bien que la vraie vie ne se passe pas ainsi : les hommes sont des porcs ; ils ne pensent qu'au sexe et c'est ça qui est plus fort que tout, pas l'amour. L'amour est une invention machiavélique pour nous faire faire toutes sortes de conneries, par exemple, des enfants... C'est mon combat perpétuel ; l'ange et le démon s'obstinent dans ma tête et font que je ne sais jamais sur quel pied danser. De là la peur, la jalousie et l'inquiétude, à chaque instant. Mère poule. J'y reviendrai, car mes copines attendent la suite.

— OK, on arrive au bout que j'comprends pas encore. Le lendemain matin, Robert m'a appris plein de belles nouvelles : il a eu une promotion et va travailler seulement à Montréal à partir du mois prochain, il a acheté une auto à Sabrina et il veut rembourser mon hypothèque pour compenser les deux ans où il a vécu avec moi. En plus...

— Wô, pas trop vite, là ! s'écrie Julie.

Ses questions fusent, et moi je réponds : Oui, Sabrina va capoter ; évidemment, je trouve ça cool qu'il ne parte plus toutes les deux semaines et oui, ça veut dire que la maison va être payée et m'appartenir. Non, il ne veut même pas en être partiellement propriétaire. Bien sûr, je touche plus à terre. Maryse sourit de toutes ses dents.

— T'imagines ? dit-elle. Depuis le temps que tu fais l'écureuil parce que t'as peur de manquer d'argent. T'as jamais voulu que je t'aide, moi, mais lui c'est correct, c'est ça ? On sait ben, il est plus *cute* que moi, lui !

Elle avait raison sur tous les points. À la mort de son mari, Maryse s'était retrouvée, à sa grande surprise, avec un héritage exorbitant. Elle s'était attendue à un certain confort, mais ce qui lui était légué dépassait largement ses pensées les plus folles. Et Maryse étant Maryse, elle tenait à partager cette manne avec nous. Connaissant mes insécurités financières – injustifiées selon elle et bien réelles selon moi –, elle m'avait offert de m'aider de façon substantielle. Mais j'avais refusé tout en trouvant son geste plus que généreux. Par orgueil, d'abord, mais aussi parce que je craignais que mon sentiment d'être endettée envers elle ternisse notre relation. Robert m'offre autre chose de bien plus facile à accepter. Elle le comprend ; sa taquinerie n'est qu'une preuve de cette compréhension et de son respect. Je ne m'attendais cependant pas à ce qu'elle ajoute, en me faisant un clin d'œil :

— Bon. Arrives-tu à la pièce de résistance, là ?

— Ouain. Mais comme t'es déjà au courant, j'ai peut-être pas besoin...

— Euh... quoi ? Moi qui pensais que c'était ce que tu allais nous annoncer en premier ! Coudonc, as-tu besoin d'encouragement ? Tu veux pas montrer quelque chose à Julie, toi, genre ta main gauche ?

Je me sens rougir jusqu'aux oreilles. Julie me regarde

bouche bée et je pose lentement ma main sur la table. Maryse a bien remarqué que je camoufle ma main plus ou moins habilement depuis mon arrivée. Mais je ne peux plus reculer. Julie s'étouffe presque avec sa gorgée de champagne. Puis elle crie : « Heeeiiinnn ? ? ? Ah ben ! On aura tout vu ! Vaaalll ! »

Sabrina aurait eu la même réaction en voyant son chanteur préféré débarquer chez nous. C'est tellement drôle et mignon que j'en oublie presque mon angoisse. Maryse crève ma bulle :

— Euh, Val ? Pourrais-tu avoir l'air un peu moins excitée ? Si tu continues, tu vas faire de l'hyperventilation... Qu'est-ce qui te prend ? Me semble que t'es *weird,* là...

— Je suis pas *weird,* c'est juste que... je m'attendais tellement pas à ça !

— Ayoye ! Je capote ! Montre-moi ça, Val ! C'est une vraie, hein ? demande Julie sans se rendre compte du ridicule de sa question.

— Ben oui, Julie, c't'une vraie, franchement.

— Hein ? ? ? Ah ben ! C'est ben cool, Valérie ! Wow ! Tu vas te marier ? Quand ? Où ? Vous faites quel genre de mariage ? Une grosse affaire à l'église pis toute avec nous autres dans des robes super laides ? On va être tes filles d'honneur, hein ? Ou bien vous faites juste un mariage à l'hôtel de ville avec quelques amis ? On va être invitées, hein ?

— Wô, Julie, calme tes nerfs et respire par le nez. Je sais pas encore, on a pas parlé de ça.

— Hein ? Comment ça, pas parlé de ça ?

— Parce que j'ai pas encore dit oui. J'ai pas dit non, j'ai pris la bague, mais en fait, je capote un peu, là...

Maryse me regarde d'un air suspicieux et je me sens démasquée. Julie, elle, est perplexe. J'essaie de me défendre :

— Je me suis posé la même question que toi, Julie. J'étais pas sûre que c'était une vraie bague et qu'elle voulait vraiment dire ce que je pensais. Je pouvais pas faire autrement que de me dire qu'il était en train de me faire marcher.

Julie regarde Maryse et lui demande, comme si je n'étais pas là :

— Elle est tombée sur la tête ou quoi ? Elle niaise, là ?

Maryse se contente de hocher la tête et de hausser les épaules. Moi, je ne dis rien pendant quelques secondes. Puis :

— Je sais que je dois avoir l'air bizarre, les filles. Je devrais être tout énervée et vouloir tout planifier. Mais comment je pourrais savoir ce que je veux comme mariage si je suis même pas sûre de vouloir me marier ?

— Ben voyons, t'es en amour par-dessus la tête !

L'incrédulité de Julie arrive presque à me faire sourire. Julie la spontanée, celle qui saute dans l'inconnu avec entrain, la Miss positive à toute épreuve. Pas étonnant qu'elle ne comprenne rien !

— Oui, je suis en amour. Mais les dernières semaines ont été pénibles. Je veux plus jamais vivre ça de ma vie. La pensée qu'il voyait quelqu'un d'autre, qu'il me jouait dans le dos alors que moi, l'épaisse, je l'aimais à mort, ça m'est rentré dedans solide...

Maryse soupire d'impatience avant d'ajouter :

— Coudonc, Val, c'est si difficile que ça d'accepter que des belles affaires peuvent t'arriver, à toi aussi ?

— Hey, tu peux ben parler ! C'est toi qui as passé la dernière année à crucifier une gang d'épais et à voir du noir partout ! T'étais aussi convaincue que moi que Robert me jouait dans le dos !

— Oui, c'est vrai. Mais j'ai pas honte d'avouer que j'étais dans le champ. Ton Robert, là, il m'a fait comprendre ben des affaires. Oui, y'a beaucoup de laideur dans le monde, mais on est seul à décider si on veut voir juste ça ou pas. C'est supposé être une belle surprise, une bonne nouvelle. Pourquoi ça a pas l'air de te faire plaisir ?

— Ça me fait plaisir ! C'est juste que... je l'aime tellement que ça me fait peur, bon, c'est pas de ma faute !

— Pis ça, ma belle, cette bague-là, ça prouve qu'il t'aime autant !

— Ça prouve qu'il m'aime là, maintenant, mais qui me dit qu'une fois mariés pis blasés on va pas finir comme toi pis Gilles ?

Je regrette aussitôt mes paroles. C'était méchant et injustifié. Maryse va sans doute penser que je la tiens responsable, comme je l'ai si maladroitement fait l'automne dernier. Mais dans son regard, je ne vois aucune colère, sinon une sorte de tristesse, de la mélancolie, peut-être. Elle me fait un doux sourire et conclut :

— Tu pourrais avoir raison, mais moi je suis convaincue que quand on se choisit à nos âges, ça a rien à voir avec ce que j'ai essayé d'avoir avec Gilles. Vous êtes plus des enfants, Val. Vous vous aimez pour les bonnes raisons. J'aimerais tellement que tu puisses l'accueillir comme un beau cadeau de la vie...

— Moi aussi j'aimerais ça, je sais juste pas comment.

Nous ne disons plus rien. Chacune de nous est plongée dans sa bulle et je me demande ce que mes amies pensent, outre le fait qu'elles doivent me trouver inepte ; Julie regrette peut-être d'avoir laissé Robert s'échapper ? Non, ce n'est pas son genre, même si ses soupirs pourraient traduire une mélancolie chez elle aussi. Pense-t-elle à Danny, son ex-conjoint ? À sa relation actuelle avec Céline et Alain ? Pour une fois, je n'ai pas envie de m'interroger ou de m'apitoyer sur le sort de mes amies. Seul le mien compte. Au bout de plusieurs minutes, Julie interrompt nos pensées :

— Val, je sais pas quoi te dire. Trop souvent, on essaie de t'expliquer quoi faire et comment tu devrais te sentir. Pour ma part, je veux plus faire ça. Ce que tu vis, ce que tu ressens, c'est là, que tu le veuilles ou non. Mais me semble que ça serait bon que tu le comprennes, au moins. T'as une décision à prendre on dirait, et j'pense que tu vois pas clair. On est toujours là, Maryse et moi, à avoir l'air de savoir mieux que toi ce qui devrait te rendre heureuse, mais c'est de la bullshit, ça. Personne d'autre que toi peut le savoir.

Ce genre de remarque devrait me faire tomber en bas de ma chaise. Julie a de merveilleuses qualités, mais j'ai peine à m'habituer à cette toute nouvelle humilité. Ça lui va bien, je trouve, et je l'aime encore plus.

— C'est fin, ce que tu dis là, Julie. Pis moi, j'ai tellement la chienne que vous me jugiez que, ben souvent, je me laisse influencer. Mais t'as raison, y'a juste moi qui peux régler ça et savoir c'est quoi, au fond, qui m'achale. Parce qu'y'a quelque chose, c'est évident. Mais je fais comment, pour savoir ça ?

Silence. Puis, Maryse avance :

— Julie a raison, tant pour notre tendance à te dire quoi faire que pour le fait que ça doit venir de toi, cette fois plus que jamais. Peut-être qu'un psy pourrait t'aider ? T'sais, ils en voient de toutes les couleurs, ils sont pas là pour juger ni pour décider à ta place. Juste pour t'aider à faire le ménage. Je peux t'aider à en trouver un si tu veux…

Elle est sincère et surtout aussi humble que Julie. Je suis touchée que mes amies ne veuillent pas intervenir, s'immiscer dans mes réflexions. Soulagée et déçue à la fois, comme si elles m'abandonnaient. Ou plutôt, comme si j'étais leur enfant et que je devais apprendre à voler de mes propres ailes. Je suis confuse et perplexe. Un psy ? Moi ? Je n'ai pas vraiment d'opinion là-dessus, mais je me demande si j'arriverais à me confier à un étranger. Comme si elle lisait dans ma pensée, Julie ajoute :

— C'est une bonne idée, ça. Céline en a vu un pendant longtemps, quand elle s'est séparée. Ce qu'elle a apprécié le plus, c'était la façon dont elle pouvait justement dire ce qu'elle avait sur le cœur sans s'inquiéter de ce que l'autre allait penser. T'sais, les psys sont pas là pour te dire quoi faire non plus, mais juste pour t'aider à te connaître. T'as pas grand-chose à perdre ?

— Ouain, mais ça coûte cher !

Maryse se retient pour tempérer sa réplique à mon commentaire :

— Val, là, ça va faire. T'as des assurances au bureau, non ? Sers-toi en, tu le fais jamais et tu payes pour ça. C'est la dernière chose que je vais te dire pour t'influencer : il est temps que tu penses à toi, à te faire du bien et à prendre les moyens pour regarder en avant en souriant, sans avoir peur de tout ce qui peut arriver. T'es pas tannée de vivre de même ?

— Tannée ? T'as juste pas idée ! Écœurée, plutôt.

— Ben d'abord, go ! Veux-tu que je te trouve le nom de celui que Céline a vu ?

— OK, Julie. C'est sûr que quand ça vient de quelqu'un

qu'on connaît, c'est moins pire. Vous voyez, j'ai même peur de trouver quelqu'un qui va m'aider à avoir moins peur. Je fais dur ! ! !

— Tu fais dur, mais pas pour longtemps, beauté. Go, Val, Go !

Cri de ralliement, cri du cœur. Ce n'est pas la première fois que nous l'utilisons, pour l'une ou l'autre et dans différentes circonstances. Ça me plaît d'entendre mon nom y être associé, pour une fois. Go, Val, Go ? Pourquoi pas. Si je ne le fais pas maintenant, je n'y arriverai sûrement jamais ! Il me semble bien que la panique devant une demande en mariage justifie à coup sûr cette démarche.

Go, *indeed.*

2

La perspective de consulter un psychologue fait doucement son chemin. Mon plus grand défi réside dans le fait que je ne me dévoile qu'avec beaucoup de difficulté et encore, une parcelle à la fois. J'ai toujours préféré écouter les épanchements des autres que de verbaliser les miens. Puis, qu'est-ce que je vais bien pouvoir dire d'intéressant qui puisse jeter la lumière sur mes inaptitudes émotives ? Mes amies ne savent finalement que très peu de choses significatives à mon sujet. Autant nous sommes proches et loyales, autant ma vie ne doit représenter, pour elles, qu'une série d'images incomplètes et somme toute assez ennuyeuses. Pourquoi aurais-je d'ailleurs partagé avec elles des détails sans intérêt sur ma vie ? Je sais bien que Julie ne demanderait pas mieux que d'en connaître davantage sur mes désirs et mes aspirations et sur les relations qui les ont forgés ; sauf que… s'il m'est impossible, même à moi, d'y voir quelque piste, comment pourrait-elle y trouver son compte ? Ses histoires sont flamboyantes, excitantes. Les miennes ? Tout le contraire. Ma façon d'entrevoir mon avenir est assurément teintée par les personnes qui ont peuplé mon passé, mais qu'en dire ? Je me doute bien que dans un cabinet de psy, il en sera question. Il est sans doute temps pour moi de faire un bilan, pour mon bénéfice personnel et surtout pour trouver le moyen et la force d'aborder le sujet. L'introspection, j'en fais un usage quotidien, mais je l'ai toujours dirigée vers des considérations assez terre à terre, comme, par exemple, les frasques de Sabrina. J'en ai passé des soirées à m'inquiéter de l'heure de son retour, des amies au comportement douteux qu'elle fréquentait, de ses accusations. Je l'étouffais, paraît-il. Oui, je me remets toujours en question. Même si le pire est passé, je crains sans arrêt qu'elle fasse une connerie, se laisse entraîner dans des situations dangereuses – on sait tous que les partys d'ados ne sont pas sans risques ! – ou qu'elle sombre dans l'enfer de l'alcool ou des drogues. Ma princesse, ma poulette m'a échappé bien avant les réelles affres de l'adolescence. Même si j'ai tout fait pour me préparer à cette période honnie, nous en avons bavé toutes les deux. J'ai bon espoir que nous en sommes sorties, mais il restera toujours des cicatrices... À trop essayer de protéger Sabrina, je l'ai sans doute éloignée de moi. Avec Robert, elle semble entretenir une forme de complicité et de respect mutuel inédit, et ça me fait chaud au cœur. Elle vieillit, elle aussi, j'imagine. Elle m'a avoué pour la première fois qu'elle aimait bien mon amoureux, il y a deux semaines, mais j'étais alors en plein supplice et je me demandais comment elle réagirait à notre rupture, imminente selon mes paranoïas du moment. Je n'en admire Robert que davantage, d'ailleurs. Là où tous les autres ont failli à la tâche, il est arrivé, à coups de patience, de douceur et de transparence, à faire succomber Sabrina à son charme. Ça aussi, j'en ai toujours rêvé. Qu'un homme sache prendre sa place auprès de ma fille sans l'effaroucher est un réel exploit. Si je me donnais la peine d'examiner de plus près l'historique de mes relations et de leur effet sur elle, je comprendrais peut-être plus de choses… je le sais bien. Mais, oh surprise ! j'ai peur. Redondant, non ?

Sabrina en a même rajouté en me disant qu'il était clair qu'avec lui, j'avais enfin trouvé un homme digne de moi. Charmante enfant. Digne de moi ? Je n'en sais rien, mais quand je repense à cette soirée où nous nous sommes retrouvés, une fois l'horreur des doutes écartée, je ne peux que donner raison à ma fille. Tant de choses sont différentes avec lui ; tant de sentiments nouveaux se tiraillent que j'en ai parfois des étourdissements.

Notre première nuit a d'ailleurs été une véritable révélation. Nous nous fréquentions depuis déjà presque quatre mois. Il pourrait paraître étrange, et même inadmissible à quelqu'un comme Julie, qu'il faille aussi longtemps pour en arriver là, mais dire que j'étais hésitante serait l'euphémisme du siècle.

Lorsque j'ai rencontré Robert, j'étais seule depuis plus de six mois, ce qui était presque un record. Mon dernier petit ami, Pierre, m'avait quittée l'automne précédent, sans éclat ni grande surprise. Il n'y avait pas d'amour dans cette union, encore moins de passion. Il n'y en avait jamais eu, de ma part en tout cas. Au début, Pierre me traitait comme une reine et c'est la seule raison pour laquelle j'avais cette pseudo-idylle avec lui. Nos rapports intimes étaient… corrects, sans plus. Bref. Peu de temps avant que Robert entre dans ma vie, plus précisément lors de mon anniversaire, au printemps, je m'étais écroulée devant mes amies. Elles avaient pourtant tout fait pour rendre la soirée agréable : le resto était parfait et le vin était délicieux. Même si elle le niait avec véhémence, Julie était amoureuse de son beau Simon, rencontré récemment sur un site de rencontre. Je l'écoutais nous parler de sa nuit de rêve, d'atomes crochus, de désir qui dégouline, de repas dégusté les yeux dans les yeux près du feu dans un magnifique loft du Vieux-Montréal et je l'enviais. Sa vie était un roman dans lequel tout était parfois caricatural, parfois drôle, mais aussi… parfait. La façon dont elle nous décrivait son nouvel amant le rendait presque surhumain, irréel. Je rêvassais en l'imaginant, une espèce d'Antonio Banderas un peu bohème et sauvage, passionné et enflammé. Julie elle-même l'idéalisait sans doute, mais après toutes les péripéties décevantes qu'elle nous avait confiées à la suite de son inscription sur deux sites de rencontre, je lui souhaitais tout le bonheur du monde. Cela dit, je constatais aussi, avec une acuité douloureuse, le vide de ma propre vie. Mes seuls compagnons indéfectibles étaient Babouche et Patouche, nos deux épagneuls de huit ans. Ma fille, alors au pic de sa crise d'adolescence, cherchait sans cesse à tester mes limites ; la solitude me pesait comme jamais et j'en avais assez d'angoisser à la perspective de finir mes jours seule, aigrie et maussade, comme ma mère. La déprime que je croyais si bien camoufler se révéla au grand jour le soir de mon anniversaire, quelque part entre deux bouchées de *linguini carbonara,* quand Julie et Maryse m'ont tiré les vers du nez. J'ai essayé de m'en sortir avec cette explication générique :

— J'sais pas, les filles. J'vous adore, vous le savez, mais je pense que j'aurais aimé fêter mon anniversaire avec quelqu'un d'autre… Pas que je sache qui, j'ai personne en vue, mais j'en ai assez d'être seule…

Au lieu de calmer leur curiosité, ma sortie n'avait fait que précipiter une conversation dont je n'avais pas tellement envie. En ont découlé des remarques désobligeantes sur Pierre, puis, lorsque Maryse s'est laissée aller à un coup de cafard en nous accusant, Julie et moi, de ne pas profiter de notre liberté, j'ai éclaté :

— Profiter de quoi, au juste ? D'être toute seule devant la télé tous les maudits soirs ? De me regarder dans le miroir et me dire : « Ouain, t'es-tu vue ? Normal que personne veuille être avec toi ! » D'aller au cinéma ou au resto toute seule parce que t'es avec Gilles et tes enfants pis que Julie est sur sa vingt-huitième *date* ? Là, en plus, elle est casée avec son Simon, ça va être encore pire. Moi, à part faire marcher mes deux chiens, il me reste quoi ? J'vais aller dans le Nord, faire des randonnées, me promener en ville, aller voir des spectacles toute seule parce que je suis trop *loser* pour avoir quelqu'un avec qui y aller ?

Et là, alors que je trouvais que j'en avais trop dit, Maryse s'était déchaînée à son tour, nous révélant que son couple n'était pas aussi idyllique que nous l'avions toujours cru. J'étais soulagée de ne plus être sous les feux de la rampe et abasourdie par cet aveu. Je me suis immédiatement radoucie pour me dévouer à Maryse, mais ça a été de courte durée. Après de multiples répliques sur les frustrations de l'une et de l'autre, de critiques sur mes choix de vie, même, j'ai pété les plombs. Un véritable outrage au tribunal et, surtout, une première.

— Hey, lâchez-moi, surtout toi, Julie ! On en a déjà parlé, OK ? Je suis pas comme toi, j'pogne pas automatiquement avec les gars qui me plaisent, moi. J'ai appris à me contenter de ce que j'attire. Sauf que là, j'en ai ma claque. J'ai envie de changer, changer de look, mais aussi d'attitude. J'ai quarante et un ans, bordel ! Me semble qu'il serait temps que je me déniaise, non ? J'te regarde, Julie, pis j'me dis que moi aussi, avec des beaux cheveux, du beau linge pis un style à moi, j'pourrais être aussi bien dans ma peau que toi, non ? Parce que là, ma peau, j'vous jure que j'en peux plus… J'suis pas mal *down,* là. Excuse-moi, Maryse, je sais que tu files pas toi non plus, mais…

C'était sorti avec violence, comme du vomi, et je me suis sentie soulagée. Je craignais que mes amies soient offusquées, surtout Julie, mais c'est le contraire qui s'est produit. Elles m'ont plutôt submergée d'une très encourageante vague d'amour. Je ne m'en doutais pas, à ce moment-là, mais cette petite crise allait me permettre de franchir un pas de géant. Julie a proposé de m'emmener chez sa coiffeuse pour changer de tête, et Maryse de faire la tournée des boutiques. C'est alors que Julie a eu la brillante idée de me mettre en contact avec Robert. Sur le coup, j'étais loin d'être convaincue que c'était une bonne idée. Je me donnais le temps de voir les résultats des changements prévus pour décider si j'allais foncer ou non.

J'ai subi une véritable transformation. À tel point que j'aurais pu faire l'objet d'un grand reportage « métamorphose », avec une tonne de photos « avant-après » du genre de celles que je regardais en soupirant d'envie. J'avais eu un mal fou à me laisser convaincre de dépenser autant pour ma propre personne, pour des besoins aussi faux et puérils, mais à force de me faire remettre mes propres paroles sous le nez, j'ai fini par y arriver. J'avais bien dit que j'en avais plus qu'assez, non ? Que je voulais changer d'attitude autant que de look ? Je m'étais compromise à la barre des témoins, là il me fallait assumer. Chaque achat m'angoissait, chaque dépense me stressait, mais j'ai dû avouer, tout en me promettant que je ne répéterais plus ce genre de choses avant mes cinquante ans, que le résultat dépassait mes espoirs les plus optimistes. J'avais l'impression d'avoir rajeuni de dix bonnes années et je ne me lassais pas de m'admirer dans le miroir, comme si j'étais une étrangère. Séduisante, coquette, un brin audacieuse. J'aimais l'image que j'apercevais, presque au point de faire fondre mes scrupules d'écureuil en crainte constante de pénurie de noix. Même ma mère, avec ses remarques négatives du genre « franchement, ça te fait bien, mais me semble que c'est pus de ton âge, de vouloir changer boutte pour boutte de même. Tu vas juste t'attirer du trouble ! Me semble que c'est pas toi, ça fait drôle... », n'avait pas réussi à diminuer mon plaisir.

Grâce à mes amies, j'ai eu l'étonnante impression de me métamorphoser de vilaine chenille en papillon éblouissant. C'est fou ce que notre apparence peut faire à notre ego et entraîner une foule d'avantages collatéraux ! Du jour au lendemain, je suis devenue « Ma belle Val ! » au bureau ; des avocats qui me regardaient à peine depuis des années, se contentant de me fournir du travail avec un regard absent, sachant que je m'acquitterais de mes tâches avec efficacité et compétence, s'attardaient désormais sur ma personne, me complimentaient, me détaillaient avec une toute nouvelle étincelle au fond des yeux. Au début, le changement était seulement physique. J'ai remplacé mes chaussures « pratiques » à talons plats par des modèles élégants, plus féminins. Rien d'aussi vertigineux que les escarpins que porte Julie (je ne tenais pas à me tordre les chevilles), mais nettement plus attrayants que tous ceux que j'avais portés jusqu'alors. Des tailleurs stylés se sont substitués à mes jupes difformes et à mes chemisiers classiques ; mes cheveux d'un brun ennuyeux se sont parés de lumineux éclats cuivrés et j'ai suivi quelques cours de maquillage. Une nouvelle femme, vraiment. Et avec ça est venue l'assurance que j'espérais, la joie timide, mais bien réelle de me savoir séduisante. Superficiel, n'est-ce pas ? Oui et non. Si c'est le cas, tant pis, je n'ai aucun regret. Je me suis même acheté de jolis dessous qui, sans être affriolants, étaient tout de même beaucoup plus seyants que mes éternels soutiens-gorge « couleur peau » et mes culottes de coton.

Si le regard des hommes sur moi a changé de façon draconienne, celui des femmes s'est transformé tout autant. J'ai senti une certaine méfiance, soudain, et je m'en suis réjouie. Ah bon ? Je ne suis plus l'invisible Valérie, celle qu'on confond avec les motifs du tapis et les meubles de bureau ? Nooon. Je suis VALÉRIE maintenant, la femme discrète mais séduisante, toujours aussi compétente, et à qui mon cher patron, monsieur Simoneau, confie désormais des tâches plus délicates. Il a toujours apprécié, je pense, ma discrétion et ma façon impeccable de travailler. Je suis sous ses ordres depuis assez longtemps pour qu'un respect mutuel se soit installé, mais c'est comme s'il voyait désormais en moi plus qu'une simple assistante. Je ne souhaite pas le séduire, je l'admire beaucoup trop et le sais heureux en ménage, mais je suis flattée par ses marques de confiance de plus en plus nombreuses. Et ça, je ne veux plus jamais le perdre. Je ne serai jamais une Julie ni une Jessica, le genre de femme qui fait saliver les hommes de tous âges en un clin d'œil ; ça ne me perturbe pas le moins du monde. Tant mieux, en fait. Car j'ai découvert qu'il est beaucoup plus agréable de surprendre les gens par petits coups que de les décevoir parce que leurs attentes sont trop élevées.

Bref, comme pour sceller ma destinée, Julie m'a prise en photo le fameux soir des emplettes exagérées, alors que je portais une jolie robe fleurie d'un genre beaucoup moins conservateur que ce que je portais habituellement et qui m'allait à ravir.

— C'est pour montrer à Robert. Je te garantis qu'il pourra pas résister !

Bon, un stress de plus. Je n'avais jamais été présentée à mes copains de cette façon. Mes rencontres se faisaient plus souvent autour de mon lieu de travail : des clients, fournisseurs, connaissances communes ou des voisins d'immeuble. Là, j'aurais rendez-vous avec un homme dans le but avoué de voir si nous nous plairions, et ça me paralysait. J'ai mis un temps fou à me préparer, changeant de tenue au moins six fois. Sabrina me regardait d'un drôle d'air, se doutant bien de la nature de mon angoisse. Elle s'est même permis un commentaire très atypique :

— Wow, t'es belle, maman. Je sais pas avec qui tu sors, mais j'espère qu'il va se trouver chanceux !

Cette simple réflexion m'a bouleversée. Chaque fois que ma fille avait été témoin d'une nouvelle relation, sa réaction avait été plutôt défavorable. Réfractaire, même. Mon Dieu ! Je lui en avais tant imposé, des hommes qui justement se trouvaient chanceux ! Et moi, étais-je assez amorphe ou désespérée pour m'accrocher à de fausses histoires d'amour et d'affection juste pour ne pas être seule ? Je ne voulais pas réfléchir à ça et, tout à coup, j'ai eu terriblement envie d'annuler ma soirée avec Robert. Au fond, qu'est-ce que j'allais en récolter ? Une déception, sans doute. Ce que je savais de lui ne correspondait pas du tout au style d'homme à qui je plaisais normalement ; je me dirigeais sans doute tout droit vers l'humiliation et le rejet. Voulais-je vraiment m'exposer à ça ? J'allais m'excuser auprès de Robert en cherchant un prétexte quelconque, mais, téléphone à la main, j'ai plutôt composé le numéro de Maryse.

— Maryse ! Je suis en train de *choker.* As-tu une idée de ce que je pourrais dire à Robert qui aurait l'air plausible pour annuler le rendez-vous ?

— Val, franchement ! Arrête de niaiser, pis vas-y. T'as rien à perdre. Tout ce que Julie a dit à propos de ce gars-là a de l'allure. T'as aucune raison d'annuler ça, voyons !

— Je sais qu'il doit avoir de l'allure, mais moi j'en ai pas ! Il peut pas faire autrement que d'être déçu, pis là il saura pas comment me le dire, ça va faire un malaise pis j'ai pas envie de ça…

— Hey, elle est où la fille tannée d'avoir peur ? Celle qui veut changer d'attitude ? C'était juste des paroles, faut croire ! Ça veut rien dire, des beaux mots, c'est avec des gestes que tu vas te prouver que tu peux sortir de ta coquille et avoir du fun avec du monde cool. Là, tu vas prendre un verre de vin, écouter de la bonne musique, tu vas enfiler ta belle petite robe fleurie, te maquiller, te parfumer, pis te mettre un beau grand sourire dans la face. Après, tu vas juste laisser aller les choses et t'amuser. Au pire, tu passes une belle soirée avec un beau gars intéressant ; au mieux, ça clique et vous décidez de vous revoir. T'as RIEN à perdre.

— Ben justement, si ça clique juste de mon bord ? Ça va me déprimer encore plus !

— Pis si tu y vas pas, tu vas toujours te demander ce qui aurait pu arriver.

— Je l'sais, moi, ce qui peut m'arriver !

— Eh boy. Miss Positive dans toute sa splendeur… Val, si t'es aussi tannée que tu nous le dis, faut que t'agisses. C'est pas comme si tu t'en allais rejoindre un épais qui fait dur, et en plus, il est intrigué par tout ce que Julie lui a dit de toi.

— Justement ! Il va ben se rendre compte que c'était juste de la bullshit !

— Oh, tu m'énerves ! Vas-tu finir par comprendre que t'as tout ce qui faut ? Veux-tu rester toute seule avec tes chiens pour toujours ? Ça va faire !

J'étais à court d'arguments. Maryse avait raison, je le savais bien. J'avais espéré qu'elle me trouve une bonne excuse pour ne pas aller me jeter comme ça dans la gueule du loup et m'exposer à tout ce qui pouvait survenir de déplaisant, mais elle faisait le contraire. Je lui en voulais et je lui en étais reconnaissante à la fois. J'ai pris une profonde inspiration et j'ai conclu, du bout des lèvres :

— Merci Maryse. Je voulais pas l'admettre, mais j'avais besoin de ça.

— Bon ! Tu vas me raconter, hein ?

— Ouain, si y'a quelque chose à raconter, on verra !

J'ai donc écouté mon amie et j'ai mis ma robe, mon parfum, mon sourire et tout le reste. En apercevant Robert, sur les lieux du rendez-vous, j'ai eu la soudaine envie de prendre mes jambes à mon cou. Je me suis alors imposé l'image de Maryse en train de me réprimander et j'ai avancé vers mon destin, un sourire crispé aux lèvres.

Robert était exactement tel que Julie l'avait décrit. Grand, séduisant, drôle et charmant. Il m'a plu au premier regard. J'étais presque déçue qu'il me fasse autant d'effet parce que ça rendrait ma déconvenue d'autant plus grande. Quand on se fait pas d'attente, on peut pas être déçue, me suis-je répété, citant encore une fois ma mère. Je me suis dit de nouveau que j'aurais mieux fait de rester à la maison avec un bon film, mais non. Je ne m'étais pas écoutée et je le regrettais tout en étant excitée.

À mon grand étonnement, Robert semblait sincèrement

curieux à mon sujet. Comme cela se produisait trop souvent, la voix de Julie a retenti dans ma tête : « T'as pas de raison d'être surprise, je te l'ai dit, c'est une perle, ce gars-là ! » Ce n'était pas la première fois qu'un homme s'intéressait à moi, là n'était pas la question. Sauf que jamais, au grand jamais, ça ne s'était produit avec un spécimen comme lui. Faisant l'effort de me souvenir de l'effet qu'avait produit ma nouvelle apparence sur mes collègues masculins, je me suis quelque peu calmée.

J'aurais écouté Robert parler pendant des heures ; il m'a raconté une partie de sa vie, moi, de la mienne. Je lui ai confié certaines choses au sujet de Sabrina, lui de son ex-femme et de sa tristesse de ne jamais avoir eu d'enfants. J'ai soigneusement évité de préciser que ma fille n'était pas particulièrement chaleureuse avec mes copains ; nous n'en étions pas là ; je verrais le moment venu, si jamais par un hasard extraordinaire les choses nous y menaient. Je n'ai toutefois pas pu m'empêcher de lui demander :

— Mais Robert, comment ça se fait que tu sois célibataire ? Il me semble que tu ne dois pas avoir de problèmes à rencontrer des femmes ?

— Je travaille presque exclusivement avec des hommes. Et, honnêtement, à part Julie, mon expérience sur les sites de rencontre n'a pas été vraiment concluante. J'ai rencontré plusieurs personnes, oui, mais elles étaient toutes tellement pressées de se caser qu'elles oubliaient le plus important.

Je n'ai aucun mal à le croire. Lors de la création de Karmasutra.com, j'avais aidé Julie à sélectionner des hommes, fouillant des fiches, examinant des photos et des profils, et j'en avais ressenti un malaise, l'impression de parcourir un catalogue d'âmes esseulées qui cherchent la perfection en escamotant l'essentiel, comme me le disait justement Robert. Très peu pour moi ! Pour lui aussi, de toute évidence. Je l'ai questionné :

— C'est quoi, le plus important ?

— Ben… c'est de se plaire, apprendre à se connaître, voir si y'a autre chose que de l'attirance. J'ai pas envie de collectionner les conquêtes, j'ai pas besoin de me prouver quoi que ce soit. J'ai fait des erreurs, je l'admets… j'ai pas toujours été correct avec mon ex, mais j'ai changé. J'ai le goût de quelque chose de vrai, qui s'appuie sur les bonnes valeurs. Les femmes que j'ai rencontrées étaient plus amoureuses de l'amour que d'une personne en particulier, ou tellement désillusionnées que ça en devenait pathétique. Puis beaucoup se désintéressaient quand je leur expliquais que je devais passer deux semaines chaque mois dans l'Ouest…

— Ben là, tu vas quand même pas changer d'emploi pour ta blonde !

— Tu serais surprise du nombre de filles qui s'y attendaient, justement ! Je pourrais trouver un bon emploi à Montréal, des ingénieurs spécialisés comme moi y'en a pas tant que ça, et j'ai pas l'intention de voyager comme ça toute ma vie, mais pour l'instant, ça me plaît.

— Euh, t'es pas architecte ? Me semble que c'est ce que Julie m'a dit ?

— Non, ingénieur, je travaille dans les industries pétrolières.

J'ai ri intérieurement. Je n'étais pas étonnée de la méprise de Julie. Si je lui en parlais, elle me répondrait sûrement « architecte, ingénieur, même affaire, non ? » avec toute sa belle candeur. Quand venait le temps de traduire le mot juste, Julie était une spécialiste hyper compétente. Mais dans la vraie vie, elle qui n'avait jamais fréquenté quiconque en dehors de son petit monde un peu intello branché, elle ne saisissait même pas la nuance entre ces deux professions. Comme pour les avocats, d'ailleurs. J'avais beau lui expliquer qu'un avocat en droit criminel ne connaissait peut-être pas les subtilités de la loi en matière de droit de la famille, ou qu'un notaire exécutait des tâches bien différentes de celles d'un procureur, elle n'y voyait que du feu.

— T'as un si beau sourire… À quoi tu penses ?

Le rouge m'a monté aux joues. Gênée et plus que flattée du compliment, j'ai simplement dit à Robert :

— Oh, je pensais juste à Julie. Elle est si drôle, parfois. T'as pas été trop déçu quand tu as vu que ça ne fonctionnerait pas avec elle ? Je suis juste curieuse. Elle est tellement belle et attirante que je me demande ce qui t'a pris de souper avec moi…

— Vous êtes très différentes, toutes les deux, c'est certain. Mais tu es aussi attirante qu'elle, sinon plus. À mes yeux, du moins. Je pense que ton amie savait pas trop ce qu'elle cherchait quand on s'est rencontrés. Et j'avoue que je suis passé par là, moi aussi, après ma séparation. De toute manière, je me dis que rien arrive pour rien, et c'est tant mieux. Sinon, je serais pas ici avec toi et, sans vouloir te faire peur, tu me plais vraiment beaucoup. Julie est flamboyante, c'est sûr qu'on la remarque, mais c'est pas mon genre de femme. J'étais incapable de la jauger, comme si elle était ailleurs en même temps qu'elle était avec moi. Je préfère celles qui sont totalement vraies et transparentes.

— C'est vrai qu'elle peut avoir l'air d'être à plusieurs endroits à la fois. Mais moi aussi j'avoue que je suis contente que ça n'ait pas fonctionné…

J'avais du mal à croire que j'avais vraiment dit ça, mais j'étais sincère et… plus embarrassée que jamais. Je faisais des efforts titanesques pour ne rien laisser paraître. Robert a ajouté :

— Écoute, Valérie, j'ai envie de te connaître. Mais je veux rien faire trop vite. Honnêtement, j'adore ça apprendre de petites choses ici et là, petit à petit. Je veux pas tout savoir sur toi d'un seul coup. C'est pas naturel, me semble. Puis j'aimerais ça qu'on se fasse confiance, aussi. Peut-être que t'as été blessée, avant ? Moi oui, en tout cas, et c'est pour ça que j'insiste là-dessus. Je suis plus le gars que j'étais, et je suis certain que c'est la même chose pour toi… L'important, c'est qui on est maintenant, non ? Malgré tout ça, j'aimerais ça tomber amoureux, mais je cherche pas à avoir mal, t'sais ?

— J'aurais voulu te dire exactement la même chose, mais j'aurais pas su comment… C'est sûr que j'ai changé aussi, je change encore et j'espère que c'est pour le mieux. On va y aller en douceur, alors, y'a pas de presse. Si Julie nous avait pas mis en contact, j'aurais juste laissé faire le destin, je pense. Les sites, c'est vraiment pas mon genre…

Il a souri et nous avons continué de bavarder. C'était très plaisant. Puis, le moment est venu de nous quitter. Robert m'a raccompagnée à ma voiture, soudainement gêné. Lorsque j'ai ouvert ma portière, il s'est avancé et m'a dit :

— Valérie, j'ai vraiment envie de t'embrasser, mais je veux pas faire un faux pas.

— Je serais déçue si tu le faisais pas…

C'était doux, chaud, tendre. Merveilleux. Court. Comme si nous redoutions tous les deux de paraître trop entreprenants. Ah, la blague ! Moi, entreprenante ? Elle était bien bonne ! Si Robert avait su combien j'étais moi-même stupéfaite de l'effet de ce baiser ! Il n'y avait eu dans cet échange aucune urgence, seulement une belle curiosité prudente. Pourtant, cela m'avait presque scié les jambes. Je ne savais pas encore à quel point cette sensation ne faisait qu'annoncer toutes les belles choses à venir. J'étais abasourdie. Plus d'effet en quelques secondes qu'en toutes les heures d'ébats avec tous mes amants réunis. Un feu d'artifice. C'était donc ça qu'on essayait de nous faire avaler au cinéma et dans les romans ? Wow. Je commençais à comprendre quelque chose, apparemment.

Comme Robert repartait pour Calgary quatre jours plus tard, nous avons convenu de nous revoir le surlendemain. Il m'a invitée à souper chez lui et j'ai accepté sans hésiter. En rentrant à la maison, ce soir-là, j'étais dans un drôle d'état. Galvanisée et heureuse, affolée et nerveuse.

Le lendemain, un samedi aussi radieux que mon humeur, je suis allée chez Julie après avoir pris soin de lui acheter une bouteille de rosé pour la remercier. Elle était aussi excitée que moi et mon enthousiasme a grimpé d'un cran lorsqu'elle m'a montré le texto que Robert lui avait envoyé la veille, peut-être en rentrant chez lui :

« Julie, merci de m'avoir permis de rencontrer la belle Valérie. J'ai passé une soirée parfaite… J'espère que c'était la même chose pour elle, on se revoit bientôt, je me croise les doigts ! »

Je n'ai pas pu raconter grand-chose à Julie, puisqu'elle partait pour une excursion de voile avec Simon. Je suis donc allée rendre visite à Maryse qui m'a serrée dans ses bras en me félicitant.

— Tu vois ? Qu'est-ce que tu ferais sans moi, Val ?

Je ne le savais trop. J'avais ressenti une bouffée d'amour pour mon amie, aussitôt suivie d'une autre, empreinte d'inquiétude, celle-là. Gilles, son mari, m'avait à peine saluée. Il n'était pas d'ordinaire très cordial, mais une tension malsaine et palpable régnait dans leur demeure, d'habitude si chaleureuse. Maryse n'était pas dans son assiette. Soudain, je me suis sentie mal à l'aise de venir l'asperger de mon tout nouveau bonheur. Je suis repartie confuse et triste, tout en ayant la ferme intention de ne pas me laisser contaminer par la mélancolie de mon amie. J'avais le cœur à la fête et même la perspective de passer un autre samedi soir seule ne me dérangeait pas le moins du monde.

Avant de me coucher, ce soir-là, après une longue promenade en compagnie de mes chiens à rêvasser à tout ce qui s'était produit depuis mon anniversaire et la veille, plus particulièrement, j'ai passé une petite demi-heure sur Facebook, comme j'en ai souvent l'habitude. L'habitude ? Non. Honnêtement, il s'agit pour moi de l'évasion parfaite. Je n'ai que quelques centaines d'amis, des connaissances à vrai dire. Des collègues de travail ou de classe, pour la plupart ; je me plais à être témoin de la vie de ces gens que je côtoie plus ou moins, cette vie qui me semble beaucoup plus exaltante que la mienne. Des escapades au soleil pour l'une, une promotion pour l'autre, des sorties en famille, succès professionnels ou personnels, soirées entre amis. En ouvrant ma page d'accueil, lorsque je vois la petite boîte « **À quoi pensez-vous ?** » ou « **Exprimez-vous** », j'ai souvent envie d'écrire quelque chose. Mais il me semble que je n'ai rien d'intéressant à partager. En tout cas rien de palpitant, de sage ou de comique. Il m'arrive parfois d'écrire le fond de ma pensée, des choses comme « **Amis Facebook, j'ai encore pleuré en racontant à mes chiens que je pensais qu'un dégénéré-violeur-de-femmes-et-d'épagneuls nous suivait**

sur le trottoir l'autre soir!» ou **«Vous savez quoi? Je suis en PMS et tout m'éneeerve!»** Tout de suite après, j'efface ces mots que je n'aurais jamais le courage de publier en me demandant quelles réactions j'obtiendrais. Alors mes rares statuts sont des citations un peu fleur bleue qui me plaisent vraiment: **«Les vrais amis blablabla»**, **«Ne sois pas une personne parfaite, mais la meilleure que tu puisses être»** ou **«Le plus grand secret du bonheur, c'est d'être bien avec soi»**, des déclarations sur les bienfaits du vin **«Un verre de vin, c'est bon pour la santé; le reste de la bouteille, c'est bon pour le moral!»** ou des blagues légères sur les politiciens ou le temps, volées à un ou l'autre de mes « amis ». Sinon, je consulte les pages de plusieurs groupes de recettes de cuisine, de trucs ménagers et de citations de vie. « Tellement quétaine ! Moi, des photos de bébés animaux *cute* pis des couchers de soleil sur la mer avec une phrase qui me dit d'être heureuse et pleine de graaatitude envers la vie même si tout est de la marde autour de moi, pus capable ! » s'était un jour exclamée Julie en voyant un de mes statuts. Tant pis pour elle. Moi, je me gave de ce genre de conseils et je crois sincèrement qu'ils me permettent de conserver un certain équilibre. Cela me donne la possibilité de tout oublier momentanément, quitte à me sentir envieuse, à l'occasion.

Ce soir-là, une de mes connaissances avait publié une citation anonyme, accompagnée de la photo d'une femme, cheveux et robe au vent, au bord d'une falaise, soleil éblouissant à l'appui, que je me suis empressée de partager. En ce soir particulier où j'avais l'impression que ma vie venait de prendre un tournant positif, cette pensée me touchait droit au cœur: **«Les trois secrets de la vie: Choix, Chance, Changement. Vous devez faire le Choix de tenter**

votre Chance ou votre vie ne Changera jamais.» Je devais admettre que ces bribes de sagesse toutes faites sont souvent d'une mièvrerie incroyable ou d'une évidence déplorable, mais moi, « reine des quétaines » (si c'est ce que veut penser Julie), elles m'aident souvent à mettre des mots sur des pensées confuses et me donnent de l'espoir. Stupide ? Tant pis. Ma blonde copine, qui adore les expressions anglophones souvent aussi incomparables qu'intraduisibles, utiliserait sûrement cette réplique parfaite : *Bite me!* Ce qui signifie, en gros, pensez ce que vous voulez, je m'en fous. Totalement. Mords-moi, Julie !

Je me suis couchée, sourire aux lèvres, et j'ai dormi comme un bébé. Le lendemain, vers midi, j'ai reçu un appel de Robert.

— Je voulais juste te dire que j'arrête pas de penser à notre soirée. C'était super et j'ai tellement hâte de te revoir ! Je dois aller voir ma mère ce soir, sinon j'aurais devancé notre souper…

— Pas de problème, on se voit demain. Moi aussi j'ai vraiment hâte.

Nous avons discuté, puis nous nous sommes dit un au revoir plein de promesses muettes.

Plus de deux ans se sont écoulés depuis et je me souviens parfaitement de cette conversation et de l'état dans lequel elle m'avait laissée. J'avais envie de danser, de crier mon bonheur sur les toits. Mais à qui ? Julie et Maryse savaient ; elles attendaient la suite. Ma mère ? Elle me souhaiterait simplement bonne chance avec un ton de désapprobation. Alors je suis allée faire une marche avec les chiens en leur racontant comment j'avais l'impression d'être sur le point d'exploser de joie. Jamais je n'avais ressenti autant d'excitation à l'idée de revoir un homme pour une deuxième soirée, celle où tout peut arriver. « C'est là que ça passe ou ça casse », m'avait un jour dit Julie.

Je savais enfin, très exactement, ce qu'elle voulait dire.

3

À quoi pensez-vous ?

À quoi je pense ? À Robert, c't'affaire... et je me demande quelle gaffe je vais faire pour qu'il soit déçu. Je vais arriver chez lui avec un morceau de persil entre les dents ? Du papier de toilette accroché à la semelle ? Lâcher une flatulence au mauvais moment ? Niaiseuse !

Mon deuxième rendez-vous a été encore plus fantastique. L'appartement de Robert était sobre, très peu décoré, mais ça m'importait peu. Robert semblait se débrouiller dans la cuisine, sans toutefois faire preuve d'une imagination débordante. La fondue, assez convenue, m'allait tout à fait. Il m'a parlé de sa mère, de son père décédé deux ans plus tôt, de ses sœurs aînées qui l'avaient couvé tout au long de son enfance. Moi, j'ai préféré rester vague sur le sujet de ma famille, lui disant seulement à quel point j'aurais aimé avoir des frères et sœurs ; je lui ai plutôt parlé de mon emploi et de Sabrina. Je ne voulais pas être celle qui semble obsédée par sa progéniture, mais Robert se montrait curieux à cet égard. Il me trouvait bien courageuse et forte de l'avoir élevée presque seule et ça me flattait. Il adorait les chiens, trouvait dommage de ne pouvoir en avoir étant donné son emploi ; il avait longtemps eu un petit épagneul, lui aussi, et nous avons discuté canins pendant un moment. Je ne suis pas aussi fanatique que certains propriétaires, mes « pitous » n'ont pas la même importance que mon enfant, mais ces petits compagnons m'ont tout de même soutenue pendant plusieurs épreuves et j'ai pour eux une grande affection.

Je ne trouvais rien de déplaisant ou d'incompatible avec Robert, que j'avais l'impression de connaître depuis des années. Ma curiosité à son sujet était insatiable. Je me surprenais à vouloir savoir quel genre d'enfant il était, s'il avait réalisé au moins quelques-uns de ses rêves, quelles étaient ses aspirations. Tout en lui me plaisait. Surtout la façon dont il me regardait, ses beaux yeux remplis d'admiration, de respect et de malice. Avec lui, je riais comme cela ne m'était jamais arrivé ; je me sentais totalement à l'aise, même la crainte de lui révéler par mégarde quelque détail qui lui déplairait se faisait discrète. Je faisais tout de même attention, ne souhaitant rien gâcher, mais pour une fois, je refusais de taire mes pensées, ce que je faisais autrefois. Je lui ai même avoué cette habitude, ce à quoi il a répondu :

— On a pas besoin d'être d'accord sur tout, je cherche pas un double de moi, Val. Au contraire, j'aime ça quelqu'un qui a sa propre opinion !

C'était encourageant, bien que tout nouveau. J'avais un peu de mal à m'habituer, mais Robert avait une façon bien particulière de m'inciter à me dévoiler, ce qui me mettait en confiance. En le quittant ce soir-là, j'étais réellement perplexe. J'ai eu envie, pour la toute première fois de ma vie, de voir comment ce serait de faire l'amour avec lui, de connaître l'effet de ses caresses sur mon corps, ce qui en soi était exceptionnel. Je me suis souvenue de la manie qu'avait développée Julie d'imaginer nus les hommes qu'elle rencontrait afin de voir ce que l'image provoquerait en elle comme impression. Faisant cette expérience, je me suis sentie rougir jusqu'aux oreilles. Mais que Robert ne manifeste aucune intention de provoquer les choses me rassurait. Nous nous sommes embrassés plusieurs fois au cours de cette merveilleuse soirée et son désir était évident. Alors que d'ordinaire je considérais l'étape des premiers ébats comme un moindre mal, avec lui je la souhaitais. Je n'ai évidemment rien dit. Et lui, il s'est contenté de m'embrasser lorsque je l'ai quitté et de me serrer dans ses bras en humant mes cheveux et en me caressant les épaules. Rien de plus. Comment pouvais-je être à la fois soulagée et déçue ? Étais-je simplement dépitée qu'il ne ressente pas le besoin urgent et impératif de me toucher, de me posséder, comme ça s'était produit avec les autres ? Je ne crois pas. J'étais secouée parce que, pour une fois, moi, j'en voulais davantage. Était-il possible que tout le reste s'apparente à ses baisers si merveilleux ? Si c'était le cas, ma perspective de l'amour physique serait totalement transformée !

Robert est parti en Alberta et j'ai passé les deux semaines suivantes à me demander si tout ça était bien réel. Puis, il est revenu et nous avons partagé de magnifiques journées en randonnée, des soirées à flâner en ville, de longs moments à marcher main dans la main en continuant de nous raconter nos vies. Sa rupture l'avait marqué, de toute évidence, et il en était sorti aigri après avoir perdu sa maison étant donné les caprices excessifs de son ex. Julie m'avait mentionné cela, à l'époque, ce n'était donc pas une surprise. Je savais bien qu'une femme blessée peut se montrer impitoyable, mettant tout en œuvre pour « laver » un conjoint qui lui aurait causé préjudice… mais qu'avait donc fait Robert de si répréhensible ? Je ne souhaitais pas m'attarder à d'aussi sombres pensées. Il y a toujours deux côtés à une médaille, n'est-ce pas ? Et la version de Robert, qui voulait que cette femme fût matérialiste et impossible à satisfaire, me suffisait.

Notre relation s'est poursuivie ainsi pendant de nombreuses semaines, mon bonheur étant entrecoupé de longues périodes d'ennui.

Et là, mon cerveau s'est remis à fonctionner normalement. Comme il le faisait avant, en tout cas. J'ai commencé à me demander si Robert évitait toute intimité. Peut-être souffrait-il d'un quelconque problème affectant sa virilité, comme en était affligé Denis, un de mes ex ? Pourtant, lors de nos échanges de baisers enflammés, j'avais bien décelé que la mécanique de son entrejambe fonctionnait normalement. Mais alors, qu'attendait-il ? Il y avait forcément quelque chose qui clochait, non ? Au fil du temps, je devenais de plus en plus anxieuse. L'anticipation faisait doucement place à l'appréhension. Et si ça ne fonctionnait pas ? Et s'il s'avérait que Robert m'appréciait seulement comme compagne et amie sans avoir envie de m'avoir comme amante ? Moi qui aurais autrefois rêvé d'une telle relation, je me voyais abattue par cette perspective. Qu'est-ce qui n'allait pas chez moi ? Je prenais doucement confiance en mon apparence et en mon pouvoir de séduction ; Robert se disait attiré, plein de désir, mais ne faisait aucun geste pour me le prouver. Je ne pouvais m'empêcher de me dire qu'au fond, j'avais bien fait de me méfier. Puis, un bon soir, Robert s'est jeté à l'eau :

— Valérie, il faut que je te dise quelque chose.

« Ça y est, je suis cuite », ai-je immédiatement pensé. M'efforçant de rester calme et d'ignorer le signal d'alarme qui retentissait entre mes deux oreilles, je l'ai encouragé de mon mieux à continuer. Il m'a pris la main, tout doucement :

— Je pense que je suis en train de tomber amoureux de toi, ma belle. Et ça me fait peur. Parce que chaque fois que je commence une relation prometteuse, c'est à peu près à cette étape-ci que ça foire. Donc, je te demande d'être honnête avec moi. Entrevois-tu quelque chose de sérieux avec moi, même si je dois tout le temps partir ?

J'étais sans voix. Je voulais par-dessus tout être transparente avec lui… sauf que je ne pouvais pas lui dire que ça me mettait dans tous mes états chaque fois qu'il partait ! J'ai donc opté pour une demi-vérité :

— Robert, j'ai jamais été aussi heureuse qu'avec toi. C'est sûr que je trouve ça dur quand tu pars, mais en même temps, ça me laisse le temps de décanter. Souvent, je me dis que c'est trop beau pour être vrai. J'ai jamais ressenti quelque chose d'aussi fort pour quelqu'un et, franchement, ça me terrorise. Mais chaque fois que je te vois, je me rends compte combien tu me fais du bien. J'apprends à me connaître avec toi, et c'est merveilleux…

De toute évidence, il n'attendait que ça. Il m'a embrassée et j'ai su que le moment était venu. Pour la première fois de ma vie, j'avais envie d'un homme, de le toucher et de me laisser caresser. Étrange et fascinant. Ce soir-là, Robert et moi avons fait l'amour avec une ferveur incroyable, un désir mutuel brûlant. Sur le divan d'abord, puis au lit où la fièvre a fait place à la douceur et à la tendresse. Je n'avais jamais cru qu'il était possible de faire l'amour de cette façon. Selon moi, l'échange de fluides corporels entre deux personnes se faisait obligatoirement dans l'égarement, l'urgence ou la performance. Pas dans le partage d'effleurements savoureux, de ceux qui provoquent autant de frissons que de bouffées de chaleur. Ni dans le genre d'enlacements quelque peu paresseux et lascifs dans lesquels je me complais depuis ce jour alors qu'au fond de mon ventre son membre bien raffermi s'enfouit avec lenteur, prend sa place confortablement comme une main dans son gant et s'y repose, se contentant de m'emplir et de me chatouiller de soubresauts aléatoires, jusqu'à ce que notre engouement se transforme petit à petit en une prodigieuse cavalcade. Lorsque mon ventre est secoué de spasmes et qu'au bord du délire Robert m'embrasse en me murmurant des mots d'amour, je voudrais chaque fois éterniser l'instant, l'immortaliser jusqu'au prochain orgasme. J'ai encore du mal à croire que ces mots peuvent venir de moi…

Lorsqu'il m'a quittée, le lendemain, j'avais en effet besoin d'assimiler mes sensations et mes sentiments afin de comprendre pourquoi les choses étaient différentes avec lui. Ce que j'avais connu dans ses bras n'avait tellement rien à voir avec ce que m'avaient fait vivre mes amants précédents ! Une succession de brefs souvenirs de ses prédécesseurs a jailli dans mon esprit alors que mon ventre en émoi peinait à se ressaisir : Steeve, le père de Sabrina, conçue d'une éjaculation presque précipitée, assurément dénuée de sentiments et durant laquelle je n'avais ressenti que dégoût et douleur ; Luc, petit homme timoré qui accomplissait sa besogne en ayant l'air aussi pressé que moi d'en finir. Je crois bien que j'étais sa « première » et ce n'est évidemment pas avec moi qu'il aura pu parfaire sa technique ! Gaétan, dont je revois la tige longue et courbée qui, lui, ne se lassait pas d'un va-et-vient constant, sans variations de rythme ni d'intensité, comme on s'engage sur une autoroute ennuyeuse, pour un trajet sans véritable intérêt, de Montréal à Québec, par exemple. Qu'on le fasse de la rive nord ou sud, c'est une longue route droite et plate, sans le moindre émerveillement possible, non ? Éric, le plus flamboyant d'entre mes sept copains des dix-sept dernières années, qui s'était donné comme mission de me faire jouir le plus souvent possible… Il y avait mis tant d'application que je n'avais tout simplement pas pu le décevoir chaque fois. Alors je trichais. Cette comédie a duré beaucoup trop longtemps, comme toutes mes autres relations, d'ailleurs, mais ça, c'est une autre histoire. Il a fini par voir clair dans mon petit jeu et en a été profondément blessé. Cette rupture a été la plus mouvementée.

Ensuite, il y a eu Martin, un technicien en informatique mal dans sa peau qui se satisfaisait de courtes séances de baise ventre à dos, ce qui me convenait mieux que le sempiternel missionnaire de Gaétan. Je fermais alors les yeux, le laissais déverser son sperme en moi et me murmurer des mots parfois étranges aux oreilles. Puis, Denis, Monsieur Bande Mou à même pas quarante et un ans. Il était devenu bien vite embarrassé par les ratés de son organe et m'avait laissée tranquille pendant de longues périodes. Enfin, Pierre, presque aussi parfait que Denis en matière de sexualité puisqu'avec lui, tout se terminait pratiquement avant même d'avoir commencé. Bel éventail d'échecs…

Non, aucune de ces relations ne m'avait préparée à ce que je vivais avec Robert. Loin de là. Chacun de ces hommes avait été largement critiqué et jugé par mes amies ; je leur en avais voulu, mais c'était du passé, maintenant. Quelque part, elles avaient bien raison. Ces partenaires ne représentaient pas un tableau de chasse bien impressionnant, j'en conviens ; ils étaient pour la plupart effacés, assez insignifiants. C'était en fait ce que je recherchais, autrefois. Auprès d'eux, je me sentais en sécurité, aucune menace ne venait ternir l'image que je me faisais de mon bonheur puisqu'aucun d'eux, à part Steeve et Éric, n'était du genre à jeter même la plus infime goutte d'huile sur le feu de ma jalousie maladive. Ils étaient invisibles pour la plupart des femmes « alpha » telles que Julie, du moins, pour les intrigantes comme Jessica et même pour les femmes de tête comme Maryse. Moi, ça me plaisait. Ces hommes m'admiraient, s'estimaient chanceux d'être avec moi ; je me sentais désirable, attirante, importante. Vaut mieux compter pour un être insignifiant, que d'être insignifiante pour un arrogant, non ? C'est ce que je me disais.

Mes amies m'accusaient de me complaire dans ce genre d'union sans saveur, de me transformer au gré des intérêts de mes petits amis (ce qui n'est pas totalement faux), de me contenter de ces lamentables substituts alors que j'aurais pu obtenir davantage. Vraiment ? J'en doutais à l'époque, et j'en doute toujours. Mon statut de mère célibataire en éloignait plus d'un, ma propre banalité aussi. J'arrivais assez bien à ignorer les commentaires peu élogieux de mes amies, puisque je faisais, selon moi, ce qu'il fallait pour nous assurer, à Sabrina et à moi, la sécurité dont j'avais besoin. Mère Courage qui sacrifie son propre bonheur pour combler des besoins bassement émotifs et matériels, c'est moi tout craché.

Puis, mon quarante et unième anniversaire est arrivé, et la fameuse crise existentielle pavant la route de ma transformation. Ne sachant rien des causes profondes de la mélancolie de Maryse, j'ai eu envie de devenir un amalgame des qualités de mes amies : une femme sûre d'elle qui fait tourner les têtes, qui ne s'en laisse pas imposer et fait preuve d'autant d'assurance qu'une Julie même à ses plus mauvais jours, ce qui serait toujours mieux que ce que j'étais. J'en avais assez d'avoir peur de décevoir, de me contenter de moustachus sans envergure. Le moins que je puisse dire, c'est que ce plan-là a merveilleusement bien fonctionné.

Sauf que voilà. J'ai beau remâcher tous ces souvenirs et ne cesser d'analyser les événements, mon problème ne se règle pas tout seul. Plus d'une semaine déjà est passée et, en songeant à la proposition de Robert, au lieu de ressentir une joie enivrante, je suis toujours en proie à l'autre extrême : une panique insurmontable et totale.

Je fais quoi, maintenant ? Je vais vraiment raconter tout ça à un psy ? Une petite colère me monte à la gorge : mes amies, celles pour qui je suis toujours là, ne peuvent-elles donc rien pour moi ? Sont-elles désintéressées au point de se décharger de mes angoisses sur un professionnel ? Il me semble de plus en plus que c'est seulement à elles que je pourrais dévoiler mes secrets, juste ce qu'il faut pour qu'elles puissent en tirer les conclusions nécessaires, comme toujours. Elles me doivent bien une autre petite thérapie, non ? Je dois en avoir le cœur net. « Tu branles dans l'manche ! » m'accuserait Maryse. Oui, c'est vrai. Je dirais plutôt que je m'accorde un délai de procédure, comme c'est toujours le cas lorsque des décisions s'imposent. Pourquoi en irait-il autrement cette fois ? Sauf que… quelque part au fond de mon cerveau embrouillé, je sens que ce ne serait pas suffisant, qu'il me faut creuser plus loin, jusqu'à des régions inconfortables de mon passé. Des zones sombres dans lesquelles je ne souhaite peut-être pas laisser pénétrer mes plus proches amies. J'ai envie de quémander leur aide, mais c'est peut-être seulement parce que je cherche la solution facile, la moins menaçante, et que je pourrais filtrer l'information que je leur divulgue, limiter le nombre de pièces à conviction que je dévoile afin de demeurer à l'aise. Comme elles sont indulgentes, je me sentirais bien plus en sécurité que devant un thérapeute qualifié pour fouiller, justement. Il aurait en fait pour mandat de me faire comparaître devant mes fantômes, d'arbitrer le litige entre les deux pôles de ma conscience et d'imposer un moratoire en vue de redresser mon état psychologique. Trop intimidant, tout ça. Trop officiel, et comportant un grand risque de parjure. Conclusion ? J'ai besoin de mes amies pour m'aider à savoir si j'ai besoin d'elles. Ridicule. Pathétique. Évident !

— OK, Val. On dirait que t'es pas encore prête. On peut bien essayer d'en parler encore entre nous, mais je pense qu'on est allées aussi loin qu'on pouvait, Julie et moi, non ?

— Peut-être… mais on perd rien à essayer. Me semble pas qu'on a fait le tour, moi.

— OK, vas-y d'abord. Qu'est-ce qui t'achale ?

— C'est… ben, de quoi je vais avoir l'air, avec mes problèmes qui en sont pas ?

— Si tu considères que tes problèmes sont réels, personne peut te contredire, dit Maryse en me regardant droit dans les yeux.

— Je sais. Mais j'y pense depuis qu'on s'en est parlé hier, et je trouve pas de justification à la manière dont je me sens. Je tripe, mais en même temps, j'ai comme un serrement, je me sens écrasée, comme si j'étais au bord de la crise cardiaque. C'est paniquant !

— Tu dois juste être trop surprise, comme tu disais,

avance Julie. Tu viens de passer un mois à te dire qu'il te trompait, à essayer de *dealer* avec cette idée-là pour te préparer, et là, c'est tout le contraire. T'as jamais été ben bonne avec les imprévus, Val. Mais cet imprévu-ci, c'en est un beau, non ? Et faudra que tu réalises que tes inquiétudes du mois dernier étaient pas fondées, ça se passait juste dans ta tête, t'sais.

— Oui, je sais, enfin je pense. Mais qu'est-ce qui me dit que ça va pas être vrai, un moment donné ?

— Franchement, Val. Qu'est-ce qui te dit que tu mourras pas dans un accident d'avion ? ajoute Maryse. Ah, c'est vrai, tu prends pas l'avion…

Encore du sarcasme et Maryse y excelle, surtout depuis la dernière année. Et elle a raison, elle aussi. Non, je ne prends pas l'avion. Je n'aime pas voyager, c'est tout. Chacun ses goûts, non ? Enfin ça, c'est l'excuse officielle. Si elles se permettent de me taquiner devant cette explication plausible, que feront-elles lorsque je vais avouer que l'avion n'est qu'une minuscule part de mon désintérêt pour les voyages ? Nous sommes allées à Cuba ensemble, elles n'y ont vu que du feu ou une simple angoisse à l'aller et au retour. Mais moi, je craignais d'attraper la tourista, la fièvre dengue, la malaria, la diphtérie, l'hépatite A, B ou C ou quelque autre maladie tropicale. Peur que l'avion s'écrase ou qu'un ouragan choisisse cette semaine-là pour se manifester, ou un tremblement de terre, pourquoi pas. Personne n'avait vu venir la terrible catastrophe d'Haïti. Et c'est sans compter les prises d'otage, les attaques terroristes ou autres calamités. Dire que j'avais même laissé ma fille seule, pendant toute une semaine. Quelle mère indigne ! S'il avait fallu qu'il lui arrive quelque chose pendant mon absence, je ne me le serais jamais pardonné. Je sais que je suis ridicule, que je passe à côté d'une foule de périples fantastiques, mais c'est mon problème, et je trouve que j'ai fait des pas de géant. Cuba en témoigne. Malgré mon envie de ne rien dire, je réponds tout de même à Julie :

— Ben oui, je suis peureuse. Mais j'aime mieux être trop prudente que pas assez. Et quand je vous regarde, toutes les deux, je peux pas dire que vos exemples du grand amour sont ben convaincants ! Je suis supposée y croire encore, après toutes les histoires que vous avez vécues et que vous m'avez racontées, juste dans les deux dernières années ? Ça pis toutes les causes de divorce pis de chicane de pension alimentaire et de garde d'enfants qui aboutissent sur mon bureau ? Hey, je suis pas aussi niaiseuse que j'en ai l'air. Et tant qu'à regarder mon mariage prendre le bord, j'pense que j'aime mieux laisser faire.

— OK, ça fait que tu vas flusher Robert, un gars qui t'aime sincèrement, parce que… ben, parce qu'il t'aime pour vrai, finalement ?

Maryse essaie visiblement de comprendre, sans y arriver.

— Je le flushe pas ! Je suis juste pas certaine que je veux l'épouser. Pis pourquoi se marier, *anyway* ? Pourquoi on continuerait pas comme on a fait jusqu'à maintenant ? Ça va juste être moins compliqué quand ça va foirer…

— Eh boy, Val, ajouta Julie, t'es *downer* pas à peu près !

— Je suis pas *downer* !

— Ben d'abord, c'est quoi le problème ? Sabrina, encore ?

Julie ramène toujours tout à Sabrina. Elle qui n'a jamais eu d'enfants ne peut pas comprendre que mes choix sont presque toujours dictés par les besoins de ma fille. Ça la met hors d'elle.

— Non, au contraire. Sabrina s'entend super bien avec

Robert. Imagine quand il va lui donner les clés de son auto ! J'ai pas eu beaucoup de chums qui ont compris aussi bien que lui comment agir avec ma fille, sans essayer de jouer au père ni de devenir son « ami » ; lui, il fait juste prendre sa place et me soutenir. Non, y'a pas de problème avec Sabrina. Depuis que Robert est dans le décor, c'est même vraiment cool avec elle. Sa période rock'n'roll a l'air finie, elle adore son cours d'infirmière, tout est beau. Ça rien à voir.

— Alors, c'est quoi ?

Maryse a un petit ton qui m'agace. Elle a bien changé, celle qui m'a toujours traitée comme une mère. Depuis notre brouille de l'automne, qui a duré plusieurs mois, je sens que, malgré son affection toujours bien présente, notre relation n'est plus la même. Et qu'est-ce qui avait causé cette dispute historique ? Une simple question d'injections de collagène. Eh oui ! Après de multiples hésitations et devant le soin presque fanatique de Robert à entretenir son corps, j'avais cédé à la tentation de m'accorder quelques traitements mineurs. Rien d'extrême, il ne s'agissait que d'atténuer et de remplir quelques rides et de donner à mes lèvres un tout petit peu de volume. Maryse et Julie avaient pris le mors aux dents, voyant là un outrage impardonnable né de motivations ravageuses. Dire que j'avais même songé à des implants mammaires ! Évidemment, le côté draconien de cette dernière lubie m'avait découragée. Si une simple aiguille de Botox me terrorisait, je n'aurais certainement pas le courage de me soumettre à une telle chirurgie ! Eh oui, j'admettais que c'était puéril ; ce n'était que la crainte que Robert se désintéresse de moi qui m'avait incitée à envisager la chose, mais la condamnation de Maryse avait entraîné une réaction en chaîne. Nous nous étions enlisées dans une véritable bataille d'adolescentes, aucune des deux protagonistes n'acceptant de compromis. Elle voulait que je m'affranchisse et maintenant refusait cette soudaine rébellion. Elle avait enfin crevé l'abcès et, après une intervention musclée et bien arrosée, j'en étais venue à certains aveux. Je ne regrettais rien, ces confidences n'avaient représenté que la pointe de l'iceberg, après tout. Mais là, Maryse a repris son ton maternel et je sens son jugement sur cette nouvelle crise d'angoisse de ma part devant la proposition inattendue de Robert. Elle s'impatiente, veut que je devienne une grande fille. Oui, ça serait une bonne idée, à quarante-trois ans. Et peut-être que mon hésitation est un symptôme de ça, justement. Pour une fois que je réfléchis avant de prendre des engagements avec un homme, elle devrait plutôt me féliciter, non ? Que lui dire ? Ça, justement.

— C'est juste que je prends enfin mon temps avant de m'embarquer dans une nouvelle situation. Je pensais que tu serais fière, Maryse ! Toi aussi, Julie. Vous m'avez toujours critiquée parce que je me réfugiais dans des relations avec des gars que je connaissais à peine, vous disiez que j'étais dépendante affective, pas capable de rester toute seule quitte à sauter sur la première occasion. Et là, parce qu'en effet je veux prendre le temps d'y penser comme il faut, vous me critiquez encore. Coudonc, qu'est-ce qui faut que je fasse pour que vous soyez d'accord avec moi ?

— C'est pas que tu prennes ton temps qui me chicote, Val, c'est pourquoi t'hésites. Oui, y'a un méchant paquet de trous de cul sur la terre, on en a vu pas mal à nous trois. Mais même si ça m'a pris un bout avant de le comprendre et de l'avouer, y'a aussi beaucoup de bons gars et je crois que Robert en est un. Quand je l'ai vu à Calgary, j'ai pas pu faire autrement que d'être convaincue de sa sincérité.

— Je doute pas qu'il soit sincère, Maryse. Mais là, maintenant, ça me dit pas que dans quelques années, ça va être pareil. Je rajeunis pas, je m'en vais pas vers la plus belle période de ma vie. Comment je pourrais être certaine qu'il voudra pas, comme tant d'autres, se payer une poulette *on the side* pendant que moi, l'épaisse, je suis là à rien voir ? Excuse-moi, Maryse, mais si le Danny de Julie et ton Gilles vous ont fait le coup, je vois pas pourquoi ça m'arriverait pas à moi !

— C'est n'importe quoi, Val, s'écrie Maryse. Gilles était un con. Un malade. Ça allait pas dans sa tête. Il se regardait aller et il a fait comme plein d'hommes de son âge qui acceptent pas de se voir vieillir et d'avoir de la misère à bander : il a essayé de retrouver quelque chose qu'il avait plus. Danny, c'est un peu la même chose. Il est arrivé à un moment où le *last call* sonnait un peu trop fort et il a paniqué. Robert et toi, c'est tout à fait autre chose. Vous avez pas passé des dizaines d'années ensemble à vous regarder changer sans pouvoir rien faire. Vous vous êtes trouvés à un moment de votre vie où vous savez ce dont vous avez besoin là, maintenant. C'est pas la même affaire pantoute.

Julie ne dit rien, mais je vois bien qu'elle est ailleurs. Elle me semble guérie de sa rupture avec Danny, celui qui a partagé sa vie pendant plus de seize ans, mais qu'en sais-je, au fond ? Comme si elle lisait dans mes pensées, Julie relève la tête et me regarde avec insistance. Après une courte hésitation, elle me dit :

— Maryse a tout à fait raison, Val. On est plus à la même place, on vieillit toutes et ça fait chier. Comme Karma-Mamma le dit, vous vous êtes trouvés parce que vous fittez ensemble, là, maintenant. Si tu veux gâcher ta chance de passer le reste de ta vie avec quelqu'un qui t'aime, que t'aimes aussi, qui va continuer à t'aimer parce que justement, il t'a pas connue quand t'avais vingt ans, vas-y. Il s'en fout de qui t'étais. Ce qui l'intéresse, c'est la fille que t'es aujourd'hui. Et celle que tu vas rester : heureuse, amoureuse.

Bon, ça y est. Je pleure. Pas parce que je suis touchée de leur discours, pas parce que je me rends compte qu'elles ont raison et que tout va bien dans le meilleur des mondes, pas parce que j'étouffe de bonheur. Si nous étions dans un film, j'aurais une espèce de révélation, le soleil percerait les nuages et laisserait apparaître un arc-en-ciel lumineux avec papillons et petits oiseaux. Une jolie musique me remplirait les oreilles et je voudrais juste courir vers Robert, au ralenti, les cheveux au vent, tandis que lui m'attendrait les bras grands ouverts. Nous nous embrasserions sur fond de coucher de soleil et ce serait parfait, comme dans toutes les histoires d'amour sucrées de l'univers. Mais non, je pleure parce que… parce je ne sais pas. Je ne sais pas quoi dire, faire, ou espérer.

Les filles s'approchent, manifestement inquiètes, et me prennent dans leurs bras. Mon mascara a souillé mes joues et j'en ai probablement jusqu'au menton ; mes yeux coulent, mon nez aussi. C'est quoi mon problème ?

Maryse, de nouveau très maternelle, me chuchote avec douceur à l'oreille :

— OK, ma belle. On dirait bien que t'es toute mêlée. Ça va aller…

— Ah ouain, tu penses ? J'arrive même pas à savoir pourquoi je pleure. Je braille tout le temps ! Devant des annonces de couches quand les bébés sont trop *cute,* d'assurance-vie quand un vieux couple se tient par la main ou même de médicaments pour le rhume quand la femme prend soin de son chum ! Je peux même pas regarder un film d'ado avec Sabrina sans pleurer ma vie pendant des heures, après.

Avec son tact habituel, Julie offre une explication :

— Coudonc, es-tu en train de commencer ta ménopause, toi ? T'as peut-être les hormones dans le plafond ?

— Julie ! Elle a juste quarante-trois ans ! T'aides pas tellement, là !

— Ben non, c'est pas ça. Je suis encore régulière, j'ai pas de chaleurs, rien, je suis juste braillarde. Tu sais ben que je l'ai toujours été !

— Oui, tu l'as toujours été, mais à ce point-là ? Quand même pas, ajoute Maryse.

— Ben oui, à ce point-là.

— Faut dire que tout ce temps passé à penser que Robert te trompait, ça a pas dû aider… souligne Julie, piteuse. T'sais, j'ai l'impression qu'on te doit des excuses, Maryse et moi.

— Euh, pourquoi ?

— Parce que sans nous, t'aurais peut-être pas sauté aux mêmes conclusions. On t'a peut-être amenée à croire qu'il te trompait, à cause de nos expériences de marde. Faudrait pas que tu laisses ça tout gâcher…

— Ben non. Imagine-toi donc que j'y ai pensé toute seule avant de vous en parler. Ça faisait un bon bout de temps, en plus. Je faisais de gros efforts pour m'en empêcher, mais jalouse comme je suis, c'est ben sûr que le cœur m'arrêtait chaque fois que Robert partait.

— Bon, réplique Maryse, pragmatique. T'es pas en train de virer ménopausée, tu crois plus que Robert est un salaud, mais tu brailles. Tu devrais sauter de joie et faire des flips à longueur de journée parce qu'un homme extraordinaire veut passer le reste de sa vie avec toi, mais à la place, tu capotes et t'arrives pas à te décider, tu cherches même des raisons pour dire non. T'es amoureuse d'un bon gars qui s'entend super bien avec ta fille, mais tu veux pas le marier. Moi, j'pense que t'es en pleine crise de la quarantaine et qu'on peut juste pas t'aider tant que ça. T'as besoin d'un professionnel.

— J'pense que t'as raison. Pourquoi j'ai tant de misère avec l'idée ? Me semble qu'on va juste voir un psy quand on est sur le bord de tuer quelqu'un ou de se trancher les veines...

— Franchement, Valérie, s'indigne Julie. T'es pas bornée de même. Tu le sais, en plus, que c'est une bonne idée. Ça va t'aider à voir plus clair...

— Pis tout d'un coup que ça t'aiderait pour autre chose, aussi ? conclut Maryse.

— Comme quoi ? J'ai pas tant de bibittes que ça, quand même !

— Euh... tu veux vraiment que je réponde ? demande Maryse

— Oui, vas-y donc, tant qu'à faire !

Ma réponse a été beaucoup plus sèche que je l'avais voulu. C'est que mes amies commencent à m'énerver. J'ai cru qu'elles pourraient, à elles seules, m'aider ? Moi qui ai peur du jugement d'un étranger, du livreur de pizza autant que de la caissière du IGA, j'accepte celui de mes amies ? Toutefois, je dois avouer que la théorie de Maryse pourrait tenir la route, jusqu'à un certain point. Crise de la quarantaine... hmmm. Belle excuse, ça. Je n'y crois pas tellement ou, en tout cas, je ne crois pas que ça puisse être la seule cause de mes tourments actuels. Mes problèmes se sont manifestés bien avant la quarantaine ! Elles ne savent pas tout, mes amies, et je me rends compte que c'est sûrement une bonne chose. Elles me conseillent un psy maintenant et sous-entendent que j'ai des bibittes ? Qu'est-ce que ce serait si elles savaient tout ce que je camoufle depuis si longtemps ? L'internement d'urgence, la camisole de force et la cellule capitonnée, sans aucun doute ! Une lobotomie, tant qu'à y être, pourquoi pas ? Ou peut-être qu'elles en savent plus ? Maryse me donne la réponse à cette dernière question, plus troublante que je veux bien l'admettre :

— Val, t'as peur de tout. On t'aime de même, mais me semble que tu serais tellement plus heureuse si tu te demandais pas tout le temps quand le ciel va te tomber sur la tête. T'as un rhume, tu t'imagines que t'as une pneumonie ou un cancer du poumon. T'as à reconduire Sabrina en banlieue, t'as peur de te perdre ou d'avoir un accident. T'as la chienne de faire des voyages pour un paquet de raisons ; on a rien dit, à Cuba, mais t'étais drôle à voir dans l'avion. T'as peur de prendre des marches le soir, même avec tes chiens, t'as peur de ton ombre ! Comment tu peux vivre de même ?

Ouille. Tout ça est trop vrai pour que je sois insultée d'avoir été percée à jour. Ainsi, je ne suis pas aussi douée que je le croyais pour cacher mon jeu. Et c'est vrai que j'en ai assez, mais je dois dire qu'aller voir un psy représente une peur de plus… Julie interrompt d'ailleurs le fil de mes pensées en les complétant sans le savoir :

— Pas vouloir consulter un psy parce que tu penses qu'il va te trouver innocente d'avoir peur et penser qu'il va te juger, c'est comme pas vouloir aller voir le médecin parce qu'il pourrait te trouver une maladie. Si t'as à être malade, ça va arriver que tu voies le médecin ou non. Je pense que c'est mieux de le savoir et de te faire soigner avant qu'il soit trop tard, non ?

Je la regarde avec de grands yeux étonnés. J'aurais été moins surprise d'entendre Maryse me dire ça que Julie, mais il est vrai qu'elle aussi a changé, dernièrement. La poupoune un peu superficielle a acquis une couche de vécu depuis qu'elle n'est plus avec Danny. Ça lui va bien, même si cette dernière analyse me dérange.

— Vous me connaissez trop bien, on dirait.

— Je comprends pas pourquoi ! Ça fait juste la moitié de nos vies qu'on est amies !

Oui, il s'en est passé des choses en presque deux décennies et demie ; nous ne sommes plus tout à fait les mêmes. Je constate que mes amies sont belles, épanouies, sûres d'elles. Les épreuves les ont fait grandir, les ont rendues solides. Et contrairement à ce que j'avais d'abord cru, elles me connaissent mieux que je le pensais. Je sais qu'elles ont leurs secrets, leurs tiroirs fermés à clé dans lesquels se trouvent des tranches de vie dont elles ne sont pas fières ou qui n'appartiennent qu'à elles. Tandis que moi, apparemment, je suis un grand livre ouvert. Moi qui me croyais discrète, qui ai toujours hésité à partager certaines pensées… Depuis que je leur ai raconté les grandes lignes de ma vie, au terme de ma querelle sans précédent avec Maryse, elles savent tout, peuvent tout analyser, voir en moi ? Non, impossible. Elles n'ont eu besoin que de me voir agir et réagir au fil des ans pour se faire une bonne idée de qui je suis, sans toutefois en connaître les causes. En fait, je ne le sais pas moi-même et je m'énerve. Lorsque je me compare à ces femmes que j'admire, je suis incapable de la moindre bienveillance envers moi-même : je suis molle, terne, invisible. Moins, depuis quelque temps, mais tout de même. Je ne sais plus ce que je veux, ni même ce que je ne veux pas. J'ai l'impression d'avoir raté la première moitié de ma vie et peur de faire la même chose pour la seconde. Comment suis-je censée savoir ce que je dois faire ? Depuis la demande de Robert, je n'ai plus envie de rien, même pas de me rendre au bureau alors que je m'y suis toujours sentie au sommet de ma forme et encore plus depuis les dernières années. « T'es une secrétaire, Val. Juridique ou pas, c'est la même affaire ! » m'a lancé Jessica à la figure, il y a plusieurs semaines. J'ai eu envie de l'étrangler. Elle avait raison, mais sa façon de dire le mot « secrétaire » avec juste assez de condescendance pour que je le prenne mal m'a enragée. Oui, je suis une secrétaire et fière de l'être. Pourquoi ne le serais-je pas ? Je n'ai jamais voulu d'un poste accaparant, qui me forcerait à prendre des décisions importantes chaque jour. Honnêtement, je n'ai pas du tout ce genre d'ambition. Je suis très heureuse d'exécuter des tâches importantes avec toute l'application et le professionnalisme dont je suis capable. Ça me convient parfaitement. Je n'ai pas besoin, comme Jessica, de « faire ma place », d'imposer mes idées ni d'être reconnue comme étant un leader. Je n'en suis pas un et ça ne m'intéresse pas. J'ai bien assez de *leader* ma vie et celle de ma fille, « *dealer* avec » comme dirait Julie... Tiens, tiens, deux mots presque pareils ! Jessica devrait essayer d'en faire autant. J'ai déjà songé à devenir avocate, j'ai même fait une année de droit, mais ce n'était pas pour moi. Sauf que ces jours-ci, les tâches que je maîtrise si bien n'arrivent plus à m'enthousiasmer. Je suis toujours aussi efficace et compétente, mais les interminables procès-verbaux, rapports, déclarations sous serment et autres paperasses juridiques ne me donnent plus autant envie qu'autrefois de me lever le matin.

Et Robert qui marche sur des œufs, avec cet air de bébé gâté qui m'agace de plus en plus. Nous n'avons pas reparlé de manière sérieuse et nous ne le ferons vraisemblablement pas avant son départ pour un long mois, la semaine prochaine. Un malaise persiste, subtil, à peine perceptible, mais je le vois dans les yeux de mon amoureux et je le sens lorsque son corps se glisse contre le mien, sous les draps, et qu'il n'ose me caresser. Et moi ? Je fais l'autruche. Bref, si je suis honnête avec moi-même, rien ne va plus. On dirait bien que j'ai entrepris ma thérapie avant même de rencontrer mon psy !

Je sais enfin que je dois faire quelque chose de concret, que mes amies ne me seront d'aucun secours supplémentaire. Quelqu'un qui ne me connaît pas m'aidera peut-être à devenir celle que j'ai envie d'être. Trop tard ? Non, je refuse de croire une telle chose. J'ai déjà quarante-trois ans. Seulement quarante-trois ans. Il me reste techniquement autant d'années à vivre, ou presque. Vais-je vraiment les passer à pleurer sur mon sort, à rester enfermée chez moi – seule parce que j'aurai éloigné Robert pour de bon – et à boire du vin en m'inquiétant pour ma fille qui, elle, se foutra éperdument de moi, puisqu'elle sera devenue une jeune adulte déjà plus autonome que je ne le serai jamais ? Nooon.

Non…

OK, go pour le psy. J'ai déjà dit ça, non ? Je ne pourrai jamais prétendre que je n'ai pas mûri ma décision…

4

J'arrive avec un peu d'avance au cabinet du psychologue, l'estomac noué. J'ai marché une bonne quinzaine de minutes depuis la station de métro, en espérant en vain que ça me calme. Mes recherches sur ce thérapeute m'ont pourtant rassurée ; j'ai mis toute la diligence dont je sais faire preuve lorsqu'il s'agit de clients pour trouver des références afin de m'assurer de la compétence de ce psy. L'avis d'une seule personne n'est pas suffisant lorsqu'il s'agit de mettre mon avenir entre les mains de quelqu'un ! Mais voilà que je doute encore de tout. Cette fin de journée est pourtant splendide. Les drapeaux du Québec flottant ici et là depuis la Saint-Jean-Baptiste n'ont pas cédé la place à ceux arborant la feuille d'érable, malgré l'imminence du premier juillet, mais la chaleur humide qui enveloppe la ville ne fait qu'accentuer mon malaise. Même si ce professionnel m'a été chaudement recommandé par Céline, l'amoureuse de Julie, je suis anxieuse mais enfin décidée. Jacques Béliveau est un bel homme d'à peu près mon âge, pas très grand, aux cheveux courts légèrement grisonnants. Il me semble sympathique et il arrive presque, avec son seul sourire, à me faire oublier mes appréhensions. C'est prometteur. Dans la salle d'attente, il me remet un questionnaire à remplir à la maison pour mesurer mon niveau de « détresse psychologique ». Je ne suis pas en détresse… pas au sens propre du terme, en tout cas. Je n'ai pas d'idées noires, je ne pense pas être dépressive, du moins pas plus que tout le monde, je n'envisage pas de me défenestrer ou d'avaler une bouteille de pilules avec un *chaser* de vodka. Du moins, pas encore. Je serais bien trop peureuse, de toute manière. Et j'aurais l'air de quoi, aplatie sur le trottoir devant mon bureau, la jupe relevée et les membres tordus, ou encore avachie dans mon divan les yeux révulsés et l'écume à la bouche ? Malgré le côté grotesque de ces pensées, je souris. Ou bien je suis vraiment folle, ou dangereusement saine d'esprit. Je suis angoissée de me trouver là, mais je sais que je n'ai pas le choix. Je me réveille depuis trop longtemps stressée à la seule pensée de cette décision qui me pend au bout du nez, et ce sentiment m'habite jusqu'au soir. C'est ridicule. Si j'y pense trop, j'ai des palpitations et je sursaute sans arrêt. Et si je repousse l'échéance, je pleure pour rien et je me ronge les ongles, habitude que j'ai pourtant délaissée il y a bien longtemps. J'ai presque acheté un paquet de cigarettes en chemin, même s'il y a plus de quinze ans que je suis libérée de la nicotine. J'ai tout à coup une fixation. Je vais résister, je le sais bien, mais je sens presque la fumée âcre m'envahir la gorge et m'aider, comme je le croyais autrefois, à me détendre. Allons pour le psy, mes poumons me remercieront plus tard.

Tout ceci est pourtant banal, non ? Je tente désespérément de me convaincre que l'approche psychologique n'a rien de très sorcier ou d'ésotérique ; elle me permettra seulement, avec un peu de chance et de collaboration de ma part, de comprendre pourquoi je panique à la perspective de me marier avec un homme parfait. Rien de plus simple, une névrose ordinaire, quoi. Si ce psy est aussi compétent qu'il semble l'être, il va me régler ça en moins de deux, et je n'aurai pas besoin de me mettre à nu devant lui, au sens figuré, évidemment, ce qui me terrorise autant que le faisait le sens propre, autrefois. Un jeu d'enfant.

Nous passons dans son bureau où nous bavardons quelques instants, en échangeant des banalités sur la météo. Je suis quelque peu intimidée, mais pas autant que je l'avais craint, puisque je me surprends même à me dire que je ne suis pas ici pour parler de trivialités et que j'ai hâte de briser la glace. Je respire à fond et ça va mieux. Nous décidons mutuellement de nous tutoyer. Ça m'étonne, mon travail ne m'ayant pas habituée à une telle familiarité avec des étrangers, mais je trouve l'idée bonne pour installer un climat amical. Après avoir discuté un peu plus longuement, celui que je surnommerai officiellement Docteur Jacques – Docteur Béliveau fait trop officiel et Jacques tout court, trop informel – entre enfin dans le vif du sujet :

— Alors. Si je ne me trompe pas, tu souhaites comprendre les raisons pour lesquelles tu es incapable d'accepter une demande en mariage.

— Dit de même, ça a l'air un peu fou… mais oui. C'est bien ça.

— La demande a eu lieu quand ?

— La semaine dernière.

— Vous êtes ensemble depuis plus de deux ans ; de quelle façon qualifierais-tu votre relation ?

— Hmmm. Harmonieuse, je dirais. Les chicanes sont plutôt rares.

— Et tu as l'impression de tenir à lui ?

— Oh que oui ! J'ai jamais tenu à quelqu'un à ce

point-là. J'ai du mal à croire qu'il m'ait choisie, ça m'a encore l'air irréel, même après tout ce temps-là. Et des périodes de doute, j'en ai eu des tonnes…

— Et tu les as gérées comment, ces périodes-là ?

— Euh… en essayant de me raisonner. En fait, l'automne dernier, j'ai commencé à me demander s'il avait une aventure.

— C'était fondé ?

— Non, pas du tout. Mais ça m'a pas empêchée de reconnaître à quel point Robert est important pour moi. Je suis même allée me faire faire des traitements de remplissage de rides, et j'envisageais beaucoup plus pour ne pas le perdre. Je comprends aujourd'hui que c'était stupide, qu'il m'aime avec ou sans mes rides, qu'il se fout de l'effet de la gravité sur mon corps, mais dans ce temps-là…

— Ah bon ? Et qu'est-ce qui t'a fait te rendre compte de ça ?

— Mes amies et Robert… Quand j'ai eu mes premiers traitements, j'étais contente, rassurée. Robert fait tellement attention à lui ! Je me disais qu'il pouvait séduire n'importe quelle femme plus jeune et qu'il fallait que je réagisse si je voulais continuer à lui plaire. On en a parlé tous les deux plusieurs fois, depuis. Et comme il le dit lui-même : « Val, si on commence ça, on va avoir quatre-vingts, pis on sera toujours pas contents de ce qu'on a l'air. Aussi bien apprendre à vivre avec, c'est la vie ! » C'est beau, non ? Mes amies, elles, me l'ont fait comprendre d'une autre façon ; on est même restées en froid pendant des mois, mais c'est une autre histoire. J'aimais mieux la réaction de Robert !

— Et il a raison, on peut combattre l'âge jusqu'à un certain point, mais arrive un moment où il faut faire face… Donc, tu savais déjà que tu voulais que cette relation-là dure. Mais pas nécessairement te marier. C'est ça ? Et tu n'as pas répondu directement à sa demande. De quelle manière as-tu réussi à éviter de lui donner une réponse ?

— En fait… j'ai joué la femme la plus heureuse du monde, ce que je devrais être, d'ailleurs. Il a pris ça pour un oui, et je l'ai pas contredit… Et là, il est parti travailler en Alberta pendant un mois. D'habitude, il ne s'absente que deux semaines, c'est comme ça depuis qu'on se connaît. Mais c'est la dernière fois ; à son retour, il va travailler uniquement à Montréal.

— Ça te fait plaisir, ça ?

— Oui, je l'espérais depuis le début de notre relation, il y a plus de deux ans.

— Et tu ne lui as rien dit au sujet de tes doutes, tes hésitations ou tes questions ?

— Non, parce que je les comprends pas moi-même. Je lui ai parlé de beaucoup de choses, bien plus qu'à tous mes copains précédents, mais pas de ça. Juste à mes amies ; c'est elles qui m'ont conseillé de venir ici.

— Alors… dis-moi. Il est parti pendant un mois et vous avez laissé ça comment ?

— Euh… ben… je l'ai comme *stallé*.

— *Stallé* ?

— En remettant à plus tard, en lui disant qu'on en reparlerait quand je comprendrais vraiment ce qui se passe, quand il reviendrait, ou après… J'ai fait semblant de flotter, en évitant toute discussion au sujet de la date ou du genre de cérémonie et en me contentant de donner des réponses vagues du genre : « Laisse-moi le temps de m'habituer, Robert ! C'est pas comme si je m'étais attendue à ça ! » Avec un baiser, ça passait bien. Mais il est pas fou, il sent que je lui dis pas tout et il boude pas mal.

— Donc, il s'attend à ce que vous en reparliez quand il va revenir, « ou après ». Après quand ?

— J'en ai pas la moindre idée ! Je pouvais quand même pas lui avouer que je paniquais, alors je lui ai dit que j'étais trop surprise pour réfléchir. C'est un peu ça, au fond. Sauf que je l'ai pas corrigé quand j'ai compris qu'il pensait que je reportais la discussion sur le genre de mariage qu'on voulait et pas sur la question elle-même... À moins qu'il sache et que ce soit pour ça qu'il me fait un peu la gueule en se pensant subtil...

— OK. Et là, il est parti. Et ça se passe bien ?

— Assez. Il m'a jamais autant téléphoné ! Avant, il m'écrivait des courriels ou des textos pour prendre des nouvelles, on s'appelait une ou deux fois par semaine, mais là, il me téléphone presque chaque jour.

— Et ça te fait te sentir comment ?

— Euh... Il me dit qu'il s'ennuie, qu'il est heureux et qu'il a hâte, mais on dirait qu'il en profite pour me rappeler que je suis supposée être aussi contente et excitée que lui. Ça me met de la pression ! J'aime pas lui cacher des choses, et c'est ce que j'ai l'impression de faire ! Et il a l'air vraiment inquiet, tout d'un coup. C'est plutôt moi qui le suis, d'habitude...

— Je trouve normal qu'il le soit. Il s'est jeté à l'eau, c'est pas banal de demander quelqu'un en mariage !

— Pas banal de se le faire demander non plus !

— Tu as raison. Et depuis qu'il t'a fait la demande, as-tu agi ? Parlé à quelqu'un ?

— Oui, j'en ai discuté avec mes amies. Des fois je me demande ce que je ferais sans elles...

— T'as envie de m'en parler ?

— Oui, bien sûr, elles font assez partie de ma vie pour

ça ! Je les ai rencontrées alors que j'étais au cégep. Ça fait un bout… J'étais hôtesse au restaurant où Maryse était gérante. Elles sont un peu plus vieilles que moi, Maryse devait avoir vingt-six ans à l'époque et Julie, qui était serveuse, en avait vingt-deux. On ne se fréquentait pas, au début. Maryse était ma patronne et Julie était pas du tout mon genre de fille. De toute façon, elle avait probablement même pas conscience que j'existais.

— Qu'est-ce qui fait que vous êtes devenues amies, alors ?

— Une drôle d'histoire. Pas drôle dans le sens comique, mais bizarre. Un soir, Julie s'est fait cruiser toute la soirée par un client qui était là avec des amis. Un touriste, je pense. Il était un peu soûl et, tout au long du repas, il faisait de l'œil à Julie. Ses remarques sont devenues de plus en plus directes et déplacées. Julie est pas du genre à s'offusquer, je pense même qu'au début elle aimait ça. C'est une belle fille, les hommes lui résistent rarement, et je pense qu'elle a besoin de ça, quelque part. Bref, le client est parti. Mais quand Julie a fini son quart de travail, il l'attendait dans le stationnement derrière le resto. Moi, je devais sortir les sacs-poubelle des toilettes et de l'entrée en finissant et aller les porter dans la ruelle, à côté du stationnement. Quand je suis arrivée, j'ai vu le gars tenir Julie par les épaules en la plaquant contre le mur. Julie se débattait et criait, mais il avait facilement réussi à l'immobiliser. Je savais pas quoi faire. J'aurais voulu crier, lui dire de la lâcher ; j'en ai presque fait pipi dans ma culotte. Alors j'ai appelé Maryse. En voyant ce qui se passait, elle a attrapé un gros chaudron et s'est avancée vers le gars en l'engueulant. Il a eu peur, a lâché Julie et est parti en courant. On aurait pu en rire, dans d'autres circonstances, Maryse était tellement fâchée ! Elle a pris Julie dans ses bras et moi, eh bien, j'ai pleuré comme je fais toujours. On est amies depuis.

— Wow, toute une histoire ! Vous ne vous êtes jamais perdues de vue ? J'imagine que le resto est chose du passé ?

— On s'est vues régulièrement pendant quelque temps. Après, Maryse a eu ses enfants, Julie faisait sa Julie, et moi j'ai eu ma fille.

— Ça a dû vous rapprocher, les enfants, non ?

— Non, pas du tout, en fait. J'aurais aimé que Maryse soit plus présente dans ma vie quand j'ai eu Sabrina, mais elle avait les bras pleins avec ses deux petits et ma vie était pas évidente. J'avais l'impression que Julie était toujours en voyage, ou en amour, ou les deux. On la voyait de temps en temps, mais sans plus. Pour elle, les enfants nuisaient à nos sorties. Elle en a jamais eu, et ça l'a jamais intéressée. Les enfants ont grandi, on a recommencé à se voir plus souvent, mais pas autant que j'aurais voulu.

— Et pourquoi, d'après toi ?

— J'aimais pas trop aller chez Maryse avec Sabrina. Les enfants jouaient assez bien ensemble, mais j'avais l'impression d'être jugée, pas tant par elle que par son mari, Gilles. Maryse me donnait souvent des vêtements ou des jouets de sa fille, j'avais le sentiment de quêter, même si c'était pas le cas. Et les sorties de couple étaient à peu près impensables. Mes amies ont jamais vraiment apprécié mes chums. Comme s'ils étaient jamais assez bons pour elles.

— Ah bon ? Pourquoi ça ?

— Parce que… je sais pas trop. En fait, oui. À part un ou deux, elles les trouvaient insignifiants, plates, ordinaires, pépères. Et il faut que j'avoue, avec du recul, qu'elles avaient plutôt raison.

— Alors peut-être qu'elles trouvaient qu'ils étaient pas assez bons pour toi plutôt que pas assez bons pour elles, ça se peut ?

— Ah… c'est ce qu'elles disent, mais j'ai jamais su. Je sais pas pourquoi je me sens tout le temps inadéquate avec elles. Avec tout le monde, en fait. Y'a à peu près juste au travail que je suis sûre de moi, que j'ai l'impression d'être compétente. C'est quand même triste, non ?

— Et tu fais quoi, comme travail ?

— Je suis secrétaire juridique. Dans un gros cabinet d'avocats. Ça fait huit ans que je suis là.

— Tu te sens en confiance, mais y'a des choses qui te plaisent moins ?

— Non, pas vraiment. Je m'entends bien avec mes collègues, les journées passent vite et je maîtrise ce que je fais. J'aime ça quand mes tâches sont bien faites ; d'ailleurs, mon patron, monsieur Simoneau, m'apprécie beaucoup et ça se passe bien.

— À part Julie et Maryse, tu as d'autres amies ?

— Non. J'en ai eu, des voisines ou des collègues, mais je les considère pas vraiment comme des amies. Maryse en a, elle, comme Jessica… qu'elle essaie d'intégrer à notre trio, mais Jess m'énerve et je pense que c'est pareil pour Julie. Pire, même, peut-être !

— Ah bon ? Pourquoi ?

— Je sais pas exactement. Elle est juste… trop. Trop tout. Trop belle, trop parfaite, trop poupoune, trop une bonne mère, trop une victime. Son mari l'a laissée avec ses deux enfants, et elle est, disons… amère. Mais je trouve pas qu'elle fait pitié. Elle a juste trente-cinq ans, le corps d'une fille de vingt-cinq et tout ce qui vient avec, mais au lieu de se dire qu'elle a le temps de recommencer sa vie, elle agit en bébé gâté. Puis je lui fais pas confiance, je trouve qu'elle a l'air hypocrite, qu'elle manigance quelque chose. On dirait que je me sens menacée par elle, mais je sais pas pourquoi.

— Tu sens qu'elle pourrait t'enlever quelque chose auprès de tes amies ?

— Euh, je sais pas...

Je ne l'avouerais pas devant lui, mais à moi-même, il le faut : je ne suis qu'une menteuse. Oui, j'y ai déjà pensé, et plus d'une fois. Parce que Jessica est si belle ? Julie est belle et je n'en ai jamais pris ombrage. Parce que Jessica est plus jeune ? Oui, c'est bien ça. N'ai-je pas sursauté lorsque Maryse a lancé à la blague, un jour au spa, que Jessica devenait notre « nouveau bébé » ? Oh, que oui. Je sais, ce n'est pas très généreux de ma part. Craignais-je de perdre ma place auprès de Maryse et Julie ? Eh boy. C'est pathétique, mais trop possible pour que je l'ignore ou pour que ça me laisse indifférente. Mes yeux se remplissent d'eau et j'ai honte. Je regarde Docteur Jacques et je lui dis, piteuse :

— On dirait que oui. Faut croire que mes amies prennent trop de place dans ma vie, hein ?

— Pas nécessairement. Nos amis nous aident bien souvent à mieux nous connaître nous-mêmes. Si vous vous côtoyez depuis aussi longtemps, ça doit être parce que ça vous apporte toutes quelque chose.

— Je vois pas ce que je pourrais bien leur apporter ! Ma vie est ben ennuyeuse comparée à la leur !

— Qu'est-ce qui te fait dire ça ?

— Il se passe jamais rien de très excitant dans mon quotidien. J'ai ma petite maison, mon emploi, ma fille, mes deux chiens, un chum ou un autre. Julie voyage, vit toutes sortes d'aventures pas banales ; Maryse avait la famille parfaite, en tout cas c'est ce qu'on pensait jusqu'à l'an dernier, et là elle a Karma sutra, son site qui fait fureur. Ah, et elle est riche au point de se payer du champagne presque tous les jours, aller à l'autre bout du monde quand ça lui plaît et elle est libre. Ses enfants sont partis de la maison, elle s'épanouit.

— Et toi, tu t'épanouis pas ?

— Oui ! Non. Je sais pas.

Quelle question me pose-t-il là ? J'ai l'impression que ce thérapeute que je ne connaissais ni d'Ève ni d'Adam il y a moins d'une heure sait déjà sur quels boutons appuyer pour m'atteindre. Il doit pourtant trouver mon récit monotone, surtout qu'on doit souvent lui confier des histoires beaucoup plus palpitantes que la mienne. J'imagine qu'avec moi, il doit se sentir comme un pneumologue qui doit traiter des nez qui coulent. Zéro challenge. Je commence à me demander ce que je fais ici. Il m'avait bien prévenue : lors de la première rencontre, je devrais brosser un portrait très général de ma vie. Or, ce que j'entends sortir de ma bouche m'apparaît d'une banalité navrante. Je baillerais moi-même d'ennui si ce n'était pas ma vie à moi. Qu'en pense-t-il ? Je ne peux pas m'empêcher de le lui demander. Il me regarde, un gentil sourire aux lèvres, et me dit :

— C'est pas important, ce que j'en pense. J'entends toutes sortes de choses, ici, et mon travail c'est pas de porter un jugement ni même d'émettre une opinion. C'est d'écouter pour pouvoir mieux t'aider, au fur et à mesure, à cheminer.

— Ouain… C'est niaiseux, mais je suis pas habituée à ça. Spontanément, j'me dis que je devrais te demander toi, comment ça va. Si t'es heureux, comment ça se passe avec ta femme, tes enfants.

Il rit. Pas de moi, mais de ce que je lui dis, comme s'il était mon complice, et je le comprends instantanément. Je me sens calmée, rassurée. Hmmm. C'est bizarre cette impression de me sentir en confiance avec quelqu'un que je connais si peu, mais c'est pourtant le cas. J'étais certaine qu'il allait me trouver idiote, mais rien de ça ne transparaît dans son visage ni dans son attitude.

— Bon, on continue un peu, tu veux bien ? Parle-moi donc de comment ça se passait à la maison, dans ta famille.

Ça y est, il souhaite que je parle de ma famille. Il me semblait bien qu'on en viendrait là ; si je m'en tiens à mon enfance, ce ne sera pas si pénible, je devrais y arriver. Plus tard, c'est une autre histoire… que je ne suis pas sûre de vouloir ou pouvoir aborder. Je m'octroie quelques instants pour laisser les lointains souvenirs refaire surface.

— Que dire… On était une famille assez ordinaire. J'ai ni frère ni sœur. On vivait en appartement, dans un quartier tranquille, toujours le même, aucun déménagement. Mon père était machiniste ; ma mère, commis au service à la clientèle chez Bell. On était pas riches, mais il me semble avoir manqué de rien et mes parents avaient l'air heureux. Il y avait toujours de la musique chez nous, même si elle me tapait sur les nerfs. Michel Fugain, Harmonium, Beau Dommage ou d'autres dans le genre, mais c'était pas grave. J'avais pas tous les derniers gadgets à la mode, mais ça me dérangeait pas. L'été, on allait au chalet de ma grand-mère, j'avais des cousins et des cousines, on jouait dans le bois, c'est des bons souvenirs. À l'école, ça allait assez bien aussi. J'étais pas une première de classe, mais pas loin. Avec mes amies, on jouait souvent dehors. L'été, au ballon-chasseur, à l'élastique ; l'hiver, on allait glisser et on patinait au parc. Le reste du temps, poupées Bout d'chou et Barbie. Rien de spécial. J'avais beaucoup d'amies; plus tard, on regardait la télé, on allait au cinéma ou on écoutait de la musique chez une ou chez l'autre, meilleure que celle que mes parents faisaient jouer à la maison, évidemment, comme Boy George, Corey Hart ou Journey, en rêvant aux garçons et à la prochaine danse de l'école. Comme tout le monde, quoi.

Ai-je besoin de lui dire qu'à l'époque j'étais persuadée que je me marierais avec Michael J. Fox ? À mes amies, je disais que j'étais folle de Rob Lowe, mais Michael me semblait plus accessible… Je voulais aussi être danseuse depuis que j'avais vu *Flashdance,* ou chanteuse comme Cindy Lauper. Ha ha ! Je n'avais pourtant aucun talent artistique, mais il était encore permis de rêver et j'en profitais allègrement. Des fantasmes de jeunesse insignifiants. À dix ans, j'avais déjà embrassé un garçon, mon voisin, Sylvain, mais tout ce dont je me souviens de ce pari au jeu de la bouteille est que ses lèvres avaient un goût de chips barbecue. Je souris. Objection, Votre Honneur ! Tenons-nous-en aux faits. Docteur Jacques m'observe, en attendant que je sorte de ma bulle :

— Quelque chose de plaisant ?

— Oui et non. Je me souviens de mon premier baiser, c'est tout. J'étais bien, me semble, dans ce temps-là, je me sentais comme tout le monde.

— Et ça a changé ?

— Oui. D'un coup.

— J'aimerais bien que tu me racontes, mais peut-être pas aujourd'hui. Le temps passe…

Nous discutons de la fréquence des rencontres, que je souhaite rapprochées afin de profiter de l'absence de Robert, et d'autres questions de logistique. Puis, il dit :

— On va conclure là-dessus. Il y a plusieurs choses dont j'aimerais discuter davantage la semaine prochaine. Si t'en as envie, bien sûr. Comment tu te sens ? T'as envie de continuer ?

Curieusement, oui, je me dis que j'en ai très envie. La perspective de lui parler de l'événement qui a tout fait basculer m'aurait terrorisée il y a à peine quelques minutes, mais là, je sens que c'est important et que je pourrai lui raconter, enfin je pense. Pas aujourd'hui, en effet. Fiou ! Sauvée par la cloche…

— Je me sens… bizarre. J'étais certaine que j'aurais plus de misère que ça à te parler, mais c'est pas si pire et, bien franchement, je trouve que ça fait du bien.

Il me serre la main. Elle est douce et chaude. J'aurais presque envie d'embrasser mon psy. Pas sur la bouche, quand même, juste sur les joues, comme on fait avec un ami. Décidément, tout ça est très, très étrange.

« Bonne fille ! » me dirait Maryse.

Hmmm. Ça reste à voir.

5

Cette semaine est passée beaucoup trop vite. J'aurais aimé pouvoir discuter de ma première séance chez Docteur Jacques avec Maryse et Julie, mais nous n'y sommes pas arrivées. Je me suis évidemment repassé mon premier entretien en boucle comme un mauvais film, me demandant si j'aurais dû ajouter tel ou tel détail, prenant même des notes. Je croyais presque que les autres secrétaires – ou pire, mon patron – devineraient que je voyais dorénavant un psychologue, c'était peut-être écrit en lettres rouges sur mon visage, après tout ? En apprenant par hasard le lendemain qu'une de mes collègues consultait elle aussi un psy pour des problèmes d'anxiété, j'ai eu envie de me confier à elle, de l'interroger sur ses impressions, mais je me suis abstenue. Je ne voyais aucune raison d'étaler ma faiblesse à d'autres que mes amies et de susciter une foule de questions auxquelles je n'étais pas disposée à répondre.

Je m'interrogeais : avais-je bien fait de demander à voir mon thérapeute à une fréquence hebdomadaire ? En me présentant à son bureau, ce jour-là, j'étais pourtant prête. Si j'arrivais à lui parler de l'inévitable sujet, le pire serait passé et je pourrais voir à ce moment-là. J'en tremblais presque. J'aurais préféré retarder l'échéance, mais je sais bien, au fond, que cet événement clé a eu des retombées majeures sur plusieurs aspects de ma vie. Autant en finir…

Nous discutons de plusieurs sujets de manière superficielle ; Docteur Jacques me demande comment s'est passée ma semaine, si j'ai des questions sur notre dernière rencontre, et j'ai de plus en plus l'impression de parler à quelqu'un qui se soucie réellement de moi. Pas tout à fait un ami, mais plus qu'un étranger. C'est bizarre et rassurant, et je me sens déjà beaucoup plus détendue. Enfin, il reprend là où nous avions interrompu la rencontre précédente en me permettant d'arriver au vif du sujet en douceur.

— Tu m'as dit que tu avais beaucoup parlé à Robert, de choses dont tu n'avais jamais discuté avec les autres. En gros, c'était quoi ?

— Bien… de plusieurs choses qui sont restées cachées pendant beaucoup trop longtemps. Pas vraiment en profondeur, y'a des choses que je suis pas capable de lui dire. Mais il fallait qu'il en sorte un peu, j'avais l'impression que c'était important. Si je dois passer le reste de ma vie avec lui, faut bien qu'il sache que je suis un peu maganée, non ? Mais c'était surtout pour essayer de comprendre. Je pensais que je pouvais le faire avec Maryse et Julie, séparément ou ensemble, mais j'y arrivais jamais. J'aurais préféré en parler à Maryse, sauf qu'avec tout ce qui est arrivé cette année, je la sentais plus tellement disponible. Avec le site, ses histoires de vengeance, Jessica pis tout le reste, je sais plus trop. Robert, lui, je sais. Je l'aime, ce gars-là, et c'est pas pour rien que j'ai eu envie de me confier à lui, hein ? Je me disais qu'en formulant les choses à voix haute, j'arriverais peut-être à les démêler… J'imagine qu'au fond, je veux que ça marche, lui et moi… Hey, j'ai dit « passer le reste de ma vie avec lui », c'est bon signe, non ?

— Tu trouves, toi ? Qu'est-ce qui te fait dire ça ? J'ai l'impression que tu réfléchis à des dizaines de choses en même temps, là. Une à la fois, d'accord ? Alors, tu lui as parlé de ta vie avant de le connaître, c'est ça ?

Eh boy, je me rends compte que je suis incohérente. Ça y est, il va me dire que je suis trop difficile à suivre, irrémédiablement fuckée. Pourtant, il me regarde gentiment, avec indulgence. Ouf. J'essaie de mettre de l'ordre dans mes idées.

— Oui. De quelques-uns de mes autres chums avant lui, de ma famille, mais pas dans les détails, juste assez pour qu'il sache pourquoi je vois plus mon père et que je m'en tiens au minimum avec ma mère. Je lui ai parlé de ma fille, comment c'était quand elle était petite, et de sa crise d'adolescence. Comme si je voulais qu'il sache un peu à quoi s'attendre… ou lui donner la chance de se sauver avant qu'il soit trop tard !

— Et il s'est pas sauvé, alors ça doit pas être si grave, répond mon thérapeute avec un petit sourire.

— Faut croire… ou alors, il aime les choses compliquées !

— Peut-être, mais t'es peut-être pas aussi compliquée que tu penses. Tu sais, à nos âges, on a tous un bagage. Quand on veut entrer en relation avec quelqu'un, il faut pouvoir accepter ça de l'autre et de soi-même. Robert doit en être conscient. OK. La dernière fois, tu m'as dit qu'il s'était passé quelque chose de particulier quand tu as commencé ton secondaire. Tu veux essayer de m'en parler ?

Je le regarde en silence en ayant envie de hurler « Non ! » Aïe ! Aïe ! Aïe ! Je me croyais prête, là je ne sais plus. Toute la semaine, j'y ai pensé. Puis j'ai reconnu que je n'y ai pas songé depuis des années ; ça fait toujours mal et je m'en veux encore. Je sais qu'il est temps que je crève cet abcès, et que si je ne le fais pas aujourd'hui, je ne le ferai jamais. C'est même devenu urgent. Comme si je comprenais que ça m'empoisonne et qu'il faut que ça cesse, que ça sorte de mon corps et de ma tête pour que je puisse enfin guérir. De toute évidence, enfouir ce secret bien loin n'a pas eu l'effet escompté, puisque ça me hante toujours presque trente ans plus tard… Non, je ne m'en tirerai pas. Une longue expiration hachurée s'échappe de mes poumons et je saute à l'eau. Enfin, j'avance au bord de la piscine.

— Hmmm, ouain. Donc. Au primaire, en revenant de l'école, j'allais chez mon amie Martine qui habitait à un coin de rue parce que mes parents voulaient pas que je reste seule à la maison jusqu'à leur retour, vers six heures. Mais en arrivant au secondaire, je rentrais seule vers quatre heures et demie et je faisais mes devoirs ou je regardais la télé en attendant qu'ils reviennent. C'est pas moi qui l'avais demandé… J'étais déjà un peu peureuse, à l'époque. Mais Martine avait changé d'école et elle revenait plus tard que moi.

— Et tu te sentais comment, là-dedans ?

Euh, est-ce que je peux dire que je me sentais mal ? Plus terrorisée encore que le soir où j'avais regardé *L'Exorciste* en cachette avec mes amies ? Pas tout à fait, mais presque. Comment décrire en paroles l'anxiété qui me serrait la poitrine chaque soir sans avoir l'air débile et immature ? J'avais plein d'amies qui, à treize ans comme moi, gardaient des enfants dans le voisinage ; moi, la seule idée de me retrouver responsable d'un ou de plusieurs enfants suffisait à me donner des boutons et des sueurs froides. De plus, je n'avais pas d'intérêt pour leurs nez coulants, leurs régurgitations gluantes, leurs couches puantes et la complexité des soins à leur prodiguer. J'aurais de toute manière craint l'idée qu'ils s'étouffent ou se blessent, sans compter les risques de chute, d'électrocution ou autres catastrophes. J'avais déjà, apparemment, une confiance en moi inébranlable. Pfff ! Ben oui ! Retour seule de l'école, donc. Un martyre.

— Quand j'arrivais, je faisais le tour de l'appartement avec le rouleau à pâtisserie de ma mère, juste pour être sûre qu'il y avait pas un voleur ou un kidnappeur pédophile caché dans mon garde-robe.

Ou, me dis-je, Linda Blair avec ses yeux exorbités et sa tête qui tourne comme une toupie. Chut, Val, pas obligée de TOUT dire.

— Pourquoi ? T'avais des raisons de t'inquiéter ?

— Ben... y'avait eu un cas d'enlèvement le printemps précédent, une fille de mon âge qu'on avait jamais retrouvée. J'avais lu les articles dans le journal et je trouvais ça épouvantable. C'était pas à Montréal, mais quand même au Québec, je me souviens plus très bien où. En plus, on avait regardé des films d'horreur, mes amies et moi, pendant l'été, et ça m'avait marquée. T'sais, la fille qui est seule chez elle et qui reçoit des appels anonymes pour s'apercevoir qu'il y a quelqu'un dans la maison ? Ce genre-là. Au début, c'était pas si pire. Mais plus tard à l'automne, quand les journées se sont mises à raccourcir, j'ai trouvé une autre amie chez qui aller, deux ou trois fois par semaine. Ça me stressait trop d'être chez nous quand il faisait noir dehors. Un soir, sans doute vers la fin de novembre – on avait changé l'heure depuis un petit bout de temps, la nuit tombait très tôt, y'avait pas encore de neige, mais on gelait et il pleuvait –, ma copine était partie chez le dentiste ou quelque part dans le genre et je suis allée directement chez nous. Là, ma pire crainte s'est matérialisée : la porte était débarrée. Je savais pas si c'était moi qui avais oublié de la verrouiller, ce matin-là, ou si un de mes parents était revenu au cours de la journée, même si ça arrivait jamais. J'ai eu envie de repartir, d'aller chez la voisine et de lui demander d'appeler la police, mais je savais que c'était ridicule. Ça devait être un de mes parents. En effet, après avoir respiré un bon coup, j'ai entendu la voix de mon père. De loin, comme s'il était dans sa chambre. Il riait, c'est comme ça que je l'ai reconnu. Il a toujours eu un rire... particulier. Je le trouvais drôle, avant, mais à partir de ce soir-là, plus pantoute.

— Tu as dû être soulagée ! Alors tu es entrée, et là il s'est passé quoi ?

— Oui, je suis entrée, et je suis allée dans sa chambre en longeant le mur du corridor. J'aurais dû être rassurée, mais mon cœur battait comme un fou. Je sais pas pourquoi, au juste. Y'avait quelque chose dans l'air qui me stressait... La porte était ouverte, alors j'ai juste avancé, mais ben lentement.

J'hésite, marquant un temps d'arrêt. Je donnerais tout pour ne pas être obligée de continuer et de me souvenir avec autant d'acuité de ce jour de merde. J'en tremble encore, après toutes ces années. Docteur Jacques attend patiemment tandis que moi, sentant le rouge me monter au visage, je me mâchouille la lèvre et serre les mains si fort entre mes cuisses qu'elles s'engourdissent. Je prends une longue et pénible inspiration avant de poursuivre :

— J'ai avancé dans la direction de la voix, en appelant mon père, mais j'entendais plus rien. Et là je l'ai vu. Il était dans son lit, couché. Il y avait une caisse de bière par terre, et deux bouteilles vides.

Dans mes souvenirs, je revois cette fille qui, les fesses en l'air et les cuisses ouvertes sur le visage de mon père, le suçait avec enthousiasme. Belle façon de comprendre le fameux soixante-neuf, même si j'avais juste entendu l'expression une fois ou deux dans ma vie.

— Il était seul ?

— Euh, non. Avec une fille qui était définitivement pas ma mère. En train de... En tout cas. J'ai figé. J'ai trouvé ça dégueulasse. Les grosses mains de mon paternel agrippaient les fesses de la fille et elle, je voyais juste sa tête bouger en bas du ventre de mon père. J'ai pas besoin de vous... te faire de dessin, j'espère. Ça riait plus, mais ça gémissait en masse. Ark.

— Pas le genre de chose qu'on veut voir son père faire...

— J'aurais pas voulu le voir avec ma mère, encore moins avec cette fille que je connaissais pas !

— Alors t'as fait quoi ? Prends ton temps, ça n'a pas l'air facile...

Pas facile, dit-il ? C'est bien peu dire. Comment trouver les mots ? Je m'étais pourtant rejoué ce moment dans ma tête des centaines de fois, mais là il s'agissait de raconter. Une tout autre histoire. N'arrivant pas à soutenir le regard de mon thérapeute, je poursuis en fixant le tapis de son bureau – ocre moucheté de noir – et en me tordant les mains furieusement :

— Ben... j'ai laissé tomber mon sac d'école, et mon père a sursauté en poussant la fille sur le côté. Il m'a regardée et m'a dit : « Qu'essé que tu fais icitte, toé ? » Moi, j'avais plus de voix. En riant, il a ajouté : « C'est pas c'que tu penses ! » La blondasse a ri aussi avant de se lever pour se mettre un t-shirt. J'avais jamais vu des seins aussi gros et ça me paralysait autant que le reste. La fille a dit : « J'pense que j'vas y aller, moi, là, hein ? » Elle a pris une bière, m'a regardée avec un sourire en coin et elle est partie. Mon père a mis le drap sur son ventre, s'est soulevé sur un coude et m'a dit : « Si tu racontes ça à ta mère, tu vas être dans l'trouble pas à peu près. » Puis, il s'est levé en tirant le drap pour se couvrir, est parti à la salle de bains et m'a laissée plantée là.

— Et tu te sentais comment, à ce moment-là ?

Euh... je voudrais dire dégoûtée, fâchée, triste, comme si on m'avait donné un coup de poing dans le ventre. Je revois clairement le visage de la fille : laide, le rouge à lèvres trop rouge et débordant sa bouche. Elle avait l'air cheap. Je réponds plutôt :

— Qu'est-ce que tu penses ? J'me sentais comme un maringouin écrasé. Je savais pas quoi faire, j'avais pas la force de réfléchir. Je suis partie dans ma chambre et j'ai pleuré dans mon lit. J'ai entendu la porte s'ouvrir, puis se refermer d'un coup sec. Mon père était parti et j'étais soulagée d'être seule dans l'appartement. J'aurais pas pu voir ma mère à ce moment-là, j'me serais effondrée en braillant sans être capable de lui dire quoi que ce soit. J'ai pleuré encore, pensant que mon père allait partir, nous abandonner, que maman comprendrait rien, que ce serait ma faute parce que je l'avais pogné. Je savais qu'il serait fâché contre moi et j'aurais tout donné pour avoir fait autre chose, n'importe quoi, que revenir à la maison cet après-midi-là.

— T'es pas responsable des gestes de tes parents...

— Non, mais mon univers allait éclater, j'en étais sûre, et ça, c'était ma faute. Si j'étais pas venue chez moi, personne aurait jamais rien su et on aurait continué comme avant.

— C'est pas ce qui s'est passé ?

— Pendant un bout de temps, oui. Un mois, peut-être. Comme avant ? Pas vraiment, non. Chaque fois que je regardais ma mère, j'avais envie de tout lui dire, mais je me retenais parce que je savais qu'elle serait anéantie. Et quand je croisais le regard de mon père, je voulais disparaître. Il me lançait des menaces silencieuses à chaque occasion qui se présentait, ses yeux méchants et froids comme des glaçons. Ces souvenirs ramènent la grosse boule qui se formait alors dans mon estomac. Je ne l'avais pas ressentie depuis si longtemps ! Toujours familière, cependant, elle se dépose au fond de mon ventre et me donne la nausée. Je précise :

— Un soir où maman était partie à sa chorale, papa m'a dit : « T'sais, y'a des écoles à Québec ou Chicoutimi. Ça serait facile de t'envoyer là. Au moins je serais sûr que tu t'ouvrirais pas la trappe. » J'étais terrorisée. Il me surveillait sans arrêt en ayant l'air de se demander quand je raconterais tout à ma mère. Me fermer la trappe ? C'est exactement ce que j'ai fait. Jusqu'à la fois d'après, quelques semaines avant Noël.

— Pas un Noël très joyeux, si je comprends bien !

— Eh boy, non ! Martine était partie magasiner avec ses parents et j'avais nulle part où aller en revenant de l'école, encore une fois. C'était pas prévu et j'aurais voulu me rendre au centre d'achats avec eux, mais j'ai pas osé le leur demander. Je m'étais retrouvée seule à la maison à quelques occasions depuis « l'incident » mais, chaque fois, je paniquais avant d'arriver. Mon père me demandait chaque matin à quelle heure je revenais. Comme j'avais pas prévu rentrer avant le souper, ce jour-là, je m'attendais au pire. J'avais beau me répéter que je m'inquiétais pour rien, j'arrivais pas à me calmer. Comme de fait, quand je suis arrivée, papa était dans le salon avec une fille, une autre. Celle-là, une rousse aux longs cheveux, était agenouillée sur le divan, les coudes appuyés au dossier pendant que lui la pistonnait par en arrière. Encore une fois, j'ai figé.

Je revois ses jeans enroulés autour de ses chevilles, et lui qui soufflait comme un taureau. Je me souviens avoir espéré qu'il fasse une crise cardiaque, il avait l'air bien parti. Mais non. Seigneur, cette image provoque un autre haut-le-cœur et si je continue de me mordre les lèvres ainsi, je ne pourrai plus jamais embrasser Robert de ma vie. Ce serait trop con...

— Encore une fois il m'a regardée, avec un air exaspéré, et m'a dit: « Voyons, pas moyen d'avoir la paix ? T'avais dit que t'allais chez ton amie ! »

J'ai commencé à lui répondre, à m'excuser, presque, avant d'être frappée par le ridicule de la situation. Je suis plutôt sortie, en laissant la porte de l'appartement ouverte. J'ai marché pendant un bout de temps, une heure, peut-être. Après, je suis allée m'asseoir dans un restaurant et j'ai commandé un chocolat chaud. Je regardais l'heure passer et je me demandais si je devais attendre que ma mère arrive ou retourner chez nous avant, au risque de me faire engueuler. J'ai attendu encore un peu, jusqu'à environ six heures et demie. Maman était en retard, et papa était seul. Quand je suis rentrée, il s'est mis à m'engueuler en me disant que j'étais pas fiable, que je lui avais raconté que j'allais chez Martine « juste pour le pogner ». J'étais assommée et je ne pouvais pas me défendre. Il était rouge de colère. Il m'a serré le bras très fort en le tordant dans mon dos. Il a conclu en me disant: « Ça te fait mal ? C'est rien. Ça va être dix fois pire si tu me *stooles* à ta mère. » Je savais que j'aurais dû lui parler, justement, mais je ne voulais pas lui faire de peine ni qu'elle soit fâchée contre moi, alors j'ai pas dit un mot.

— C'est normal.

— Normal ? *Come on.* J'étais juste trop *chicken* pour faire ce qu'il fallait.

— N'importe quel enfant aurait fait la même chose.

— Peut-être, mais c'est pas une excuse. En tout cas, c'est pas grave, parce qu'environ un mois plus tard, ma mère filait pas et elle est rentrée plus tôt que d'habitude. Ça a été à son tour de surprendre mon père. Elle a piqué une crise et l'a mis à la porte. J'étais tellement dans ma bulle de peur, de colère et de tristesse que j'avais même pas compris que mon père travaillait presque pas depuis plusieurs mois, et que nous vivions avec un seul salaire. C'était la façon que mon père avait trouvée de la remercier. Bravo.

— Ton père a essayé de s'expliquer ? De s'excuser ?

— Non. Pas devant moi, en tout cas. Il disait plutôt que c'était ma faute, que je l'avais dénoncé et que sa femme était revenue ce soir-là juste pour avoir une preuve. Quand il est parti, il a dit : « J'me débarrasse de deux folles pour le prix d'une ! » Wow, hein ?

— Wow, en effet. Et après, ça s'est passé comment avec ta mère ?

— Après ?

Je réfléchis et je constate enfin ce qui s'est passé : ma mère a vieilli de dix ans en un mois. Elle a pleuré, ragé, et même si elle s'occupait toujours aussi bien de moi, elle n'était jamais tout à fait présente. Et moi, eh bien, je m'enfermais dans mon mutisme et ma culpabilité. Elle essayait de ravaler sa colère et sa peine, en vain. À ce moment-là, et encore aujourd'hui. Je fixe toujours le tapis du cabinet du psy, et ce n'est que là que je m'en rends compte. Je relève péniblement la tête, essaie de parler pour me délivrer de ce poids immense et j'y arrive. Un peu.

— Ma mère travaillait beaucoup, peut-être pour pas être à la maison à déprimer et, comme je le disais à mes amies, on a jamais réussi à être heureuses, ni elle ni moi. J'étais persuadée que j'étais responsable de tout ça et qu'elle m'en voulait. Je le pense encore. J'ai plus entendu de musique à la maison et j'ai plus vu maman sourire, ou presque jamais. C'est là qu'elle a commencé à me conseiller de jamais tomber amoureuse, même si, dans ma tête, c'était déjà pas mal clair. Michael J. Fox, mon idole, avait beau être parfait, je commençais bien à faire la différence entre le rêve et la réalité. En tout cas. J'ai fini mon secondaire, je suis allée au cégep, et ma mère a jamais eu de nouveau chum.

— Et vous en avez jamais parlé ensemble ?

— Jamais. Pas autre chose que ses mises en garde sur les hommes.

— T'aurais aimé ça ?

— Ben oui ! Au moins qu'elle me dise ou me fasse comprendre que j'avais rien à voir là-dedans ! Là, je le comprends un peu mieux, mais à treize ans et jusqu'à y'a pas longtemps, ça m'a pesé dessus comme une tonne de briques. Pis là, y'a cinq ans, mon père a essayé de me voir. Il a demandé mon numéro de téléphone à ma mère parce qu'il voulait s'excuser. Ça fait partie des étapes quand t'es dans les Alcooliques anonymes, je savais pas.

— Oui, ils sont censés dresser la liste de tous ceux à qui ils ont causé du tort et essayer de s'excuser… Ta mère a réagi comment ?

— Elle l'a envoyé promener et lui a dit de s'étouffer avec ses excuses, c'est tout ce qu'elle m'a dit en ce qui la concernait. Elle voulait pas lui donner mon numéro, lui a plutôt dit qu'elle me donnerait le sien et que ça serait à moi de décider. J'étais perdue, je savais pas quoi faire. C'était pas une bonne période dans ma vie... Mais au bout de deux semaines, je l'ai appelé, laissé parler. Il voulait me voir, mais je lui ai dit que j'étais pas prête à ça.

Pas prête, non. Cette conversation me revient à l'esprit. Entendre sa voix avait été extrêmement pénible, et j'avais eu du mal à le croire lorsqu'il me disait qu'il avait changé sa vie, qu'il avait enfin compris que l'alcool lui avait fait tout perdre : son travail, sa femme, moi, et ensuite le peu de dignité qui lui était resté. Il m'a raconté qu'après son départ de la maison, sa vie avait été une descente aux enfers et qu'il s'était même retrouvé à la rue. C'est là qu'il avait eu une espèce de « révélation ». Il regrettait ce qu'il avait fait, la manière dont il avait agi avec ma mère et avec moi, évoquait la honte qui le rongeait de l'intérieur chaque fois qu'il y pensait. Il voulait se rapprocher de moi, me connaître, se racheter. Quand je lui ai dit qu'il avait une petite-fille de quatorze ans, je l'ai entendu pleurer. Difficile d'entendre son père pleurer... plus encore que tout le reste, mais j'arrivais mal à me laisser émouvoir. Pourtant, j'aurais aimé pouvoir lui dire que tout ça était du passé, que j'étais heureuse malgré ce qu'il avait fait, que je m'en étais très bien sortie sans lui, et Sabrina aussi... sauf que ce n'était pas le cas. Denis venait de rompre avec moi, ma fille était au pire de ses frasques, je ne me sentais certainement pas heureuse, loin de là ! Le discours de mon père sur Dieu me rendait mal à l'aise, aussi. Je n'ai rien contre la foi, au contraire, et si ce nouvel engouement pour notre Créateur lui permettait de guérir et de changer sa vie, ça ne pouvait qu'être positif, sauf que ça sentait l'opportunisme à plein nez. Pratique, de se trouver un Dieu indulgent et bienveillant quand tout le reste fout le camp ! Ça aide à se faire pardonner, non ? Qui peut être contre la vertu ? Bref. Docteur Jacques interrompt le cours de mes pensées :

— Je comprends ! Mais tu te sentais comment avec le fait qu'il a pris contact avec toi ?

— Mélangée. Il arrivait un peu tard. Oh, et puis j'ai plus tellement envie d'en parler pour l'instant, OK ?

— OK. Alors, tu voudrais qu'on continue avec quoi ?

— Je sais pas, moi. Peut-être les mises en garde de ma mère, tiens. Je me demande si ça aurait changé quelque chose qu'elle me fasse pas toutes ses recommandations.

— Changé quoi, au juste ?

— Je sais pas, les chums que j'ai eus, comment ça s'est terminé, tout ça.

— Tu veux m'en parler, de tes chums ?

— Ben oui, pourquoi pas. Adolescente, les gars m'intéressaient, j'étais plutôt curieuse. Quand il y en avait un qui me trouvait *cute* et fine, j'étais contente, même s'il me plaisait pas tant que ça. Sans doute parce que c'était comme ça que j'étais supposée me sentir vis-à-vis de mes amies. C'est pas comme si j'avais eu des tonnes de prétendants, *anyway*. Et j'en parlais évidemment pas à ma mère. J'étais mélangée, j'avais envie de savoir c'était quoi avoir un chum, mais en même temps je faisais pas grand-chose pour que ça arrive, t'sais...

— Compréhensible, dans les circonstances ! Mais donc, tu en as eu, même si c'était pas significatif ?

— Quelques-uns, oui. Mais ça allait jamais bien loin. La preuve : je suis restée vierge jusqu'à vingt-trois ans...

Ça, je l'ai jamais dit à personne, ni à Robert, ni à mes amies.

— Pourquoi ? T'as honte de ça ?

— Oui, j'imagine. Je t'ai parlé un peu de Maryse et surtout de Julie ! Je suis sûre qu'elle aime le sexe depuis toujours ! Maryse en parle moins, mais je gagerais qu'elle aussi, elle trouve ça important. Elles comprendraient pas.

— Et tu te sentirais jugée ?

— Ben oui !

— OK. Donc, ça t'intéressait pas, mettons que t'avais pas eu un exemple du beau côté de la chose. Mais finalement, à vingt-trois ans, tu as rencontré quelqu'un qui te plaisait assez pour y penser ?

Oh boy, ça y est, me dis-je. La maudite question. Je savais bien qu'il me la poserait, ce psy que je paie pour être fouineux. J'invente une belle histoire ou je raconte la vérité ? C'est stupide de me poser la question et je le sais. Si je suis ici, ce n'est pas pour continuer à me raconter des histoires... J'ai été capable de parler de mon père, je dois bien pouvoir aller encore un peu plus loin. Mais Docteur Jacques consulte sa montre et ajoute, à mon grand soulagement :

— Je sens que t'as besoin d'un peu de temps pour ça. Tu veux qu'on aborde ce sujet la semaine prochaine ? En attendant, essaie de voir comment tu te sens par rapport à ce que tu m'as raconté. Comprends-tu réellement que ce n'était pas du tout ta faute ?

— Je pense que oui. Mon père aurait fait tout ça que je sois là ou pas, et ma mère l'aurait su à un moment ou à un autre.

— Exactement. Il s'est déculpabilisé en te donnant le poids d'un secret beaucoup trop gros pour toi, trop gros pour n'importe quel enfant. C'était lui l'adulte, il prenait ses propres décisions et n'avait pas à t'en faire porter le côté odieux. Tu es d'accord avec ça ?

J'acquiesce en relâchant enfin l'air qui stagnait dans mes poumons sans que j'en aie eu conscience et je me sens beaucoup mieux. Je n'échapperai pas au reste, mais je me sens libérée d'un fardeau, et le sentiment est fantastique. Je me sens drainée... au point où ce qui me reste à évacuer me semble au-dessus de mes forces, mais j'ai au moins une semaine pour me préparer mentalement avant d'être rappelée à la barre des témoins. J'ai fait un bel effort, aujourd'hui, non ? La vérité, toute la vérité et rien que la vérité, je le jure Votre Honneur ! Wow ! La pause sera bienvenue, ne serait-ce que pour évacuer tous les détails désagréables qui me reviennent en tête et saisir la portée de ce qui s'est déroulé au cours de la dernière heure. J'ai vraiment tout raconté ça, moi ? On m'avait dit qu'il était possible que j'aie envie de me livrer assez rapidement, mais à ce point ? On dirait bien que Val sort du placard !

Ce soir-là, mon mur Facebook s'orne de deux nouvelles citations avec photos qui, je le pense, traduisent bien mon état, même si on pourrait facilement les confondre avec des messages de biscuits chinois :

« Ne laisse pas tes blessures te changer en quelqu'un que tu n'es pas. » Et : **« Ne laisse pas ton passé voler ton présent. »**

« Quétaine ? Ouain, pis ? » me dis-je au moment d'appuyer sur le bouton « Publier ». Au moins, je suis une quétaine dont les yeux commencent à s'ouvrir.

C'est fou ce qu'une petite heure, surtout chez un psy, peut changer dans une vie...

À suivre.

6

Le soir de ma deuxième rencontre avec Docteur Jacques, je me sens fragile. Lorsque Robert me téléphone, sa voix me fait tout drôle. J'aurais envie qu'il soit là, près de moi. J'aimerais pouvoir lui raconter, à lui aussi. Sans comprendre, je me mets à pleurer alors qu'il me relate sa journée. Ça l'inquiète, évidemment. Il me demande s'il s'est passé un événement particulier, si quelque chose me tracasse. Non ! Qu'est-ce qu'il va penser là ? Oui ! TOUT me tracasse. J'ai l'impression de me tenir tout au bord d'une falaise et de laisser le vent décider de mon sort. Pas un bon feeling. Mais en même temps, je me sens délivrée d'un poids. Cette histoire si laide avec mon père a bien dû m'infecter à petites doses, pendant toutes ces années. J'invente une histoire de migraine et écourte, bien malgré moi, ma conversation avec mon amoureux.

Sabrina n'est pas à la maison, je suis seule et même si je suis incapable de lui parler, Robert me manque. Je voudrais pouvoir me réfugier dans ses bras et juste... être. Je téléphone à Julie, mais elle ne répond pas. Maryse oui, mais elle doit partir, puisqu'elle est apparemment « en mission » pour Karma sutra. Seule avec mes chiens, je vais marcher, une autre de ces promenades en solitaire qui, au lieu de me faire du bien, me balance un cafard monstrueux. Je pourrais rappeler Robert, il est encore tôt à Calgary, mais je devrais lui expliquer mon état et je n'y arriverai pas. Mon cœur est encore trop à vif.

En désespoir de cause, je débouche une bouteille de rosé bien frais et j'essaie de décanter tout doucement. Ce soir-là, je fais des rêves dérangeants. Mon père, d'abord, que je n'ai pas revu depuis le soir où il est parti de chez nous, et à qui je n'avais presque pas pensé depuis des lustres. Dans mon songe, je suis chez moi, emmitouflée dans la vieille couverture que j'utilisais lors de mes soirées cinéma avec lui. Dans la même pièce, qui me paraît beaucoup plus spacieuse qu'elle l'est en réalité, Robert engueule mon père, l'accuse d'avoir été méchant avec moi et de m'avoir fait porter ses actions dégueulasses. Il lui jette à la figure violemment – je n'ai jamais vu Robert dans un tel état et j'aurais du mal à l'imaginer – le fait que ma mère ne s'est jamais remise de ce qu'il a fait et que moi je suis incapable de vivre notre amour avec sérénité. Il dit le mépriser, insistant sur le fait que je n'étais qu'une enfant et qu'il ne méritait pas le statut de père. Moi, j'assiste à tout ça sans intervenir, comme s'il s'agissait d'un film. Maryse fait son entrée en scène et m'annonce qu'elle veut punir mon père, puisque c'est à cause de lui que je ne peux pas dire « oui » à Robert. Elle prétend qu'il n'avait pas le droit de me faire ça, de me donner une image aussi immonde de lui et du mariage. Mon amie, implacable, m'annonce son intention de le pendre par « ses vieilles couilles molles de trompeur de femmes ». Elle a une expression d'une méchanceté incroyable, à l'opposé de l'attitude bienveillante qu'elle avait du vivant de Gilles, son mari. Puis, sans enchaînement distinct, j'aperçois Maryse qui court le long d'un corridor, peut-être celui de l'appartement de mon enfance, derrière mon père, avec une corde, comme si elle essayait de l'attraper au lasso. Et lui, son pantalon froissé autour des chevilles, trébuche et tombe. Maryse fonce sur lui et je vois, de loin, qu'elle tente d'enrouler sa bride autour des testicules de mon père. J'essaie de protester, mais Robert me prend dans ses bras et je pars avec lui, ne me souciant ni du sort de mon père, ni de la folie de Maryse. De nouveau chez moi, je me blottis contre Robert, et j'ai soudainement treize ans. Robert personnifie mon père, comme il était lorsque j'étais une petite fille : gentil et affectueux. L'autre, mon véritable géniteur, hurle de douleur. Le corridor dans lequel Maryse le poursuivait plus tôt est devenu celui de ma maison, et la terreur sur le visage de mon père est aussi dérangeante que la fureur sur celui de mon amie. Juste au moment où cette dernière s'apprête à empoigner le membre flasque de mon père, je m'éveille en sursaut et en sueur.

Ouf ! Mon cœur bat comme si je venais de courir le cinq cents mètres. Un verre d'eau plus tard, je réussis tant bien que mal à me recoucher et à me rendormir. Mon rêve suivant met en vedette Robert, et il est d'une nature nettement différente que le précédent. Ses lèvres dans mon cou, sur mes seins… Ses mains qui me touchent, s'approprient ma peau entière en y laissant une chaleur autant que des frissons. Ses doigts si habiles qui me caressent avec douceur, se frayant un passage en moi pour en ressortir onctueux, me laissant béante de désir. Je m'ouvre pour lui, pour l'accueillir dans mon ventre ; la danse voluptueuse qui s'ensuit me renverse. Robert vogue au-dessus de moi, m'emplit tout entière ; il me retourne et relève mon bassin afin de plonger plus profondément encore, ses mains s'accrochant à mes hanches pour mieux m'assaillir. Puis, me retournant de nouveau avant de glisser son corps contre le mien, s'ancrant en moi comme pour s'y emprisonner, il m'embrasse, me dit des mots d'amour, sa langue s'égare dans mon oreille, son souffle se mêle à ses douces paroles et j'ai envie de rester là pour toujours. Je ruisselle, je me liquéfie, chaque poussée de son bassin me transperce de plaisir et je ne suis plus rien d'autre que bonheur. J'ai l'impression que son corps, soudé au mien, est désormais là pour toujours et je m'en trouve heureuse. Si heureuse…

Je proteste lorsqu'il se retire pour enfouir son visage entre mes cuisses, mais pas longtemps. Car aussitôt, un éclair de jouissance m'aveugle, les arabesques que dessine sa langue sur mon sexe avide se resserrent jusqu'à ce que ses lèvres emprisonnent le petit bout de chair dont la pertinence m'était autrefois inconnue. Sa bouche le triture, le tète tandis que ses doigts plongent en moi… je halète, je grogne, je trépigne jusqu'à ce qu'une chaleur intense s'échappe de tous les pores de ma peau.

Jouissance presque violente, inespérée et inouïe. Puis, une fois les battements du cœur rétablis et le souffle redevenu stable, la sérénité. Si rare et douce…

Je m'éveille encore en sueur, mon ventre palpite.

Seigneur.

Je passe une drôle de semaine. Rien de spécial au bureau, mais mon patron me semble encore plus attentionné que d'habitude. Il me félicite pour mon intervention dans une demande de révision de jugement pour un cas de garde d'enfant particulièrement houleux, précisant que j'ai fait preuve de diplomatie, d'efficacité et de rigueur. Je rayonne, même si j'ai trouvé la cause pénible. Quand des enfants écopent pour la discorde des parents, ça me bouleverse… mais apparemment, pas au point de nuire à mon travail. Je me suis souvent demandé si je ne serais pas plus heureuse dans un autre domaine du droit, l'immobilier ou la finance, par exemple, mais monsieur Simoneau prétend que c'est parce que je prends les causes à cœur que je suis aussi compétente. Peut-être. J'en ai accueilli des gens tristes, fâchés, désespérés ou hargneux ! J'ai discrètement soutenu des femmes en pleurs, des hommes démunis, assisté à des réconciliations touchantes. Même si la plupart des clients de mon patron font preuve de retenue, un simple sourire ou un mot d'encouragement prononcé avec douceur semblent leur faire du bien. C'est ce qui me plaît dans mes tâches. Lorsque je rédige ou révise les requêtes, actes ou autres documents relatifs à ces gens, j'y vois bien plus qu'une simple cause ; ce sont d'êtres humains qu'il est question. Et ça, mon patron l'apprécie, ainsi qu'il me le déclare :

— Ça fait toute la différence, et ces personnes nous recommandent à leurs amis ou connaissances. Tu sais accueillir avec chaleur et professionnalisme, offrir juste ce qu'il faut de gentillesse pour que les gens se sentent soutenus sans en faire trop. Ça ne s'apprend pas et c'est naturel chez toi. Et ça, ma chère Valérie, c'est ce qui nous permet de gagner notre vie. C'est précieux !

Peut-être. Je ne suis pas certaine que ces clients, une fois les remous de leur situation personnelle calmés, se souviennent réellement d'une secrétaire avenante ou prévenante et surtout aussi « beige » que moi, mais ça n'a pas d'importance. Que monsieur Simoneau m'accorde ces belles qualités me suffit.

Julie est venue dîner avec moi au milieu de la semaine, comme il lui arrive quelquefois de le faire lorsque ses journées ne sont pas trop chargées. Elle travaille pour Karmasutra.com à temps plein depuis peu et elle adore ça. Elle m'en a d'ailleurs parlé avec un bel entrain ce midi-là :

— C'est cool, je pensais pas aimer ça autant. Ça me fait drôle d'avoir eu cette idée et de voir ce que c'est devenu en si peu de temps. J'aurais jamais imaginé que Maryse pourrait en faire quelque chose d'aussi gros, d'aussi populaire. Mais en même temps, je suis contente de plus avoir à gérer les messages… Pour le moment, je me contente de traduire le site et c'est super. Tu te rends compte qu'il a presque vingt mille membres ?

— Wow ! Non, j'avais pas réalisé.

— C'est pas tellement, comparé, mettons, au Réseau Contact, mais on parle de membres payants, en plus de tous les visiteurs occasionnels. Et les ventes de publicité sont folles. Ça aussi, c'est Maryse. Elle a frappé aux bonnes portes et a vendu ça comme une pro ! En tout cas, je suis fière d'en faire partie, c'est ben stimulant. Pis toi, coudonc, avec Robert, ça va bien ? Il revient quand ?

— Robert va super bien, il revient pour de bon dans deux grosses semaines. On dirait qu'il a arrêté de bouder, il dit qu'il a hâte et moi aussi…

— Il boudait ?

— Oui… et ça m'énerve. Il est tellement habitué à toujours avoir ce qu'il veut, quand il le veut. Il a été élevé de même, sa mère lui faisait encore son lavage pis son lunch quand il avait presque vingt ans et ses sœurs le reconduisaient à l'université le matin, t'imagines ?

— Ah bon ? Le beau Robert aurait-il un défaut ?

— C'est pas un défaut… ben oui, un peu quand même.

Mais c'est le seul que j'ai trouvé, y'a pire ! En tout cas, l'important c'est qu'il a l'air de s'ennuyer.

— Bon, ça veut dire que tu t'es enfin décidée à te marier ?

— Non, pas encore, mais c'est cool, le psy, sérieux. Pas super confortable, disons, mais je sens que ça va m'aider à comprendre ben des affaires.

— Tu sais que je t'admire ?

— Hein ? Toi, tu m'admires ?

J'ai beau chercher, je ne vois absolument pas pourquoi elle me dit une telle chose. Ma perplexité doit être apparente, puisque Julie sourit et ajoute :

— Aie pas l'air aussi surprise, Val. Ben oui, je t'admire. Ta démarche est courageuse. Se regarder dans le miroir et essayer de savoir qui on est et pourquoi on est comme on est, c'est pas nécessairement agréable. *Tough,* même, et c'est pas tout le monde qui en est capable. Je suis passée par là et, même si j'ai pas vu de psy, crois-moi, je me suis parlé dans le casque sur ben des affaires et j'ai eu de l'aide, du monde que je connaissais presque pas m'a ouvert les yeux sur certaines choses. Que tu fasses un grand ménage pour être bien après, ça peut juste être une bonne affaire.

Je suis ébahie. Julie a tellement changé au cours des dernières années. Sa nouvelle humilité lui va bien, et je suis loin de m'ennuyer de son petit côté princesse même si elle demeure parfois cinglante et égocentrique, du moins en apparence.

— Ben d'abord, Julie, moi aussi je t'admire. Je sais que t'as eu une passe assez plate, mais je trouve que t'as l'air bien, et je suis vraiment contente que ça te fasse triper, l'aventure de Karma sutra. C'était ton idée, Maryse est quand même partie de ça…

— Oui, mais j'avoue que des fois j'ai un peu peur que ça devienne juste un site de bitchage. Faut que je surveille ça. Ce qu'elle a décidé de faire avec Jessica me rassure pas... Bref, on verra la suite, hein ?

Ouais, Maryse. Toutes ces années à la côtoyer m'ont appris qu'elle ne se dévoile pas entièrement, même à nous. Je m'inquiète de la voir si amère, même si je sais qu'elle est heureuse du dénouement avec Robert. J'aimerais tant qu'elle sorte de son obsession de vengeance, mais je ne sais pas comment m'y prendre.

Depuis ce lunch avec Julie, en plus de me préparer au prochain chapitre de mes confidences, je songe à Maryse et je tente d'établir mes priorités. Mes rêves du début de la semaine, celui, perturbant, du châtiment de Maryse envers mon père, de même que le songe émoustillant de Robert et de ses caresses troublantes, me hantent chacun à sa façon. Il me tarde d'en discuter avec Docteur Jacques. Du second rêve, du moins ! L'autre n'appartient qu'à moi... et je ne me gêne pas pour l'invoquer lorsque, solitaire dans mon lit trop grand, l'absence de Robert me pèse.

Pour la première fois, je punis en pensée mes parents : je pense à eux en repassant mon songe dans ma tête enfiévrée et leur montre à quel point j'ai surmonté les répercussions des gestes de mon père, du silence et de la hargne de ma mère. « Tin, toé ! me dis-je, malgré toutes les années gaspillées, je suis capable de jouir, de désirer, de savourer le plaisir que me procure l'homme que j'aime. Vous avez pas gagné, en fin de compte, vous m'avez pas complètement brisée. »

Ça aussi, je dois en parler à mon thérapeute, il me semble que c'est important. Un peu méchant, mais révélateur, non ?

Baby steps, comme dirait Julie. Un tout petit pas à la fois.

Go, Val, Go !

7

Exprimez-vous!

Hey, les amis! Savez-quoi? J'ai fait un rêve super cochon! Oui, oui, moi! C'est fou, hein? Ben quoi, vous me parlez bien des dernières siestes de votre chat ou des nuits de votre bébé, moi j'vous parle des miennes. C'était tellement hot, ça aurait fait tout un film XXX! Y'avait Robert et moi, puis on faisait...

Ben oui, Val.

— Alors, tu as passé une bonne semaine ?

— Oui, et toi ?

— ... oui, merci, mais on est ici pour parler de toi !

Évidemment. J'avais, somme toute, beaucoup pensé à Docteur Jacques, au cours de la semaine. Je ne l'avouerais à personne, mais il est possible que j'aie songé encore plus à lui qu'à Robert, comme s'il était sans cesse dans ma tête. Cette étrange impression ne m'a pas quittée une seconde. Je lui confie cette réflexion avec un peu de réticence :

— Faudra que tu t'habitues ! C'est pas tant à moi que tu penses qu'à ce que je représente. Je peux être comme une éponge qui absorbe tout ce que tu me dis, ou un outil pour laisser sortir des choses enfouies. Je suis juste là pour accueillir et t'aider à discerner ce qui te bloque ou t'insécurise. Si tu veux voir plus clair dans tes sentiments et ta panique envers Robert, je pense sincèrement que le meilleur moyen est d'en parler. T'as envie de continuer ?

— Oui, vraiment. Faut que je te dise que ça m'est arrivé quelquefois, pendant nos conversations, d'avoir envie de changer la vérité, parce que j'avais un peu honte. Mais j'ai compris que ça me donnerait rien. Je viens ici pour régler un problème, ça m'avancerait pas de le camoufler, hein ?

— C'est ce qui va te permettre de progresser encore plus vite, Valérie. Être honnête avec toi-même, c'est le pas le plus important...

Ses paroles résonnent dans mon esprit. Accueillir, oui, c'est exactement ce qu'il fait. La bienveillance, la neutralité dont il fait preuve me calment, en effet. C'est ce calme que je suis venue chercher ici avant tout, non ? Et en ce moment, un sujet en particulier me turlupine. Expirant, je poursuis :

— Il y a des choses auxquelles j'ai pensé dont j'aimerais te parler. Des rêves, entre autres. Je sais pas si c'est pertinent, mais à moi, ça en a l'air.

— Si ça l'est pour toi, go !

Je lui raconte donc en détail mes retrouvailles oniriques avec mon père et les interventions de Robert et Maryse. Mais avant que je puisse moi-même lui poser la question, Docteur Jacques me demande ce que j'en pense. Je lui parle alors de Maryse, de ce qu'elle a vécu après le décès de son mari. Comment la colère de se savoir trompée, de constater que son mariage n'était que de la frime ou, en tout cas, une source de douleur et de frustration bien davantage que de bonheur, l'a rendue cynique et fielleuse.

Je dépeins comment elle a développé l'idée de Karma sutra avec Julie pour en faire un outil de vengeance, déversant sa rancune sur tout un éventail d'hommes qui, bien qu'ils le méritent sans doute, n'ont eu aucune chance de plaider leur cause. Docteur Jacques semble fasciné.

— Donc, c'est un peu comme si Maryse jouait un double rôle : celui de la mère protectrice et de la vengeresse. Et Robert est à la fois ton amoureux et ton père… Wow, c'est intéressant. Tu as toujours considéré Maryse un peu comme ta mère, non ?

— Oui, absolument. Elle m'a aidée pour certaines choses bien mieux que maman. Et c'est toujours vers elle que je courais me réfugier quand quelque chose allait mal. Et j'imagine que ce qu'elle fait à mon père, c'est juste une déformation de ce qu'elle a fait aux gars qui ont eu la malchance de tomber sur elle… C'est fou, hein ?

— Oui, et sans dire que tu cherches une figure paternelle chez Robert, je pense que c'est évident qu'il te donne la sorte de réconfort que t'aurais aimé recevoir de ton père… Très intéressant. C'est comme si tu avais remplacé tes parents qui t'ont fait souffrir par d'autres qui te protègent. Tu as « choisi » une nouvelle famille, en quelque sorte, avec Julie comme sœur. Et eux veulent ton bien, t'aider à t'épanouir et à t'affranchir de ton passé. Qu'est-ce que tu penses du fait que tu es restée passive, dans ton rêve ? On peut accorder de nombreux sens aux rêves, mais penses-tu que ça pourrait vouloir dire que tu t'es sentie impuissante, dans toute cette histoire-là ? C'est pas étonnant que tu fasses ce genre de rêve après avoir ressorti de vieilles blessures comme ça. Y'en aura sans doute d'autres. Je vois ça comme ton subconscient qui travaille, je trouve ça sain.

— Ouf… pas trop souvent, j'espère, je peux pas dire que c'était cool ! Et ça se pourrait bien, ton histoire d'impuissance. Mais j'aimerais avoir ton avis sur une autre chose.

Je lui explique alors un autre rêve, plutôt intime, au sujet de Robert, et que je l'ai utilisé pour, en quelque sorte, faire un doigt d'honneur à mes parents. Une première. Cela ne me ressemble tellement pas que j'en suis confuse.

— Bravo ! Moi j'interprète ça comme si t'avais compris que t'avais subi un préjudice et que maintenant tu choisissais de t'en défaire. D'ignorer le côté douteux de la sexualité de ton père et de bannir l'influence de ta mère pour accueillir tes propres désirs. Eh bien, c'est beaucoup en peu de temps, ça !

Je demeure silencieuse un instant, ce que mon thérapeute respecte. Alors que je reviens au présent, il reprend :

— Parle-moi de ce qui vient de se passer… Ton silence.

— Ben, je pensais à ce que tu venais de dire et tout ce que ça suppose… On dirait que je comprends déjà des choses. Ça se peut-tu ?

— Ben oui, ça se peut ! T'es venue ici chercher des réponses, disposée à les accueillir. C'est le contexte idéal ! Alors, tu veux me parler de ta semaine ?

— Oui, bien sûr. J'ai passé du temps avec Sabrina, on a magasiné et on est allées au cinéma. Elle m'a parlé de Robert… m'a même répété qu'elle était contente qu'il vive avec nous pour de bon.

— Bien ! Et lui a continué de te téléphoner presque tous les jours ? Il a toujours l'air un peu inquiet ou un peu renfrogné ?

Jacques n'a aucun calepin devant lui ; il se souvient apparemment de tous ces détails et je suis de nouveau impressionnée. Comme si ma personne avait assez d'importance pour qu'il fasse l'effort de retenir tout ce que je lui raconte. Eh ben…

— Oui et non, je sais pas. C'est pas évident, au téléphone, mais il a l'air OK. C'est plus facile d'éviter de parler de mariage, c'est sûr, mais difficile de savoir comment il se sent. On utilise Skype, aussi, mais je déteste ça. On passe notre temps à se couper la parole, y'a un décalage fatigant et je fais vraiment dur dans la maudite caméra !

— C'est peut-être plus difficile de te défiler quand il voit ton visage, hein ?

Il a dit ça avec gentillesse et comme je sais qu'il a raison, je ne peux pas le contredire. Je suis épatée de la vitesse à laquelle il me devine, cet homme.

— Et de quoi aimerais-tu encore me parler ?

— Ben, j'ai revu Julie et parlé avec Maryse au téléphone. Elles m'ont demandé comment ça s'était passé avec toi et si j'avais l'intention de continuer à te voir. Julie m'a même dit qu'elle m'admirait de faire cette démarche-là. T'imagines ? Elle, qui m'admire ? Ça m'a fait vraiment plaisir qu'elle me dise ça. Jessica, par contre, pas de nouvelles et c'est ben correct.

— Pourquoi sembles-tu aussi surprise de l'admiration de Julie ?

— Parce que je lui arrive pas à la cheville ! Depuis le temps qu'on est amies, pourtant… mais j'ai toujours été comme ça envers les personnes belles. C'est peut-être pour ça que mes chums ont jamais été des pétards, à part Steeve, peut-être…

— Steeve, c'est ton premier vrai chum et le père de ta fille, si je me trompe pas ? Ça te tente de m'en parler ?

Il me demande vraiment si ça me tente ? Pas le moins du monde ! Cependant, je constate que le sujet de Steeve m'étouffe depuis que je sais qu'il en sera question. La simple idée de devoir subir ce serrement un jour de plus m'incite à céder, pour le meilleur et pour le pire. Rien ne pourra être aussi désagréable que l'aigreur qui me brûle de l'intérieur. Go. Je me lance :

— Non, pas vraiment, mais comme pour ce que je t'ai raconté la dernière fois, j'y ai pensé plusieurs fois, cette semaine. Une sorte de préparation. J'avoue que je trouve ça un peu intense, ça fait beaucoup de choses que je déterre, là…

— Trop ? Peut-être qu'on va trop vite. On peut respecter ton rythme et ralentir un peu, si tu veux. Hésite pas à me dire ce que tu veux.

— Je veux profiter de l'absence de Robert pour essayer d'avancer. Il revient dans deux semaines, on va déjà être au début d'août… et ça va être les vacances. Tant qu'à faire une thérapie, aussi bien y aller à fond, non ?

— Oui… mais des fois, la pause permet de remettre des choses à leur place. Si tu leur laisses pas le temps, ça risque d'être trop…

— On verra, OK ? Puis, en août, on va passer presque un mois sans se voir, j'aimerais ça en profiter.

— D'accord, mais on suit ça de près, si t'as besoin de sauter une semaine, tu me le dis. Donc, le père de Sabrina. Tu as déjà parlé de lui à Robert ou à tes amies ?

— Aux filles, un peu plus ; à Robert, juste les grandes lignes.

— Et pourquoi, au juste ?

— Parce que ça a pas adonné, ou parce que j'ai honte de certaines choses, ou les deux. Je veux pas tout savoir de sa vie d'avant, même si je sens qu'il a honte lui-même de certaines choses. Me semble juste qu'il a pas besoin de tout connaître de la mienne. Je vois pas ce que ça peut changer.

— T'as raison jusqu'à un certain point, ça va dépendre de comment ça s'est passé. On verra…

— Ouain. On verra, comme tu dis. Si jamais y'a quelque chose d'important qu'il devrait savoir, je le lui dirai. C'est sûr que j'ai envie d'être proche de lui, plus qu'avec n'importe qui d'autre, surtout Steeve, le père de Sabrina. J'me suis même fait faire du Botox pis je pensais aller plus loin pour être sûre de pas le perdre ! En plus, Robert est plus un père pour elle que Steeve l'a jamais été, mais bon. Dire que j'avais presque fait mon deuil de lui le mois passé, parce que je pensais – non, j'étais certaine – qu'il voyait une autre femme, sûrement plusieurs, pis c'était même pas vrai ! Mais je t'ai raconté comment Maryse est allée le voir, dans l'Ouest, hein ? Comme quoi on peut jamais être sûr de rien. Ni d'un bord ni de l'autre, faut croire. En tout cas, je me sens mieux, depuis, c'est sûr, mais…

— Euh, Valérie ? Doucement, là, concentre-toi, d'accord ? On dirait que tu essaies de tout me dire en même temps. On commence avec… Steeve, c'est bien ça ?

Pour la première fois de ma vie, je ressens l'urgence de tout déballer comme si je pouvais me débarrasser pour de bon de cet épisode et recommencer à zéro. Pourquoi lui ? Pourquoi ici ? Peut-être parce que je comprends enfin que c'est maintenant ou jamais, et c'est aussi excitant que terrifiant. Déjà ? Je croyais qu'il m'aurait fallu beaucoup plus de temps pour être en mesure de me laisser aller… j'imagine que les planètes sont bien alignées ou que l'univers m'envoie un signe. J'essaie de mettre de l'ordre dans mes idées parce que, encore une fois, je m'éparpille.

— Oui, Steeve.

— T'avais vingt-trois ans, t'étais plus la petite fille rêveuse et timide qui croyait au père Noël et aux licornes, mais t'avais pas eu de vrai chum.

Mignon, comme exemples, et tout à fait vrai. Pas de chum, non. De petits flirts, ici et là. Sans plus. Et là, Steeve, dont je revois les yeux si bleus. Soudainement, je n'ai plus envie de reculer, plutôt de laisser le barrage céder. Floussshhh. Voilà. Continue, Val !

— Non, rien de sérieux… Je sortais avec des gars du cégep ou d'autres que je rencontrais grâce à mes amies ou mes collègues, mais on « sortait » dans le vrai sens. On allait prendre un verre, au cinéma, au resto, mais il se passait jamais rien après. Quand j'ai fini mon cégep, je savais pas trop ce que je voulais faire, j'étais pas branchée. Je travaillais au restaurant, avec mon amie Maryse comme patronne. J'aimais pas trop ce travail d'hôtesse ; j'étais trop timide et le contact constant avec le public me rendait souvent mal à l'aise. J'ai fait un an à l'université en droit, mais je me sentais pas à ma place. Les autres avaient l'air si sûr d'eux, confiant ; je les voyais déjà bien avocats ou notaires. Ils avaient une espèce d'attitude de… je sais pas trop, de gagnants, peut-être. Les filles que j'ai rencontrées venaient de familles riches, elles dégageaient une sorte d'arrogance, comme si tout ça leur appartenait. Moi, c'était tout le contraire. J'étais intimidée par eux, les profs, les cours. Je me voyais pas dans une salle d'audience, être baveuse et autoritaire. C'était l'image que je me faisais de cette profession-là, à l'époque. J'ai abandonné et me suis trouvé un deuxième emploi, le jour, comme commis dans un bureau. J'aimais me concentrer sur des tâches spécifiques, du classement ou de la saisie de données. C'était pas super passionnant, mais j'étais appréciée. Je suis perfectionniste, ordonnée, j'aime bien quand tout est à sa place et facile à trouver. Je vivais toujours avec ma mère qui était passée de déprimée à aigrie. Elle sortait pas, trouvait des excuses pour s'isoler. Pour elle, aucun homme méritait qu'on lui fasse confiance, elle disait que les hommes pensaient juste à eux et à leur maudite queue.

— C'est bon à savoir, mais tu t'éloignes du sujet, comme si tu l'évitais. C'est gênant pour toi d'en parler ?

Gênant, dit-il ? Ha ! Ha ! Quelle perspicacité, ce psy ! Bravo mon Jacques, tu viens de compter des points ! Autant j'ai envie de lui déverser ça en un torrent de bile amère, autant j'aime mieux me faire arracher une dent que de parler de ma vie personnelle... Alors c'est mille fois plus difficile de parler de sexualité, puisqu'il va en être question. La mienne ? Aussi bien me commander un dentier tout de suite... J'invoque l'image de Maryse, qui me dirait : « Go, Val, Go ! T'es capable ! » Mettons. J'inspire profondément et je saute à l'eau :

— OK, c'est vrai que je suis pas super à l'aise, mais j'ai envie de vider mon sac. Alors go. J'ai réussi à repousser les avances de mes rares copains jusqu'à ce que je rencontre Steeve dans un bar où j'étais avec des amies, dont une qui le connaissait. Pour moi, ça a été un coup de foudre. Il était tellement cool ! Un musicien, beau comme un dieu, dans le genre Kurt Cobain en moins tourmenté. Évidemment, je pensais pas avoir de chance avec un gars de même. Ceux qui m'avaient trouvée à leur goût avant étaient des timides, aussi vierges que moi, du genre « pogné ». Lui venait d'une autre planète. Il était plein d'assurance, de charme, cruiseur comme dix, mais ça faisait rien parce que de toute manière, je me sentais pas de taille. Il était tellement attirant ! Avec ses longs cheveux attachés, sa peau cuivrée, ses yeux bleus… J'étais pâmée. Par un miracle que je m'explique toujours pas aujourd'hui, il s'est mis à me faire de l'œil. Et moi, ben, j'ai succombé comme une dinde. On est sortis ensemble deux fois, et, à la fin de chaque soirée, j'arrivais pas à comprendre pourquoi il était sorti avec moi. Ce gars pouvait sûrement avoir n'importe quelle fille qui lui plaisait. Pourquoi moi ? Mes amies m'encourageaient en me disant qu'il en avait peut-être assez des pitounes niaiseuses qui avaient rien à dire. J'y croyais à moitié. Lui prétendait que j'étais différente, intéressante. Tout le monde devait se demander : « Mais qu'est-ce qu'un beau gars de même fait avec elle ? » En tout cas. J'pense bien que j'étais amoureuse pour la première fois de ma vie, et j'aurais tout donné pour que ça dure. Enfin, presque tout. Le troisième soir, il m'a embrassée et j'ai aimé ça. On est restés pas mal longtemps dans mon auto, et je l'ai laissé me caresser. C'était la première fois qu'un gars allait aussi loin avec moi ; en moins de cinq minutes, il avait déboutonné ma blouse…

Et léchait mes seins. Son souffle était court et quand il a mis ma main sur son entrejambe, j'ai bien vu qu'il était excité. Malgré mon inexpérience, je n'en étais toutefois pas à ma première « palpation » d'érection, mais celle-là m'a particulièrement flattée. Et fait paniquer.

— Il m'a demandé si j'avais envie de monter chez lui et j'ai refusé. Ses colocataires étaient là et j'étais pas à l'aise. Du moins, c'était mon excuse et elle était plausible. En vérité, je me sentais pas bien, colocs ou pas, mais j'étais pas prête à lui dire. Finalement, il a pas insisté et on a convenu de se voir la semaine suivante.

— Tu te sentais comment quand tu es partie ?

— Assez bien, en fait. Je commençais même à me dire

que c'était peut-être lui, le bon. Qu'il allait comprendre quand je lui expliquerais qu'il était le premier et qu'il serait flatté, lui aussi, doux, toute la patente.

— Mais c'est pas ce qui s'est passé...

— Euh, non, vraiment pas. Il m'a invitée à souper et à aller voir un show, après. Quand je suis allée le chercher chez lui, il m'a dit d'entrer et j'ai vu qu'il était seul.

Seul dans une vraie soue à cochons, oui. Et il avait l'air de se foutre éperdument de l'état des lieux. De la vaisselle sale, des bouteilles de bière vides partout, des vêtements en tas dans les coins, des cendriers qui débordaient.

— Il s'est pas excusé du bordel dans l'appartement, comme on fait quand on a pas eu le temps de faire le ménage, au contraire, il a ri. Il m'a offert une bière et j'ai eu l'impression qu'il en avait déjà enfilé plusieurs en m'attendant. Il a dit qu'on était pas pressés, qu'on pouvait relaxer avant d'aller manger. Il m'a embrassée et j'ai pas protesté même si je le trouvais un peu insistant. On s'est embrassés pendant un bon moment dans son salon, et il m'a caressée en calant sa bière. Ça me dérangeait pas trop, ça me faisait même un velours parce qu'il était « passionné ». Comme la dernière fois qu'on s'était vus, il a mis ma main entre ses jambes. J'ai joué le jeu et je l'ai frotté un peu, en osant pas trop... Est-ce que je suis obligée d'aller autant dans le détail ?

Je constate que j'ai besoin d'une pause. Suis-je en train de raconter tout ça à un étranger ? Ouf. Je dois sûrement pouvoir sauter quelques petits bouts, non ?

— C'est comme tu le sens. C'est toi qui sais ce qui est important et ce qui l'est pas. Si t'as envie de vider ton sac, comme tu dis, t'es au bon endroit. Je suis là pour écouter et essayer de comprendre comment tu te sens aujourd'hui.

Tout ce qui arrive laisse des traces, mais on s'en rend pas toujours compte... Je te laisse décider.

Une autre décision ! Épuisant... J'avoue que malgré l'angoisse, je me sens étonnamment bien. Je reconnais que même si c'est pénible à raconter, ça soulage. La semaine dernière, j'ai eu besoin de quelques jours avant de me débarrasser de la gêne et de la honte que j'avais ressenties après avoir raconté les déboires avec mon père, mais l'apaisement qui en a découlé avait été fantastique. Ça vaut le coup d'essayer encore, j'imagine. Go, Val, Go !

— Il s'est levé et a baissé son pantalon. Il voulait que je le prenne dans ma bouche, c'était assez clair, mais j'ai tourné la tête. Là, il m'a dit : « Viens, on va être mieux dans ma chambre. » J'étais au bord de la panique, mais il me souriait, et je me suis dit que, comme il faudrait bien en venir à ça un jour, c'était peut-être le bon moment. Je voulais quand même pas consciemment rester vierge toute ma vie...

— Tu penses que, inconsciemment, c'est ce que tu voulais, alors ?

— Peut-être. Ça aurait sûrement été une bonne chose...

— Tu le regrettes ? Pourquoi ?

— Parce que dans sa chambre, il est devenu un autre gars. Je le connaissais pourtant pas tant que ça, mais bon. Il s'est déshabillé et s'est allongé sur le lit en se masturbant. Là, il m'a dit : « Tu dois avoir faim, viens donc manger un peu ! » Et il a ri, encore. J'ai hésité, alors il s'est levé et m'a déshabillée à mon tour en m'entraînant dans son lit. Là, il m'a caressé les seins, mais avec moins de douceur. Puis, sa main s'est faufilée entre mes cuisses que je serrais pourtant bien fort et il a glissé un doigt en moi. C'était trop rude, trop vite, pas ce que j'avais imaginé ni ce dont j'avais envie.

« Laisse-toi faire, t'es trop stressée ! » qu'il m'a dit. J'ai essayé. Vraiment. Et je lui ai avoué que c'était ma première fois. Il m'a pas crue et il a encore ri même si je trouvais rien de drôle à ça. Il m'a regardée et m'a dit : « T'es sérieuse, là ? Wow, j'aurais jamais pensé... t'as quel âge, coudonc ? » Je pense qu'il était inquiet que je sois, genre, une mineure qui paraît plus vieille que son âge. Quand je lui ai dit que j'avais presque vingt-trois ans, il a répondu : « Eh boy, il est à peu près temps ! » Il m'a caressée encore, en ayant l'air de faire des efforts pour être doux. C'était pas tout à fait désagréable, mais à un moment donné, il s'est couché sur moi à l'envers, a enfoui sa bouche entre mes cuisses en me mettant son érection presque de force dans la bouche. Et là...

Beurk. Quel mauvais souvenir ! Ça doit paraître dans mon visage parce que le psy me regarde, un air de compassion au visage et m'encourage avec douceur :

— C'est pénible ?

— Oui, assez. Mais faut que ça sorte, j'ai jamais raconté ça à personne. Quand il s'est « installé » comme ça, moi j'ai revu mon père avec la blonde, la première fois que je l'ai surpris. Ils étaient placés exactement comme ça. Le cœur m'a levé. Il était pas question que je mette cette chose dans ma bouche, que je reproduise ce que la fille avait fait à mon père. C'était pas juste *turn-off* de penser à lui à ce moment-là, c'était écœurant, dans le vrai sens du mot. J'ai *freaké.* J'ai repoussé Steeve de toutes mes forces et je me suis relevée. J'ai remis ma jupe. Je savais pas trop ce que je faisais, mais j'étais certaine qu'il fallait que je parte, que je sois ailleurs. Il s'est levé, m'a dit de ne pas « capoter », qu'il s'excusait, et il m'a embrassée. Je me suis un peu calmée. Mais avant que j'aie le temps de lui dire que je voulais partir, il a remonté ma jupe et a recommencé à me caresser. Je lui ai demandé d'arrêter, mais il m'a traitée d'agace, de fille frigide, m'a demandé si je savais à quel point j'étais chanceuse d'être avec lui, et plein d'autres choses du genre. Il était grand, assez bâti, je me sentais coincée et affolée. Il s'en est rendu compte et a essayé de me rassurer en me disant qu'il me ferait pas mal. Il s'excusait d'avoir été bête ; il a admis qu'il avait bu pas mal et m'a assurée qu'au fond il m'aimait bien et qu'il avait envie de me montrer comment ça pouvait être le fun. Je l'ai laissé faire.

— Est-ce que tu sens qu'il t'a forcée ?

— Pas vraiment. Je disais pas non, j'étais vidée et je voulais juste en finir.

— Mais tu voulais pas quand même, alors techniquement…

— Techniquement, j'ai été conne. Je sais.

— C'est pas ce que j'allais dire…

— Je l'avais agacé, il l'a dit lui-même. Je pouvais plus vraiment reculer.

— Une fille peut TOUJOURS reculer.

— Ouain. Peut-être. Mais pour dire la vérité, une partie de moi était curieuse et j'aimais ça qu'il ait envie de moi à ce point-là. J'ai dit à mes amies qu'il m'avait forcée, mais c'est pas tout à fait vrai. Il fallait que je sache si c'était aussi pire que je le pensais.

— C'est pas censé être « pas si pire »…

— Je le sais bien, mais c'est ça pareil. Et dans ce temps-là, j'avais tellement peur de devenir comme ma mère que je pensais que c'était juste un moyen comme un autre d'éviter ça. En tout cas. J'ai eu mal, mais ça a pas duré très longtemps. Quelques minutes. Après, il a essayé de me prendre dans ses bras, mais j'ai pas voulu. Finalement, on a pas mangé, on est allés directement au spectacle. Faut croire que j'étais pas si traumatisée que ça…

— Mais tu te sentais comment, pendant la soirée ?

— Sale. Je trouvais que je puais et j'avais encore mal. Mais c'était un bon show et je me suis concentrée là-dessus. À la fin de la soirée, Steeve m'a invitée à dormir avec lui et j'ai dit non. J'avais besoin d'être toute seule.

Et de brailler ma vie. C'est ce que j'ai fait, sans trop savoir pourquoi. Je venais de vivre ma première fois, avec un gars que je pensais aimer, mais je voulais juste pleurer. Wow. J'étais devenue « une femme », *big deal.* Jacques m'encourage à continuer :

— Et après, vous vous êtes revus ?

— Ça tombait bien, il était occupé avec son groupe les semaines suivantes. Je suis allée le voir jouer, mais il s'est rien passé. Il était content de me voir, avait l'air de vouloir reprendre là où on avait laissé les choses, mais moi je savais plus rien. Il me téléphonait souvent, demandait quand on allait se voir. J'aurais dû être contente, mais je l'étais pas vraiment même si j'étais flattée qu'il veuille continuer notre relation. Alors, j'ai fait un effort, question de voir ce que ça donnerait. On s'est revus, on a refait l'amour et c'était pas plus convaincant que la première fois. En fait, je ressentais rien. Je le laissais faire parce que je savais que c'était ce qu'il attendait de moi, mais c'est tout. Puis, trois semaines après notre première fois, je me suis rendu compte que j'étais « en retard ».

— En retard… comme dans « enceinte » ?

— Oui, exactement.

— OK. On va y revenir. J'aimerais savoir pourquoi tu as dit à tes amies qu'il t'avait forcée, alors ? Si tu as continué à avoir des contacts avec lui, tu ne devais plus considérer que c'était ce qui s'était passé ?

Hmmm, me dis-je. Pourquoi, en effet ? Pour me faire plaindre ? Avoir l'air d'une victime ? Comme ma mère, peut-être ? Ouache. Ce n'est pas entièrement faux, mais pas entièrement vrai non plus. Malgré mon aversion pour ce genre de manœuvre psychologique, je dois avouer que, cette fois, il n'y avait pas de réelles circonstances atténuantes en ce qui me concernait. J'avais consenti. Par dépit, par crainte, pour je ne sais trop quelle raison douteuse. Où se situe donc la ligne entre consentement et refus ? Et l'abdication, elle ? Faiblesse de la « victime » ou pouvoir du prédateur ? Ce genre de situation peut s'avérer nucléaire et je n'ai pas envie de tomber là-dedans. Et surtout, je n'aime pas ce que je découvre sur moi-même, en ce moment, ce que Docteur Jacques me force à admettre, ne serait-ce qu'à ma propre conscience. Ouf, je ne suis pas sortie du bois !

— Je sais pas. J'avais sûrement peur de leur jugement et je voulais qu'elles aient un peu pitié. Je l'avoue. Ça m'arrive plus souvent que je le pense, j'ai l'impression. Mais ça m'a quand même pris quelque chose comme seize ans avant de leur raconter ça ! Encore aujourd'hui, je veux qu'elles me protègent, qu'elles me couvent. Est-ce que je suis si faible que ça ?

— Je pense pas que ce soit de la faiblesse. Pour ce qui est de vouloir leur pitié, c'est à voir... Mais ensuite, qu'as-tu fait quand tu as su que tu étais enceinte ?

— Après le choc, tu veux dire ?

J'aimerais lui préciser que le mot « choc » est encore beaucoup trop faible. Cataclysme serait plus approprié. Je me revois, dans la salle de bains, chez ma mère, contempler le petit bâtonnet du test de grossesse dont le « + » était on ne peut plus clair en me répétant, comme une litanie : « Ça se peut pas, y'a une erreur. » Je suis même allée m'acheter trois autres trousses pour vérifier. Assurément, les tests prouveraient que ce n'était qu'une mauvaise blague du destin. Mais en même temps, une espèce de sérénité m'est tombée dessus, comme une fatalité. « Rien qui arrive pour rien », le genre de phrase vide qu'on utilise pour justifier toutes les catastrophes de ce monde, était devenu ma devise.

— La première personne que je suis allée voir est Maryse. Même dans ce temps-là, je considérais qu'elle était un peu comme la grande sœur que j'ai jamais eue ; elle savait toujours quoi dire et quoi faire. Elle m'a écoutée, consolée et conseillé de me faire avorter en me promettant de m'aider et de m'accompagner. Je trouvais ça étrange, parce qu'elle avait déjà ses deux enfants et elle les adorait de manière presque ridicule. J'aurais pensé qu'elle m'encouragerait plutôt à vivre cette belle aventure-là, mais non. Elle m'a avoué que, malgré son bonheur incroyable, elle ne pourrait pas s'imaginer vivre ça toute seule. C'était dur, elle était fatiguée. C'est ce qu'elle affirmait, et de manière convaincante, mais moi je voyais juste à quel point elle vénérait ses petits et combien elle avait l'air comblée. Je l'enviais. Elle voulait que je parle à Steeve, elle ne savait pas trop quel genre de rapport j'avais avec lui, à l'époque, puisque je lui avais encore presque rien dit à son sujet. Pour elle, c'était juste un chum « normal », et on avait une relation « normale » dans laquelle on se dit tout, même des choses qui changent notre vie à ce point-là. Elle pensait que j'étais amoureuse et que je voulais passer ma vie avec ce gars-là. Je peux pas la blâmer. De toute façon, elle avait raison sur un point : il fallait qu'il sache.

— Donc, tu l'as annoncé à Steeve. Et il a réagi comment ?

Son expression. Merde. Trop honte de dire à voix haute que c'était comme si je venais de le menacer avec un fusil à bout portant. Il a d'abord sorti la réplique classique du gars pas de couilles : « T'es sûre que c'est le mien ? » Con. Comme si je m'étais amusée à coucher avec douze gars tout de suite après mon dépucelage. Ben oui, c'est ça. Je donne la version adoucie :

— Il a commencé par s'énerver et nier. Ensuite, il s'est fâché, me traitant d'inconsciente, me demandant si j'avais entendu parler de la pilule. Puis, au bout de quelques jours, il m'a dit qu'il respecterait ma décision, mais qu'il préférerait que je choisisse l'avortement. Sinon, il m'aiderait de son mieux, mais je ne pouvais pas m'attendre à des miracles…

— Donc, la responsabilité légale ne l'intimidait pas.

— Non, et moi j'ai jamais pensé à la lui mettre sous le nez non plus… j'en étais pas là. J'avais compris que je l'aimais pas pour vrai. Plus les jours passaient, plus je me faisais à l'idée que c'était pas l'homme de ma vie. La pensée de me faire avorter me terrorisait. J'avais entendu tellement d'histoires d'horreur ! Je savais que je pouvais aller dans une clinique spécialisée, que je ne courais pas de grand danger, mais c'était plus fort que moi, j'étais presque convaincue que je passerais pas à travers. Alors j'ai laissé le temps décider pour moi, en me faisant croire que je réfléchissais, même si, au fond, j'étais de plus en plus certaine que j'étais bien trop *chicken* pour me faire arracher ce bébé-là du corps.

— Ça fait pourtant assez peur d'avoir un enfant seule, non ?

— Oui. Mais dans ma petite tête, celle qui se disait toujours que « rien n'arrive pour rien », Steeve allait tomber amoureux de son fils ou de sa fille, il serait un papa affectueux et attentionné, et on arriverait peut-être à s'apprécier assez pour faire durer ça un certain temps. J'avais pas grand-chose à perdre…

— Donc, tu as eu ta fille.

— Oui. Et tout au long de ma grossesse, je voyais Steeve de temps en temps, mais y'avait aucun miracle à l'horizon.

— Et ta mère, elle a réagi comment ?

— Comme si je venais de lui dire que j'avais le cancer, je pense. Elle a pleuré pendant des jours. Elle aussi m'a dit que je devrais me faire avorter, mais il était déjà trop tard, quand je le lui ai annoncé. Elle répétait sans arrêt que je venais de gâcher toutes mes chances d'être heureuse, d'avoir une carrière intéressante, une vie, quoi. Je lui en voulais.

— Tu aurais préféré qu'elle te soutienne un peu plus ?

— « Un peu plus », oui ! Ça aurait pas été difficile… En fait, je venais de lui ajouter un autre fardeau, une autre raison d'en vouloir à la Terre entière. Elle avait jamais rencontré Steeve mais avait décidé qu'il serait pas très « présent ». Elle me disait : « Même quand ils sont amoureux et qu'ils veulent des bébés, c'est à peine s'ils se donnent la peine de changer une couche ! Si tu penses que ton Steeve va être différent, tu vas être déçue, ma petite fille ! » Pourtant, je voyais Gilles, le mari de Maryse, s'occuper des enfants de manière assez admirable, et j'avais d'autres exemples. Mais contredire ma mère sur ce point équivalait à essayer de la convaincre des bienfaits de la cigarette sur la santé. Bref. Je pouvais déjà plus reculer. Malgré tout ce que disait maman et le peu d'enthousiasme de Steeve, je voulais cet enfant-là comme j'avais jamais voulu quelque chose dans ma vie. Prévu ou non, catastrophe ou bénédiction. Et je l'ai jamais regretté, au contraire. Sauf que c'était pas évident avec Steeve qui vivait dans une dompe avec ses colocs et moi chez ma mère, et je voulais partir de là au plus vite. Elle le faisait pas exprès, mais ses commentaires du genre: « Tu serais mieux toute seule qu'avec ce gars qui est même pas capable de garder une job et de faire vivre ta fille ! On est condamnées à ça, nous autres, avoir des enfants avec des *losers* pis faire des sacrifices ! » me rentraient dedans. Je voulais pas finir comme elle !

Non, définitivement pas. Et lorsque j'ai su ce qu'il était advenu de Steeve et de mon père plusieurs années plus tard, je n'ai pas pu m'empêcher d'établir un parallèle et de me demander si elle avait raison. Des *losers,* tous les deux. Telle mère, telle fille ? Mon psy me sort temporairement de mes pensées :

— Alors, t'as vécu ta grossesse comment ? Et l'accouchement, tout ça ?

— Comme j'ai pu. Ma mère venait avec moi chez le médecin, mais pas Steeve. Même pas pour l'échographie. Comme si c'était pas encore vrai, alors même que j'apprenais que j'allais avoir une petite fille. Je peux pas le blâmer, c'était assez surréaliste, même pour moi !

Oui. Jusqu'à ce que je commence à sentir Sabrina bouger dans mon ventre. J'aurais tant aimé pouvoir partager ça avec Steeve, le seul qui aurait dû s'émouvoir. Il partait de plus en plus souvent en tournée et ne me demandait jamais de l'accompagner, ce dont je n'aurais pas eu envie, de toute manière. Ma grossesse me procurait des émotions extrêmes. Je m'émerveillais de tout ce qui se produisait dans mon corps, de ce petit être qui petit à petit se formait et deviendrait... qui, au juste ? Ma fille. Je m'inquiétais déjà, évidemment, de la savoir entière, de combler ses besoins présents et futurs alors même que j'anticipais de la tenir tout contre moi. Je me questionnais sur ma capacité à la nourrir, m'occuper d'elle, être une bonne mère pour cette petite toute fragile qui n'avait rien demandé et qui naîtrait dans des circonstances moins qu'idéales. J'essayais d'imaginer son visage, m'extasiant déjà avant même de la voir, de l'aspect miraculeux de son existence même. Serait-elle brune, comme nous l'étions, Steeve et moi ? Sans doute. J'espérais qu'elle hériterait des magnifiques yeux de son père, je trouvais le bleu-gris des miens plus terne. Aurait-elle le sourire facile ? Arriverais-je à prendre soin d'elle, la réconforter, la soigner, la guider dans tout ce qu'une maman est censée apprendre à son enfant ? Je l'aimais déjà, d'un amour presque féroce. Tiens, ça me rappelle une phrase lue sur Facebook pas plus tard qu'hier : **« L'accouchement est le seul rendez-vous à l'aveugle où on est sûre de rencontrer l'amour de sa vie. »** Tellement vrai ! Jacques passe une remarque qui rejoint mes réflexions :

— On y croit seulement pour vrai une fois qu'on a le bébé dans nos bras, hein ?

— Oui, tout à fait. Quand je voyais Maryse, elle me disait que rien ne pouvait nous préparer à ça. On a beau essayer d'imaginer ce qui va se passer, une fois qu'on a notre enfant, on se rend compte qu'on avait rien compris pantoute. C'est vraiment ça.

Comment expliquer, en effet, qu'on donnerait sa propre vie pour un enfant qu'on ne connaît même pas ? C'est pourtant ce dont j'ai été convaincue dès la première fois que j'ai senti mon bébé bouger, et encore plus quand son petit pied ou son coude m'étirait le ventre, quelques mois plus tard. Et lorsque j'ai enfin posé les yeux sur Sabrina après des heures de souffrance inhumaine, j'ai su qu'elle avait déjà transformé ma vie, que tout ce que je ferais, désormais, serait en fonction de son bien-être et de son bonheur.

— Est-ce que ta mère t'a aidée, une fois que Sabrina est née ?

— Honnêtement, je sais pas ce que j'aurais fait sans elle, même si je la trouvais envahissante… Elle est tombée en amour avec ce bébé-là, mais c'était un peu *too much*. J'avais suivi des cours prénataux, je voulais apprendre à m'occuper de ma fille, mais ma mère s'imposait sous prétexte que j'étais fatiguée. Elle avait accumulé presque deux mois de vacances pour m'aider, c'était pour bien faire, j'imagine. Et je comprends qu'elle voulait me donner des trucs, prendre part à tout ça, mais on s'opposait sur plein de choses. Par exemple, elle ne comprenait pas pourquoi je voulais l'allaiter ou ne pas lui donner de suce. Des niaiseries, mais à la longue, c'était épuisant. Elle avait son mot à dire sur tout et trouvait que les nouvelles méthodes, différentes de celles qu'elle avait utilisées avec moi, étaient ridicules, tant pour la bouffe que pour la façon dont je couchais Sabrina dans son lit de bébé. *Anyway*.

— Et c'était toujours pénible ?

— Non, ça serait pas *fair* de dire ça. Il y avait aussi ces moments tendres où j'étais bien. Nous voir ensemble, trois générations de femmes liées par le sang, m'émouvait chaque fois que Sabrina dormait dans les bras de ma mère.

Je me secoue un peu pour reprendre le fil de ce que je disais et je poursuis :

— J'ai repris mon emploi après six mois, c'était ça, le

congé de maternité à l'époque. Une voisine s'occupait de Sabrina. Je voulais pas l'envoyer dans une garderie, j'avais pas les moyens et Steeve voulait rien savoir de l'avoir à longueur de journée. Quand Sabrina a eu deux ans, j'ai fait mon cours de secrétaire juridique. C'était dur, je voyais encore moins ma fille parce que, quand je revenais, elle était couchée. Mais l'année suivante, j'avais ramassé assez d'argent pour déménager. C'est à cette époque-là que la sœur de ma mère, devenue veuve, est venue s'installer pratiquement à côté de chez nous. Ça me rassurait et me déculpabilisait de laisser Sabrina toute seule avec ma mère. Elle s'entendait bien avec sa sœur, et j'étais soulagée qu'elle puisse se distraire un peu. C'est alors que Steeve a levé les pattes. Je l'ai plus jamais revu. Il avait jamais été question qu'on vive ensemble parce que ses visites à Sabrina s'espaçaient de plus en plus ; c'était une corvée pour lui, bien plus qu'un privilège. J'ai pas insisté parce que je voulais rien lui imposer, même si ma mère pensait que j'aurais dû, au contraire, lui mettre ses responsabilités sous le nez. Mais ça aurait donné quoi, au juste ? J'étais déjà monoparentale et je savais bien que je le resterais. J'ai entendu dire que Steeve avait fait de la prison. Ça faisait presque mon affaire qu'il disparaisse, je comprenais que je l'avais jamais réellement aimé, et il faisait pas grand-chose d'autre que venir voir Sabrina de temps en temps avec de petits cadeaux. Je me disais que je me ferais peut-être un nouveau chum gentil, doux et pas trop fatigant, que tout irait mieux, et qu'en partant de la maison, je pourrais essayer d'avoir une vie différente de celle de ma mère.

— Et c'est ça qui est arrivé ?

— Euh, ben... Oui, d'une certaine manière. Quand je rencontrais un gars qui me trouvait belle, courageuse, intelligente, c'était juste... irrésistible. J'me faisais croire qu'avec lui je pourrais être heureuse, que Sabrina pourrait avoir un père qui avait de l'allure, que tout ça serait « normal ». Mais ça s'est jamais passé exactement comme je l'espérais. Après un bout de temps, mes copains se tannaient de moi au lit, c'était presque toujours le même pattern. J'ai jamais été capable d'aimer ça. J'entendais mes amies parler, surtout Julie, et j'arrivais juste pas à comprendre c'était quoi l'affaire.

— On dirait que t'aimerais vraiment ça être comme Julie.

— Oui et non. Elle a beaucoup de qualités que j'aimerais avoir, c'est certain, mais je suis pas sûre qu'elle soit aussi heureuse qu'elle nous le laisse croire.

— C'est souvent le cas...

Encore une fois, je tombe bien loin dans mes réflexions, à des années-lumière de Julie ou de la petite enfance de ma fille. Je pleure sans trop savoir pourquoi et je fais honneur à la boîte de mouchoirs posée avec délicatesse par mon thérapeute sur la petite table à côté de mon fauteuil. Jacques conclut la séance en me félicitant. Selon lui, le fait que j'arrive à lui parler de toutes ces choses aussi tôt est à la fois surprenant et encourageant. Nous confirmons ensemble mon rendez-vous de la semaine suivante et je repars, en proie à toutes sortes de réflexions.

Robert, Julie, Sabrina, ma mère, Maryse, Steeve. Des fantômes pour certains, des anges pour d'autres. Et moi, je suis quoi, pour eux ?

Ouille. Pas facile, tout ça.

« Go, Val, Go ! » Je ne sais plus. C'était quoi, l'idée, déjà ?

Je termine cette journée en publiant sur mon mur

Facebook l'image d'une vieille bicyclette ornée d'un joli bouquet de fleurs : **« La vie est comme une bicyclette : il faut toujours avancer pour ne pas tomber. »**

Mouais.

8

— Pis, Val, ça se passe toujours bien avec ton psy ? me demande Maryse presque en chuchotant.

Je ne sais pas trop quoi répondre. Nous sommes au spa, trempant dans une eau divinement chaude, Julie, Maryse, Jessica et moi. Après, nous irons manger au restaurant de Sylvie, une autre copine de Maryse. Cette femme est devenue propriétaire d'un charmant bistro à la suite de la disgrâce de son chef de mari, démasqué par Karmasutra.com pour ses infidélités. Ce sera délectable, il fait un temps magnifique en ce début des semaines de vacances de la construction, et nous pourrons profiter de la terrasse, ce qui me ravit.

Si Jess n'était pas avec nous, je raconterais volontiers mes rencontres avec Docteur Jacques à mes amies. Ça me plairait, en fait, mais la présence de la jeune femme m'incite à rester sur mes gardes en demeurant assez vague :

— C'est un peu étrange. Je suis pas habituée à parler de moi, j'ai l'impression d'être égocentrique…

— Euh, Val, c'est un peu ça l'idée ! Mais c'est vrai que je t'imagine assez bien demander au psy comment il va, lui, parce que t'es mal que ce soit toujours ton tour ! remarque Julie.

Je ris. Et comme mon humeur est plus légère, sans

doute grâce aux mimosas bien frais dégustés avant de venir, je n'hésite qu'une seconde avant d'acquiescer :

— C'est en plein ça, Ju ! Tu me connais trop, mais je m'assume ! Sérieux, c'est un mélange de soulagement et d'inconfort. Ça fait du bien, mais ça brasse ben des affaires…

— Quelle sorte d'affaires ?

J'imagine que Jessica a posé la question sans arrière-pensée, mais je n'arrive pas tout à fait à croire en sa candeur. Elle espère peut-être que je dévoile des choses personnelles à mon sujet ? Elle va attendre longtemps.

— Des affaires. Comment c'était chez nous, dans ma famille, avec mes parents. On est pas rendus ben loin, je suis allée juste trois fois, mettons qu'on est encore à la base, même si j'ai pas trop de repères. Des fois j'me dis qu'il en sait déjà plus sur moi que ma propre mère, ou même vous autres. C'est un peu… déstabilisant.

Je n'en dirai pas plus. J'ai envie de changer de sujet. Je n'en ai toutefois pas l'occasion puisque Jessica renchérit, avec ce qui me semble être son vrai visage :

— Ils disent que tout vient de là, hein ? Moi, je suis pas sûre. Peut-être dans certains cas, mais je peux pas croire que tous les névrosés de ce monde ont eu une enfance de marde !

— Névrosés ? Je suis pas névrosée, Jess.

C'est pourtant bien le terme que j'ai moi-même employé pour me désigner, avant de prendre rendez-vous, mais Jess n'a pas à le savoir et surtout pas à l'employer pour parler de moi.

— Ben pourquoi tu vas voir un psy, d'abord ?

Julie lève les yeux au ciel, retenant de toute évidence une remarque sarcastique. Elle n'apprécie pas trop Jess non plus. Pas pour les mêmes raisons que moi, mais suffisamment pour que ce soit palpable. Maryse, quant à elle, rêverait que nous devenions les meilleures amies du monde, que notre trio se transforme en quatuor. Bof. Selon moi, la nouvelle venue n'a pas sa place parmi nous, et j'ai de plus en plus de mal à comprendre les raisons pour lesquelles Maryse tient tant à l'inclure. Bien sûr, Jessica a été un instrument très utile à son entreprise, c'est par elle que la plupart des vengeances se sont concrétisées, mais ça ne fait que mieux montrer, selon moi, son grand potentiel de duplicité. Julie ne parvient pas à taire son exaspération et lance :

— T'sais, Jess, y'en a qui se questionnent, qui veulent comprendre pourquoi ils agissent de telle ou telle façon. Qui veulent s'améliorer et évoluer dans la vie. C'est pour ça qu'ils vont voir un psy. Je sais, c'est peut-être pas clair pour tout le monde, genre pour toi, mais c'est ça pareil...

— J'aurais dû aller en voir un psy, moi, il y a quelques années, ajoute Maryse. Ça m'aurait peut-être évité ben des larmes !

Sa remarque a pour but de désamorcer l'effet caustique de la réplique de Julie et ça fonctionne. Un préposé du spa se dirige vers nous pour nous demander de garder le silence et, dociles, nous replongeons dans nos pensées. Puis, avec un ton taquin, Maryse demande à Jessica si c'est son amoureux de patron, le beau Pierre-Louis, qui lui a fait les ecchymoses qui ornent ses bras. Aussitôt, Jessica tombe dans un état de béatitude qui aurait pu être comique si la situation n'était pas aussi ridicule. En soupirant, elle répond à Maryse :

— Ben oui, c'est lui... j'ai l'impression que j'ai à peine le temps de guérir d'une série de bleus, qu'il m'en fait d'autres. Pas grave... des bleus de même, j'en prendrais tous les jours ! J'ai trop hâte que ça arrive, qu'on puisse enfin vivre ensemble. Il est juste parfait. Faut que je vous confie un secret... Je lui ai dit que je prenais la pilule pour qu'on arrête les maudits condoms, mais c'est pas vrai. On a souvent parlé d'avoir un bébé, étant donné qu'il en a jamais eu, ça fait que...

Je ferme les yeux. Misère. Un bébé par-dessus le marché. Qu'est-ce qu'elle croit ? Que ça va convaincre son très marié de patron de laisser sa femme ? Idiote. Comment Maryse peut-elle ne pas réagir ? Elle qui a mis tant d'énergie dans sa croisade anti-menteurs, anti-infidèles, anti-méchants ? Comment peut-elle ne pas voir que ce sont les filles comme Jessica qui rendent les hommes aussi enclins à tester leur pouvoir de séduction sur d'autres femmes ? Grrr. Je commence à avoir du mal à comprendre cette contradiction chez Maryse. La vengeresse qui s'acoquine avec l'ennemie ! Oui, Jessica a été trompée et abandonnée, mais elle se vante de ne sortir qu'avec des hommes mariés ou en couple depuis ce jour, sans le moindre haussement de sourcils de notre chère Karma-Mamma. Maryse m'inquiète de plus en plus, d'ailleurs, et je ne suis pas la seule : Julie m'a avoué qu'elle était aussi soucieuse que moi. Depuis un moment, je vois notre aînée changer ; c'est justement ce qui a provoqué notre conflit de l'automne précédent. Il me semble que sa transformation s'amplifie depuis le décès de Gilles : le pli de ses lèvres se fait sans cesse plus amer, ses traits se durcissent alors qu'elle se prétend heureuse, sereine et apaisée. De la frime, tout ça.

Julie me regarde avec insistance. Et je détecte tout, d'un seul coup : elle pense exactement la même chose que moi, autant au sujet de Maryse que de Jessica. Nous écoutons les deux femmes bavarder et notre connexion, à Julie et moi, se solidifie. C'est fou tout ce qui peut passer dans un regard ! La belle petite sotte de Jessica, toute à ses descriptions enflammées, ne se rend compte de rien et poursuit :

— Je serais même pas surprise d'avoir conçu un bébé hier soir. C'était tellement… intense ! Maryse, je te jure, j'avais l'impression qu'il allait me défoncer. Et quatre fois pendant la nuit, c'est fou, non ? Sérieux, il est si parfait… Quand il me soulève et m'accote au mur pour me prendre, là, j'ai l'impression d'être une petite poupée de porcelaine, qu'il pourrait me casser comme rien. C'est juste ma-la-de. J'ai jamais joui de même de ma vie, ni aussi fort, ni aussi souvent. Des fois ça me fait capoter…

— Ben là, Jess, réplique Maryse, tu me dis depuis le début que c'est pas juste un trip de cul… Je trouve que ça ressemble pas mal à ça, moi !

J'applaudis intérieurement mon amie et Julie en fait autant, comme en témoigne le petit sourire en coin qu'elle m'adresse. Jessica se défend :

— Non, c'est pas juste ça et c'est pas ce qui m'angoisse. On est amoureux fous, et en plus le sexe est extraordinaire. J'ai juste peur qu'il ait des problèmes à *toffer* de même, un moment donné. Je sais que le Viagra existe pour ça et qu'il en prend de temps en temps, mais ça doit pas être bon, trop souvent… Non, c'est juste que je l'aime comme j'ai jamais aimé personne et j'en peux plus d'attendre. Des fois je trouve ça long, j'aurais envie qu'il se sépare, là, maintenant. Mais il est tellement correct qu'il veut s'assurer que sa femme manquera de rien et faire ça comme du monde. Y'est vraiment spécial…

Julie n'y tient plus :

— Oh oui, vraiment spécial. Ça fait des mois qu'il

trompe sa femme, mais il veut faire ça comme du monde. Wow. Super convaincant ! Pis si tu tombes enceinte, ça va juste être encore plus simple. Bravo, championne !

Jessica hausse les épaules en faisant un petit geste de la main comme pour balayer la remarque de Julie. Je sais cependant qu'elle a touché sa cible, car notre aînée sursaute légèrement, un petit air de confusion au visage. C'est l'instant où jamais pour intervenir, question de frapper sur le clou. J'attaque :

— Oui, d'ailleurs, Maryse, tu m'as jamais expliqué pourquoi c'était correct que Jessica couche avec des hommes mariés, mais que c'est un crime passible de la pire des sentences pour les hommes qui couchent avec des filles comme elle. J'ai jamais compris, et ça me rentre toujours pas dans la tête.

Jessica me regarde, un peu vexée, et se défend :

— C'est pas pareil ! Ces hommes-là tromperaient leur femme même si j'étais pas dans le décor. Moi, je fais rien de mal ; eux prennent la décision de mentir.

— Donc, tu considères que ton Pierre-Louis est un menteur ? ajoute Julie.

Oups, je sens que ça risque de dégénérer. Quoique, dans ce spa où le silence est de mise, notre conversation ne peut pas prendre des proportions si menaçantes. Sauf que tout le monde le sait : avec les femmes, il n'est pas nécessaire de hurler pour que les coups volent bas et que les représailles soient efficaces ! Jessica fulmine.

— Non, grogne-t-elle dans ce qui se veut un chuchotement. C'est pas la même chose !

Maryse intervient enfin, d'un ton calme empreint d'une certaine menace. Je suis consternée par cette attitude que je ne lui connais pas.

— Depuis le début des temps, les maudits hommes sont incapables de se contenter d'une seule femme, peu importe à quel point elle est belle, fine, douce, pis tout le reste. Ils peuvent juste pas contrôler leur maudite queue. Tromper sa femme, c'est pas un choix réfléchi par le cerveau, c'est juste par la queue que ça passe. Autant pour ton Pierre-Louis que pour les autres. Et c'est ça que j'accepte pas. Une femme choisit un homme pour d'autres raisons.

— Ah bon ? Lesquelles ? demande Julie sans même essayer de voiler son sarcasme.

— La loyauté, la stabilité, la confiance, des valeurs qui ont rien à voir avec le sexe.

— Mais justement, c'est ce que Jessica peut pas prétendre trouver chez son chum marié ! La loyauté… envers qui, au juste ? ajoute Julie.

Elle commence d'ailleurs à s'énerver, ma blonde amie, au point où certains clients nous jettent des regards désapprobateurs. Moi, je trouve ça plutôt distrayant. Jessica se tient coite, les yeux au loin, tandis que Maryse foudroie Julie d'un regard mauvais.

— Hey, elle l'a pas eu facile, c'est rien que sa façon de se venger. C'est un juste retour des choses, je trouve. Au nombre d'hommes qui jouent dans les dos des femmes, normal que quelques-unes essaient de rétablir l'équilibre.

— Ben justement, peut-être que si les gars trouvaient pas de femmes avec qui tromper leurs blondes, ils se contenteraient de leur poignet pis d'une boîte de Kleenex !

C'est sorti tout seul. Depuis le temps que j'attendais de pouvoir le dire, ça me fait du bien. Je suis en feu ! Je me permets même d'en rajouter :

— Toi, Maryse, qui parles de solidarité féminine, je

trouve ton discours pas très cohérent. En tout cas, j'ai dit ce que j'avais à dire.

À ma grande surprise, Jessica choisit ce moment pour s'exprimer. Même s'il est question d'elle depuis plusieurs minutes, elle cesse de se défiler :

— Bon, vous allez pas vous chicaner encore, vous deux, et surtout pas pour ça. Je suis pas fière de ce que je faisais avant. Mais Pierre-Louis est le dernier et je vois pas ce qui pourrait manquer à ma vie une fois qu'on va être ensemble. J'ai plus rien à prouver, personne de qui me venger. J'ai tout ce que je veux avec lui.

— Jusqu'à ce qu'il recommence à aller voir ailleurs, quand ça sera plus nouveau ou qu'une autre belle fille va se pointer dans le décor ! conclut Julie.

— Si c'est ça que tu penses, j'peux pas te faire changer d'idée. Mais j'vais m'arranger pour qu'il ait tout ce qui faut, lui aussi. J'ai pas mal de trucs dans mon sac pour ça !

Jessica souligne cette affirmation d'un clin d'œil presque burlesque. Ça détend l'atmosphère quelque peu, mais un malaise subsiste.

Maryse profite de la porte que Jess vient d'ouvrir et ajoute :

— Ça, j'en doute pas ! Je t'ai vue à l'œuvre. Hey, faut que je te demande, ça fait un bout de temps que je me pose la question. Fais-tu du *pole dancing,* toi ? Me semble que ça serait ton genre !

Jessica sourit de ses dents trop parfaites et nous confie, avec une fausse modestie :

— C'est drôle que tu me demandes ça ! J'ai tellement hésité avant d'en faire, je trouvais que ça faisait un peu bizarre, mais c'est super populaire, toutes sortes de femmes en font. J'ai essayé avec une fille du bureau et j'ai adoré ça !

Elle m'énerve. Je l'imagine trop bien se tortiller autour d'un poteau, bombant les fesses et glissant comme un serpent pour que ses sujets puissent admirer son corps de Barbie. Julie rit :

— Val ! Tu devrais te voir la face ! T'as l'air d'une fille qui vient d'écraser une coquerelle !

Oui, ça doit en effet ressembler à ça. Un mélange de dégoût et d'exaspération. Jessica me toise, rejetant les épaules en arrière :

— Voudrais-tu essayer, Val ? Ça t'aiderait à séduire le beau Robert ! Y'a pas beaucoup d'hommes qui résistent à ça !

L'idée m'apparaît si grotesque que je ris, mais une teinte de jaune s'immisce dans ce rire spontané.

— Euh, non merci, Jessica. Pas mon genre.

— J'aurais jamais pensé que c'était le mien non plus ! Mais c'est tellement l'fun ! Ça a l'air facile, en regardant de même, mais je vous jure que c'est tout un *work-out* !

— On sait pas, Jessica, ajoute Julie, on en regarde pas tellement souvent !

Contrairement à moi, Julie a plutôt l'air d'une chatte prête à bondir, toutes griffes dehors. Pourquoi ? Parce que. Plus encore que nous toutes, à part peut-être Jessica, Julie est habituée à régner, à plaire et à attirer les hommes sans fournir d'effort particulier. Pour elle, les femmes qui en mettent plein la vue aux hommes font une concurrence déloyale à celles qui, comme elle, cherchent à séduire autrement que par leurs seuls charmes physiques. Et en cela, Jessica lui fait ombrage. Pas une bonne idée.

La suite est interrompue lorsque, pour la troisième fois depuis que nous trempons dans ce bain divin, une préposée vient nous demander de baisser le ton. D'un commun accord, nous décidons de partir nous préparer à nos soins respectifs.

J'ai l'impression qu'une brèche s'est ouverte, laissant entrevoir un conflit ou du moins une mise au point avec Maryse. Son cynisme me heurte au-delà de tout ce que j'aurais pu imaginer. Sûrement parce qu'elle m'a toujours appuyée de manière bienveillante et que je déteste la voir si différente. Autrefois généreuse et peu encline à entretenir la rancune, je crains qu'elle ne fasse que s'enliser dans un coin sombre duquel elle aura du mal à ressortir. C'est trop dommage pour que je la laisse faire.

Mais avant, bien sûr, je dois m'occuper de moi, n'est-ce pas ? Avec Robert qui revient bientôt, je me sens pressée. J'entends dans sa voix, au téléphone, qu'il compte les jours avant son retour, onze précisément… moins de deux semaines à tenir le coup, me dit-il. Moins de deux semaines avant de concrétiser les rêves torrides qui peuplent mes nuits.

Est-ce que j'aurai quelque chose de concluant à lui dire ?

Ouf.

9

Docteur Jacques m'accueille avec son sourire habituel, chaleureux et... affable ? Oui, c'est ça. Cool. J'ignore de quoi je vais lui parler cette semaine. La suite de la dernière fois, j'imagine. Pourquoi pas ? Tant qu'à vider mon placard de squelettes, autant y aller à fond. Il me demande comment ma semaine s'est déroulée et je lui en raconte les grandes lignes. J'aurais envie de lui parler de la quasi-dispute avec Maryse, mais j'y reviendrai. Il reprend la parole :

— Cette semaine, j'aimerais que tu me parles de tes relations, après Steeve. Tu m'as dit que plus jeune, quand un homme te trouvait belle, courageuse et intelligente, tu trouvais ça « irrésistible ». Est-ce que plus tard, ça t'aidait encore à croire que tu pourrais être heureuse et offrir à ta fille un père « normal » ? Si j'ai bien compris, ça ne se concrétisait pas. Qu'est-ce qui ne marchait pas, d'après toi ?

Je suis étonnée, encore une fois. Il n'a aucune note devant lui, n'en prend que très peu quand je parle, d'ailleurs, mais il répète, malgré tout, mes paroles presque intégralement, comme si je venais de les prononcer. Impressionnant !

— Qu'est-ce qui ne marchait pas ? Hmmm. Peut-être que je faisais pas vraiment d'effort ou que j'étais pas la fille la plus attentionnée… je sais pas trop. Mais sûrement aussi parce qu'au lit, je devais être plate pas à peu près. Après un bout de temps, un gars se tanne, j'imagine.

— C'est ce que tu perçois ? Est-ce que tu les aimais, ces hommes-là ?

— Non, pas vraiment. Je me suis souvent posé la question sans pouvoir y répondre, mais depuis que je connais Robert, je sais que non. Ça n'a rien à voir.

— Alors, c'est normal que tu sois demeurée détachée. Quand on est amoureux, on envisage pas les choses de la même façon. C'est différent avec lui, alors ?

— Le jour et la nuit !

— OK. Donc, tu as dit que tu as eu plusieurs relations, à partir du moment où tu es partie de chez ta mère, alors que Sabrina avait trois ans. Comment ça se passait avec elle ?

— C'était dur, mais déménager a été une très bonne idée. J'avais un petit appartement, pas très loin de chez ma mère, mais assez pour prendre une certaine distance. Je laissais Sabrina chez ma tante avant de partir travailler, et des fois je soupais avec les deux sœurs en reprenant la petite. Ça leur faisait plaisir à toutes les trois. Ma mère comprenait pas pourquoi j'étais partie, elle se disait que j'en arracherais pas mal moins avec elle, mais c'était devenu très difficile. J'étouffais à force de l'entendre soupirer de déprime à tout bout de champ ou de me critiquer sur la façon dont je m'occupais de Sabrina. Y'a juste quand elle était avec ma fille qu'elle avait l'air bien. Le reste du temps, elle bougonnait et sa sœur Janine tout autant. C'est seulement quelques semaines après avoir déménagé que j'ai rencontré Luc, qui habitait dans le même immeuble que le mien, mais ça a été long avant qu'il se déniaise. Il était vraiment timide. Puis, après ben des sourires en attendant l'ascenseur, des bonjours, des conversations banales, il m'a demandé si j'étais mariée et s'est enfin décidé à m'inviter à prendre une marche au parc. Je raconterai pas tous les détails, mais deux semaines plus tard, j'étais sa blonde.

— Qu'est-ce qui te plaisait chez lui ?

Bonne question ! Me voilà encore en train de peser ma réponse avant de la formuler. Eh boy. Il serait plus facile d'énumérer ce qui ne me plaisait pas, mais j'aurais l'air de quoi ? Il devait pourtant y avoir quelque chose, non ?

— J'avoue que je sais pas trop. J'ai l'impression de m'être laissé entraîner dans cette relation-là sans m'en rendre compte. Parce que c'était ce qu'il voulait, j'imagine. C'est sûr qu'il était gentil, serviable. Il faisait mes courses, m'aidait avec Sabrina même s'il connaissait pas grand-chose aux enfants.

— Et elle, elle l'aimait bien ?

— Les enfants de trois ans s'entendent avec tout le monde, non ? En tout cas, Sabrina était sociable et assez facile. Je la laissais pas seule avec Luc, du moins pas au début, mais quand il était là, il s'amusait avec elle et je l'entendais souvent rire.

— Vous avez habité ensemble ?

— Seulement pendant les six derniers mois. Son bail venait à échéance, il m'a demandé si j'en avais envie, soulignant que c'était un peu con de payer deux loyers alors qu'on était très souvent ensemble, et je me suis dit « pourquoi pas ».

— T'as pas sauté de joie, mais t'avais rien contre ?

— En plein ça.

— Et côté sexuel, avec lui, c'était comment ?

— Bof. Je pense que j'étais sa première vraie blonde. Il était timide et avait toujours peur de me déranger. C'était le cas bien souvent, mais je le laissais faire. Ça durait jamais bien longtemps…

Un autre euphémisme qu'il n'est pas nécessaire d'avouer à mon psy, il me semble. Quand ça durait dix minutes, c'était exceptionnel. Faut dire que je ne faisais pas grand-chose pour étirer les ébats, mais le pauvre faisait pitié. Même au bout de deux ans, il tremblait presque, chaque fois. Un organe sans intérêt, ni trop long ni trop court, plutôt mince. Son haleine dans mon cou, ses mains hésitantes sur mes seins, quelques minutes d'un va-et-vient presque mécanique, toujours dans la même position, avant qu'il s'épanche dans un frisson. Puis, après un dernier baiser, il s'endormait à mes côtés. Plate mais parfait, je n'aurais pu tolérer quelque chose de plus, disons, enthousiaste.

— Et ça s'est terminé comment ?

— Il a fini par comprendre que je l'aimais pas, après un an, peut-être moins. Je pense qu'il s'en contentait parce que ses options étaient plutôt limitées. Il devait attendre que je sois vraiment plus capable, il aurait pas osé faire de vagues. Puis, un bon soir pendant qu'on regardait la télé, il m'a demandé si je l'aimais. J'ai répondu que non, et il est parti le lendemain.

— Qu'est-ce que tu ressentais, toi ?

— Un mélange de toutes sortes d'affaires… je sais pas trop. J'étais pas si triste, plutôt déçue, je pense, mais pour des raisons pratiques. Je m'étais habituée à sa présence, à savoir que je pouvais compter sur lui, j'étais frustrée de perdre ça et j'angoissais…

— Tu angoissais pourquoi, le sais-tu ?

— Ben de pas pouvoir être heureuse, ou arriver à m'occuper toute seule de Sabrina. Il me donnait quand même un bon coup de main et je savais pas si j'y arriverais sans lui... En même temps, c'était inévitable, il savait que je l'aimais pas pour vrai et devait se sentir un peu utilisé, au fond. C'est pas fort, je sais...

— Penses-tu que c'est ce que tu faisais ?

— Peut-être... Ouain. Mais j'étais gentille avec lui et je faisais de mon mieux. J'aurais aimé ça l'aimer, c'était un bon gars...

— Les sentiments ne se commandent pas. Si tu te servais de lui et qu'il l'acceptait, c'est qu'il en retirait quelque chose, lui aussi, oublie pas ça. Et c'est normal dans ces circonstances, de s'inquiéter pour ton bien-être et celui de ta fille.

Il a dit normal ? Eh bien... Je ne m'attendais pas à ça et ça me rassure. « Normal » n'est pas un mot que j'utilise fréquemment en ce qui me concerne. Y a-t-il quelque chose de normal chez moi ? Il renchérit :

— Si tu lui avais menti en lui disant que tu l'aimais alors que ce n'était pas vrai, là ça aurait été moins correct de ta part. Tu aurais pu, comme le font tant de gens, lui dire ce qu'il voulait entendre et ne rien risquer. Ça t'a pris pas mal de courage.

— Du courage ? Moi, vraiment ? Coudonc, j'y ai jamais pensé, mais vu de même...

— Eh oui. Donc, t'as pas été en peine d'amour, mais t'étais quand même désolée que ça se termine de cette façon.

— Exactement.

— Bon. Et après ? T'as eu une autre relation ?

— Oui, au début de l'année suivante. J'ai rencontré Gaétan au party de Noël du bureau, je travaillais pour une grosse boîte, comme secrétaire juridique. Mon premier emploi là-dedans depuis que j'avais terminé mon cours.

Lui, il travaillait à la comptabilité. Un gars simple, prévisible très… rationnel.

— Rationnel ? Dans quel sens ?

— Ben je sais que ça fait cliché, un comptable rationnel et prévisible, mais il était vraiment comme ça. Tout devait être logique, planifié, mesuré. Il aimait se sentir important, savoir qu'il avait un rôle à jouer dans ma vie. Fiable. Prévenant. Mais d'un point de vue pratique, pas émotif. Sa routine était inébranlable, il mangeait chaque jour la même chose, et moi ce que j'aimais c'est qu'il analysait les situations froidement et prenait des décisions logiques après avoir pesé le pour et le contre des options. Il m'a beaucoup aidée. C'est d'ailleurs lui qui m'a fait acheter ma maison, en me dénichant une aubaine incroyable dans le quartier où j'habitais. Je mettais de l'argent chaque semaine dans un compte spécial depuis la naissance de Sabrina et j'avais réussi à ramasser, mine de rien, un bon montant. Avec les bons conseils et la planification de Gaétan, je finirais de payer la maison en quinze ans. Sabrina commençait l'école ; c'était un chambardement pour moi, j'étais un peu désemparée. Les lunchs, la conduire et aller la chercher, les décisions à prendre, juste l'inscription et tout le fonctionnement de ça m'angoissaient. Lui, il se renseignaient, m'expliquait tout ça avec calme et je voyais plus clair. Les devoirs, le soir, les rencontres de parents, il était toujours là. Ça a été des grosses années, mais il m'a appris beaucoup de choses, même s'il avait tendance à me couver et tout faire à ma place…

— Vous avez habité ensemble ?

— Oui, quand l'achat de la maison s'est finalisé. Il aurait voulu qu'on l'achète ensemble, mais je tenais à avoir ma maison à moi, c'était important. Sûrement à cause de tous les sermons de ma mère qui me disait tout le temps qu'il fallait que je me débrouille, que je sois indépendante et autonome. *Whatever.* Alors il est venu habiter avec nous, en plus de m'aider tout au long de la transaction et du déménagement. J'aurais jamais été capable de faire ça sans lui !

— Tu doutes beaucoup de tes capacités, n'est-ce pas ?

— Oui, mettons ! C'est mieux que c'était, mais me semble que dans ce temps-là, j'étais réellement nouille.

— Et Sabrina a bien pris ça ?

— Oui, très bien. On avait une maison, avec une cour, des balançoires, et elle gardait toutes ses amies proches. C'était vraiment parfait. Elle s'entendait bien avec Gaétan, aussi, même s'il était pas du genre à jouer avec elle comme Luc le faisait. Pour lui, c'était comme se trouver une famille et la vie qui va avec d'un seul coup, malgré le fait que la maison ne lui appartenait pas. Je lui avais dit qu'on pourrait revoir ça, et il approuvait. L'avantage d'être plus rationnel qu'émotif, je suppose.

— Et dans la chambre à coucher ? Es-tu arrivée à ressentir quelque chose avec lui ?

— Non, pas vraiment. Comme avec Luc, ça représentait une espèce d'obligation. C'était pas déplaisant ni repoussant, juste… ce que je devais faire, me semble.

Je ne dis pas encore l'entière vérité : c'était en fait si moche que je me demande comment il arrivait lui-même à ressentir quoi que ce soit. Il n'a jamais montré la moindre émotion, de l'impatience ou de la joie, encore moins de la passion, comme s'il avait été un être insensible. Ça me désorientait ; peut-être qu'il n'avait pas de fluctuations d'hormones ? Est-ce possible ? En tout cas, il me faisait l'amour tous les deux jours. Ni plus ni moins. C'est lui, monsieur Autoroute 20, monotone et sans surprise. Je le revois, petit et déjà presque chauve à même pas trente ans, plier son pantalon avec soin, mettre sa chemise dans le bac de lessive avant de retirer ses lunettes et de se glisser entre les draps tout doucement. Là, il m'embrassait, glissant sa langue par petits coups secs entre mes lèvres, fouillant ma bouche comme s'il voulait vérifier que mes dents étaient toujours en place. Puis, il se glissait sur moi, écartait mes cuisses en se masturbant pour atteindre la fermeté souhaitée et s'enfonçait en forçant un peu. Une chance. Comme son membre était long, mais plutôt mince, et qu'il n'était pas circoncis, il arrivait à s'immiscer sans trop de problèmes. Disons qu'en ce qui a trait à la lubrification, ce n'était pas convaincant. Après quelques minutes, tout se mettait en place et nos corps faisaient ce qu'ils avaient à faire sans grand émoi. Et là, souvent, même les quelques minutes habituelles me semblaient interminables. Il m'arrivait alors de m'évader dans des pensées pratiques, par exemple le bulletin scolaire de Sabrina ou le prochain souper à préparer, et je « m'absentais » ainsi de longs instants tandis que Gaétan, toujours dans la même position, les yeux clos et la bouche crispée, s'activait dans un rythme aussi régulier – et aussi excitant – qu'un train de banlieue.

— Et donc, tu n'y prenais aucun plaisir…

— Aucun. Pas de danger de me faire voir des feux d'artifice ! Mettons qu'il s'occupait de lui et présumait, sans me poser de question, que tout était beau.

— Conclusion ?

— Bof. J'ai fini par me tanner de toujours faire la même chose de la même façon. On allait au cinéma tous les vendredis soir, pendant que Sabrina était chez ma mère avec ma tante. Elles auraient bien voulu que je passe plus de temps avec elles, mais j'en avais aucune envie et j'évitais en trouvant toujours des excuses. Faut dire que ma tante était comme ma mère, elle trouvait que je faisais pitié, renchérissait sur ce que sa cadette affirmait au sujet des hommes, bref c'était toxique, fois deux. Le samedi, Gaétan et moi on faisait les courses pour la semaine. Dimanche, c'était le ménage et un peu de cuisine. Les soirs de semaine, la routine de mon chum s'était modelée à celle de Sabrina : souper, devoirs, bain, dodo. Je pense que j'étais comme engourdie ; j'étais en train de devenir aussi « beige » et plate que lui sans m'en rendre compte. Les baises monotones se sont espacées, tous les trois, quatre jours, puis seulement la fin de semaine. Il s'est mis à boire de plus en plus souvent ; des caisses de bière s'empilaient dans la cuisine. Je détestais ça... Ça me faisait penser à mon père, et à Steeve. Mais il était jamais soûl, il faisait juste s'endormir devant la télé et ronfler. Un soir, il m'a dit : « T'es pas heureuse, je suis pas heureux, ça mène à rien. Je m'en vais. »

— Comme ça, sans prévenir ?

— Oui. Faut dire par contre que ça m'a pas trop étonnée. J'me trouvais plate moi-même, ça fait que...

— D'après ce que tu me dis, il l'était pas mal aussi ! Donc, tu as vécu ça comment ?

— Ben... j'étais triste, il me laissait tomber, au fond. J'me sentais abandonnée. Et Sabrina aussi était triste. Elle me posait plein de questions, c'était clair qu'elle était... confuse. Elle avait sept ans, et elle s'est évidemment demandé si c'était sa faute, s'il était parti parce qu'il ne l'aimait pas, si elle avait fait quelque chose de mal. J'ai tout fait pour la rassurer, je m'en voulais de lui faire vivre ça. Alors, elle a pensé que c'était ma faute à moi, ce qui était pas faux. En tout cas. Pour essayer de compenser, je lui ai offert deux petits chiens. Je sais, un seul aurait suffi, mais on a pas pu choisir ; Sabrina me disait qu'on pouvait pas séparer deux petites sœurs, que c'était pas parce qu'elle était fille unique qu'il fallait être injuste envers ces bêtes. J'avais déjà eu droit à plusieurs allusions à ce sujet-là, alors j'ai pris les deux en me disant que, tant qu'à y être, ça serait pas plus compliqué. Les chiennes sont devenues des membres de la famille et Sabrina a eu l'air d'oublier Gaétan. Je suis restée seule deux mois, environ, et là, j'ai rencontré Éric, qu'une fille du bureau m'a présenté.

Mon cœur se serre en songeant à Éric. Le seul, avec Steeve, de qui j'ai presque été amoureuse. Je tenais à croire que c'était enfin le genre d'homme avec qui je pourrais passer un bon bout de temps. Un grand brun, athlétique, solide. Souriant, ce qui était déjà une nette amélioration. Ça aurait été parfait si son intensité au lit s'était avérée plus facile à gérer…

— Même genre d'homme et de relation ?

— Non, pas du tout. Éric était un gars actif et on ne s'ennuyait jamais avec lui. Physiquement, il était beaucoup plus attirant que Luc ou Gaétan, et c'est d'ailleurs avec lui que j'ai découvert à quel point je pouvais être jalouse. Il me donnait pas tellement de raisons de l'être, mais j'avais de la misère à croire qu'il m'avait choisie, moi, alors qu'il aurait pu trouver beaucoup mieux. Même questionnement qu'avec Steeve. En tout cas. On passait des bons moments ensemble, juste tous les deux, mais il avait l'air d'apprécier tout autant les activités qu'on faisait avec Sabrina. On a commencé à faire plein de choses que j'avais presque jamais faites avant : randonnées de vélo et camping l'été, raquette et glissade l'hiver, festivals toute l'année. Je me sentais bien, je riais et je m'amusais. Sabrina avait l'air aussi épanouie que moi. Même ma mère l'aimait bien, même si elle avait l'air méfiant que je lui connais si bien, et c'est lui qui insistait pour qu'elle vienne souper à la maison de temps en temps. Moi, je m'en serais bien passée...

— Pourquoi ?

— Parce que le malaise était pesant. Qu'elle soit seule ou avec sa sœur, elle me critiquait sur la maison, me disait que c'était juste une question de temps pour qu'Éric se montre sous « son vrai jour », que j'étais mieux de pas trop me faire d'illusions. Juste pour ça, j'avais envie d'y croire encore plus.

— Qu'est-ce qui s'est passé, alors ?

— Eh bien... c'est encore une fois le sexe qui est devenu un problème. Éric en voulait tout le temps, et il était bien décidé à me faire aimer ça autant que lui.

Ce n'est pas que ça et je le sais très bien, même si je ne l'avoue pas à mon interlocuteur. C'était ma jalousie, le problème. Les premières fois, Éric s'était dit flatté, il considérait ça comme une expression de mon amour. Et il n'en fallait pas beaucoup pour déclencher chez moi un sentiment de défaite instantanée que je manifestais de manière bien peu flamboyante. Je détestais mes propres airs de chien battu, alors que je m'aplatissais devant une ennemie aussi fictive qu'innocente. Un simple sourire à une serveuse de restaurant ou l'appel d'une collègue un soir à la maison suffisaient à me démolir. Je devenais convaincue que j'avais une ennemie sans toutefois avoir la force ou l'envie de me battre. Au bout d'un moment, Éric est devenu exaspéré par mon mutisme à répétition et ne savait plus très bien comment réagir. Alors ça, en plus du sexe...

— D'après le ton que tu utilises, on dirait qu'il a pas réussi...

— Ouf, non. J'ai pourtant essayé. Fort. Il était décidé à me « faire sortir de ma coquille », mais ça a jamais marché comme il aurait voulu. Et il en voulait tout le temps, ça fait que…

Je me souviens trop bien. Dès nos premiers ébats, je lui avais avoué, en omettant certains détails qui l'auraient découragé, que j'avais eu de mauvaises expériences et que je n'étais pas aussi enthousiaste que lui à cet égard. Ça avait dès lors constitué un défi qu'il s'était engagé à relever… que je le veuille ou non. Il prétendait qu'à force de « pratiquer » avec lui comme amant, j'arriverais forcément à partager son penchant pour la chose. Comme je n'avais rien à perdre, j'ai accepté volontiers de me prêter au jeu. Il embrassait divinement bien. Encourageant. Si j'arrivais à apprécier ses baisers langoureux, je devrais apprendre à priser le reste, non ? Eh bien non. Il faisait tout à la perfection, usant de patience, de dévotion et de douceur. Il me caressait avec attention et je me sentais ingrate de ne pas réagir plus positivement. Je ne pouvais pas laisser ses beaux efforts sans récompense, même s'il me suppliait d'être sincère et de lui indiquer les gestes que je préférais et ceux qui me déplaisaient. Je n'en préférais aucun. Certains m'étaient moins rébarbatifs que d'autres, mais sans plus. Alors plus le temps passait, plus je me sentais coupable, plus j'avais l'impression de lui mentir. J'en suis donc arrivée à feindre. Lorsque je savais le moment venu, j'appliquais à son insu quelques gouttes de lubrifiant et je le laissais me triturer à qui mieux mieux, usant de la langue, des doigts et d'un membre qu'il avait large et court. Ma moiteur artificielle l'encourageait. Ce n'est sûrement pas sa faute, mais plus il s'échinait à l'ouvrage, moins ça m'excitait. Je fermais les yeux, essayant en vain d'aimer son toucher, ne réussissant qu'à ressentir un agacement croissant. Puis, excédée, je haletais avec conviction, je l'encourageais de mon mieux en l'assurant que ma jouissance était imminente jusqu'à ce que de (faux) spasmes me secouent les cuisses et le ventre. Comblé, il me regardait alors avec satisfaction et orgueil. Son ego de mâle s'en trouvait flatté : il avait réussi à conquérir ce corps qui se prétendait frigide. Il était le meilleur amant du monde, aucun doute possible. Je le lui laissais croire ; il était trop pénible d'imaginer qu'il pourrait très bien décider de prodiguer ses soins à une autre femme que moi, une créature jouisseuse qui apprécierait davantage ses attentions.

— Vous êtes restés ensemble combien de temps ?

— Deux ans. Pendant presque tout ce temps-là, j'ai fait semblant d'aimer ce qu'il me faisait, d'en retirer du plaisir. J'allais même jusqu'à prendre les devants pour donner le change jusqu'au bout. C'est fou, hein ?

— Tu ne voulais pas le perdre et tu sentais instinctivement que c'était une façon de protéger votre relation. Je suis plutôt porté à croire que c'était un mécanisme de défense, pas de la méchanceté ou de l'hypocrisie.

Seigneur ! Ce psy arrive toujours à me déculpabiliser ! Serait-il possible qu'il dise vrai ? J'aime tant sa façon de me faire voir les choses différemment. Comment fait-il ?

— Tu as l'air surprise. Tu m'as parlé de trois de tes relations amoureuses significatives et je commence déjà à distinguer un pattern. Faudra voir si le reste de ce que tu me diras le confirme, mais avant, dis-moi comment ça s'est terminé ?

— Il a fini par comprendre que je faisais semblant. Je sais pas comment, c'est pas comme si y'avait des preuves... mais il était pas fou, j'imagine. Peut-être que je me forçais moins, vers la fin, ou qu'au contraire j'en mettais trop. Je sais pas. Lui m'a dit que c'était devenu trop facile ; ça lui a mis la puce à l'oreille. J'ai avoué. Il était furieux et blessé. L'orgueil en prenait pour son rhume et je venais de faire exploser toutes ses belles convictions d'être un amant sans pareil. En plus, il m'a avoué qu'il aurait bien aimé avoir un enfant, un garçon à son image. J'ai pas pu lui mentir à ce sujet-là, et je lui ai dit que j'étais pas du tout certaine de vouloir la même chose. Je peux comprendre qu'après ça, c'est vite devenu invivable. On se chicanait, il boudait, me demandait si je mentais chaque fois que je m'ouvrais la bouche. Si je lui avais menti pour quelque chose d'aussi important que mes orgasmes, il pensait que je pouvais lui mentir sur tout. Il m'a accusée de plein de trucs, dont voir un autre homme. Finalement, il a déménagé le premier juillet.

— Ça a été dur, on dirait. Pour toi seulement ou pour Sabrina aussi ?

— Oui, ça a été dur. J'avais l'impression d'avoir travaillé fort pour rien, de m'être plantée solide et j'étais blessée. Sab l'a pas pris. Elle était fâchée, disait que c'était ma faute. Ça me surprendrait pas que ma mère lui ait mis ça dans la tête. Je sais que Sabrina aimait beaucoup Éric ; elle s'amusait avec lui et elle aurait aimé qu'on reste ensemble. Je voyais bien qu'elle s'était attachée. Il était blessé et triste, lui aussi, autant pour elle que pour moi. Quand il est parti, Sabrina a pas voulu le voir. Pendant des semaines elle a été *down,* elle pleurait le soir mais voulait pas que je la console. Quand je lui demandais ce que je pouvais faire pour qu'elle aille mieux, elle me disait : « Je veux Éric. Tu l'as fait partir, mais je voudrais que ce soit toi qui partes et rester avec lui ! »

— Ouch. Ça a dû te faire mal…

Mal, qu'il dit ? J'ai pensé mourir. Peut-être ne le pensait-elle pas, mais entendre son enfant dire une telle chose, c'est insupportable. En plus, je savais que ces affirmations ne venaient que de sa souffrance, et que je ne pouvais rien faire pour la soulager.

— C'est là que notre relation a commencé à déraper. Sab avait à peine dix ans, mais on dirait qu'elle a plongé dans l'adolescence à ce moment-là, juste pour me faire suer.

J'ai dit suer, mais je pense chier. Je peux bien le dire au moins à moi. Ça m'a fait chier. Je n'avais personne, moi, pour me consoler, et j'en avais gros sur le cœur. Depuis dix ans que je faisais passer les besoins de Sabrina avant les miens, j'aurais aimé pouvoir m'écrouler en paix avec quelqu'un pour me soutenir. Mais non, ce n'était pas possible. Mes amies ? Maryse n'était pas très disponible; elle était retournée aux études, en informatique, et continuait de gérer sa maisonnée en mère exemplaire d'adolescents tout aussi parfaits, je ne voulais pas l'embêter avec mes histoires. De toute manière, elle ne s'était jamais intéressée à mes copains et considérait Éric comme un autre mou sans ambition qui ne me méritait pas, alors que ce n'était vraiment pas le cas. Comme je n'avais pas envie d'entendre ses critiques, je me suis abstenue de la solliciter. Pareil pour Julie. D'ailleurs, je me demandais souvent ce qu'elles disaient de moi et de mes choix derrière mon dos. Ma mère ? Je savais trop bien ce qu'elle pensait, puisqu'elle me répétait à chaque occasion que j'avais intérêt à me résoudre à vivre seule, ce qui m'éviterait toutes ces déceptions. Et si j'étais aussi étonnée qu'Éric soit parti, c'était que je n'avais rien compris. J'y croyais déjà de plus en plus, mais je n'avais pas besoin de l'entendre de sa bouche.

D'aucune bouche, d'ailleurs. Celle de Sabrina me suffisait bien amplement. Docteur Jacques me regarde, songeur. Puis, il me dit, avec une grande douceur :

— Bon, écoute. Je ne suis pas surpris de la réaction de ta fille, mais ça ne veut pas dire qu'elle avait raison. C'est une réaction normale pour une enfant de cet âge et tu n'aurais rien pu faire pour empêcher ça. Ta mère, par contre, a l'air emprisonnée dans son amertume et c'est dommage, mais ça ne veut pas dire qu'elle a raison, loin de là…

Le voilà encore en train de me rassurer. Je ne sais pas s'il collectionne les bonnes pensées, mais j'en ai toute une panoplie pour lui. J'ai presque hâte de lui révéler la suite. Et si je m'étais trompée, toutes ces années ? Et si je n'étais pas toujours dans le tort, celle par qui le malheur arrive ? Ce serait étonnant, mais ô combien bon à entendre !

— On va parler la semaine prochaine des autres. Mais déjà, j'ai une bonne idée des pistes à suivre pour te faire voir qu'il y a une explication logique et cohérente à toutes ces ruptures et à la façon dont elles se sont produites. Je ne sais pas si tu commences à le voir, toi aussi, mais tout ça a un lien. Je pense à ta peur de l'abandon, ta méfiance, entre autres. Tout ça fait partie de schémas, ce qu'on appelle des « patterns relationnels » qui se produisent après certaines expériences troublantes, par exemple, ce que tu as vécu avec ton père, ou d'une espèce de lavage de cerveau de la part de ta mère. Tes relations avec les hommes sont évidemment teintées par tout ça, et c'est peut-être ce qui explique leur déroulement. Ce que tu vas me dire au cours des semaines va le confirmer, peut-être rendre ce lien encore plus évident, on verra bien. D'ici là… je vais te donner un petit devoir. J'aimerais que tu notes les choses qui te surprennent, qui te sautent aux yeux depuis qu'on a commencé à se voir. Ou simplement des sentiments que tu pensais avoir, mais qui, peut-être, n'étaient pas réels. On en reparle, d'accord ?

Oui, je le suis. Dans ma petite tête, un minuscule espoir vient de se pointer le bout du nez. Ce que je vis est peut-être aussi rationnel qu'un Gaétan-le-comptable dans ses meilleurs jours, au fond. Peut-être qu'il suffit de comprendre d'où me viennent toutes ces craintes pour les apprivoiser, voire les exorciser. Est-ce que je peux oser y croire ?

Il me tarde de parler des conclusions de mon thérapeute avec Maryse. Notre discussion agitée du spa est presque oubliée. J'avais l'intention de m'en ouvrir à Docteur Jacques, mais ce sera pour une autre fois. C'est le cœur tout léger que je sors du bureau de « mon » psy. Mes émotions volent dans tous les sens, j'ai envie de rire et de pleurer en même temps.

Et s'il y avait du vrai, dans tout ça ?

Pensées facebookiennes du jour : **« Un voyage de mille lieues commence toujours par un premier pas. »**

Joli, non ?

10

— C'est pas fou, t'sais, Valérie. Je connais pas tous les détails de ce que t'as vécu avec ton père, mais ça doit forcément laisser des traces. T'as commencé à faire tes « devoirs » ?

— Oui, regarde, je me suis acheté un beau p'tit cahier juste pour ça et j'ai déjà écrit plein d'affaires dedans.

— Genre ?

— Ben genre… j'avais jamais remarqué que tous les chums que j'ai eus, ça a foiré au bout d'à peu près deux ans. Comme s'il y avait une espèce d'échéance ; on arrête ou on continue. À croire que j'étais pas capable de m'arranger pour que ça dure.

— Deux ans, hein ? Pas plus que ça ? J'aurais pourtant cru… C'est pas important. Penses-tu que ça se peut que, inconsciemment, tu *chokais* à ce moment-là ?

— … Euh… j'avais jamais vu ça de même, mais ça se pourrait.

— Après deux ans, me semble qu'une relation est appelée à changer. C'est basé sur rien, c'que je dis là, juste un feeling, mais j'ai l'impression que c'est souvent là que tu commences à te demander si t'es vraiment bien, si t'as envie de continuer un bout ou non. Peut-être que toi, au fond, t'avais pas envie de continuer, mais que tu voulais pas être celle qui décide d'arrêter ?

— Euh...

Je marque un temps d'arrêt, car ce qu'elle vient de dire m'étonne... mais peut-être pas tant que ça.

— Eh boy, Maryse, t'es en train de dire que je m'arrangeais pour que ça foire ?

— Je sais pas, Val, c'est pas moi la psy.

Je note ça dans mon cahier pour en parler à Docteur Jacques lors de ma prochaine rencontre. C'est un peu troublant. Mais si je suis totalement honnête avec moi-même, je n'ai pas le choix d'avouer que c'est fort possible. Merde...

— Maryse, je voulais te dire... je m'excuse pour l'autre jour, au spa.

— T'as pas à t'excuser, Val. J'y ai pensé beaucoup depuis et t'as pas tort. En fait, j'avoue que je sais plus trop quoi penser de Jessica. T'as raison jusqu'à un certain point, mais elle souffre, j'pense. T'sais une femme blessée, c'est pas reposant... j'en sais quelque chose !

— Oui, par rapport à ça, d'ailleurs... T'es pas un peu tannée de tout ça ? Les vengeances, la colère, les manigances, la méfiance ?

— Oui... t'as mis le doigt dessus. Je suis fatiguée. Quand j'ai rencontré Robert, c'est comme si c'était un signe. Je veux plus être en colère et faire payer la Terre entière pour les années de marde que Gilles m'a fait endurer, mais on dirait que j'ai pas tout à fait fini, tu comprends ?

— Plus ou moins... Ça va s'arrêter où, tu penses ? Je m'ennuie de la Maryse que t'étais. J'aime pas ça te voir aussi bitch, c'est tellement pas toi !

— Je sais, je commence à m'ennuyer d'elle, moi aussi. Pas pour tout, par contre. Je redeviendrai jamais aussi naïve et bonasse que je l'étais, ça, c'est certain. Mais j'ai plus envie de me mêler de la vie des autres, j'aimerais me concentrer sur la mienne, être sereine et juste... bien, t'sais ? Il me reste une dernière chose à régler ; après, je pense que ça va boucler la boucle, comme on dit.

— Je te le souhaite, vraiment. Qu'est-ce qui reste ? Pas Mathieu, j'espère ?

Mathieu, l'ex de Jessica, a jusqu'à maintenant échappé aux foudres de Maryse. Pourtant, il aurait dû être aux premières loges, surtout avec Jessica aussi impliquée dans les plans de vengeance de Maryse. Je comprends mal qu'il n'ait pas encore été accusé, condamné et exécuté sans appel, celui-là.

— Non. Jessica a jamais voulu que Karma sutra se mêle de son cas. Elle a un plan, et je la laisse faire. J'imagine que son bonheur avec son boss en fait partie. Mathieu a essayé de lui parler, de s'excuser et de voir s'ils ne pouvaient pas se donner une autre chance, mais elle l'a même pas écouté. Je sais ça parce qu'il m'a téléphoné avant, pour me demander comment elle allait, si elle me parlait de lui, des fois. Ce gars-là regrette, il est sincère. Mais quand elle m'a raconté qu'il l'avait suppliée d'essayer de recoller les morceaux, elle souriait, mais ça faisait peur à voir. Comme si elle allait se mettre à pleurer ou s'effondrer. C'est pas réglé, c't'affaire-là, et je m'en mêlerai pas. Non, moi, ma dernière mission, c'est François.

— François ? C'est qui, donc, déjà ?

— L'ancien ami de Gilles. Je pense vraiment que c'est lui qui a donné le goût à mon ex de faire son tour sur les sites de rencontre. Il l'a peut-être même aidé. Pis lui aussi, il était encore marié, à l'époque. Deux beaux champions !

— J'veux pas être plate, Maryse, mais si ça avait pas été

ça, ou l'influence de François, je pense que Gilles aurait trouvé un autre moyen. Quand un gars est décidé à sauter la clôture, y'a pas grand-chose qui va l'empêcher, me semble !

— T'as raison. Mais c'est pas assez pour que je me prive de lui faire voir tout ce qu'il a fucké. Juste pour qu'il se sente coupable et comprenne, au moins. Pour l'instant, je sais pas encore comment je vais m'y prendre, j'ai pas assez d'information, mais je vais m'arranger pour en trouver. Il se doute même pas que je l'ai dans mes projets. Il perd rien pour attendre !

Maryse a ce sourire qui m'attriste. Son œil est brillant de méchanceté, ses lèvres pincées. J'ai hâte qu'elle en finisse, il y a trop longtemps que ça dure. Je quitte mon amie avec une drôle d'appréhension. Le besoin de me retrouver chez moi se fait pressant, et ça m'étonne. J'ai envie de réfléchir, de visiter des zones d'ombre qui autrefois me terrifiaient. Prendre mes peurs par les cornes, peut-être, et m'en débarrasser. Ce n'est pas facile à faire, un examen de conscience, et j'en ai un monstrueux qui m'attend. J'en ai un avant-goût, depuis que je consulte Docteur Jacques. Les jours qui séparent nos rencontres sont envahis de moments de vague à l'âme, de questionnements, de colère, même. Je les repousse plus ou moins, pour n'en prendre que de petites bouchées, mais je sens que ça ne suffit plus. J'entends la voix douce de Docteur Jacques m'encourager : « Tout doucement, Valérie, une petite chose à la fois. Elles ont l'air isolées, tes craintes, tu penses peut-être qu'elles n'ont pas de liens, mais je pense le contraire et on va aller voir, OK ? »

OK, patron.

Devoirs de psy :

- *Mon père. Je me rends compte qu'avant que je le pogne avec sa ~~maudite pitoune bleachée cheap~~ pétasse, notre relation était pas vraiment « proche ». Il était pas du genre affectueux, ça c'est sûr, quoique... quand j'étais petite, il l'était. C'est vrai, j'me souviens de fois où il m'aidait en sortant du bain, il m'enroulait dans une grande serviette et m'assoyait sur ses genoux en me frottant pour me sécher. Il m'appelait sa Poupette. J'aimais ça. D'autres fois, on regardait un film ensemble, collés sur le sofa en mangeant des chips quand ma mère travaillait tard. J'avais même le droit de boire une Orange Crush, ces soirs-là. C'est des bons souvenirs, ça. Il riait avec moi, me parlait, des fois il faisait du bricolage avec moi. Quand est-ce que ça a changé, au juste ? Ah oui, je sais. Un soir, en sortant du bain justement. Je faisais comme d'habitude, me tenant devant lui, toute mouillée en attendant qu'il mette la serviette autour de moi. Ce soir-là, il a fait une drôle de face en regardant entre mes jambes. Après, gêné, il est sorti de la salle de bains en me disant de me sécher toute seule, que j'étais assez grande. J'ai regardé à mon tour. Est-ce que c'était les nouveaux poils tout noirs et agaçants qui l'avaient fait réagir comme ça ? Aujourd'hui je me rends compte que oui, sûrement. Après, quand j'ai commencé à avoir des seins... Je me souviens de la fois où il a dit à ma mère : « Me semble qu'elle devrait se mettre des chandails plus lousses, ça commence à paraître, là... » Oui, c'est là que les choses ont changé et qu'une distance s'est installée. J'avais quoi, onze, douze ans ? Je sais plus trop. Ah bon. C'est peut-être important. Sans doute, en fait. Parce qu'après ça, on passait nos soirées cinéma chacun dans notre fauteuil… et il me tenait à bout de bras pour me donner des petits becs, le soir. Distant. Ah ouain ? ? ?*

- *PARLER DE ÇA À Dr J.*

- *J'étais pas tellement belle, rendue ado, jeune adulte. Pas comme mon amie Sophie, en tout cas, avec ses longs cheveux blond naturel, ou l'autre, Isabelle, avec ses grands yeux de poupée et son linge cool. J'étais maigre, j'avais trop de seins pour ma taille, des hanches qui ~~me faisaient chier~~ m'énervaient et m'énervent toujours, je portais mes cheveux brun plate attachés. J'étais loin de Farrah Fawcett ! ! Pourtant, et j'ai jamais compris pourquoi, des gars s'intéressaient à moi. Peut-être que j'étais pas si pire, finalement ? Ben non. C'était juste mes seins, probablement. Les gars qui me cruisaient étaient pas exactement des pétards, j'avoue. Mais quand même. J'étais pas non plus comme Josée Lemoine, en secondaire cinq, qui était grosse, petite, boutonneuse. Elle pognait, elle aussi, mais seulement parce que les gars disaient qu'elle était cochonne. Important ? À voir.*

- *J'ai jamais eu de « style » à moi. Au cégep, y'avait des cliques, évidemment : ceux qui tripaient sur Madonna et New Kids On The Block et les autres sur Billy Idol et Bon Jovi. Moi, j'étais partout à la fois. Je chantais (mal) du Pat Benatar à tue-tête, autant que les hits de Whitney Houston. J'allais dans les bars avec mes amies, avec mes cheveux fraîchement permanentés, mes grosses boucles d'oreilles en plastique, en espérant leur ressembler. Si je changeais d'amies, je changeais de look. J'ai eu une petite période un peu punk-new-wave alors que Depeche Mode,*

The Cure et Duran Duran jouaient en boucle à la radio, et une autre plus rock en me défoulant sur Nirvana, Pearl Jam ou AC/DC. Même à l'époque, j'arrivais pas à ~~me brancher~~ m'affirmer. Ou peut-être que c'est tout simplement parce que je suis pas bornée ? Une espèce de caméléon ? Je faisais pareil avec mes chums, dans les premiers temps comme dans les derniers, Maryse et Julie ne se sont jamais gênées pour me le dire. Comme si je savais pas ce que je voulais au juste ou si j'étais prête à me changer pour plaire. Ark. C'est ce qui est plus plausible, mais c'est laid. Vraiment ?

- *Maryse dit que je m'arrangeais peut-être pour que ça foire après deux ans, avec mes chums. Comme si j'autosabotais mes relations sans m'en rendre compte. J'aimais mieux prévoir que ça allait chier plutôt que d'être surprise. Wow, plus j'y pense, plus ça se peut. Ça fait dur, quand même ! C'était pareil, avant Sabrina ? J'ai pas eu de « vrai » chum, avant Sabrina !!! Pas fort. Pourquoi ? Peur de quoi, au juste ? Du sexe ? Ben oui, tarte ! J'évitais les situations qui pouvaient mener à ça. J'ignorais les gars qui essayaient de me séduire, au point où une rumeur circulait au cégep que j'étais peut-être lesbienne. Coudonc, peut-être que je commençais à me poser moi-même la question et que c'est pour ça que j'ai accepté de sortir avec Steeve ? Sûrement que Dr J. aimerait ça avoir un petit cas d'identité sexuelle pas claire ? Ha ha ! Même pas drôle. Ben quand même un peu !*

OK, ça suffit pour aujourd'hui. Soit dit en passant, depuis que je suis avec Robert, et même avant, pour être honnête, mon orientation sexuelle ne fait pas le moindre doute. À la simple pensée de mon amoureux, d'ailleurs, je sens le trouble envahir ma tête autant que mon ventre. Il me manque, Robert. Plus de trois semaines, déjà, qu'il est parti. Cette dernière séparation me semble encore plus douce-amère que toutes celles que nous avons vécues depuis notre rencontre. À cause de tout ce qu'elle représente, de notre avenir ensemble ? Que je finisse par accepter de l'épouser ou pas, nous serons désormais conjoints de manière plus officielle, à condition que je ne commette pas l'irréparable, bien entendu… Si Robert revenait aujourd'hui, je ne serais pas davantage en mesure de lui donner une réponse claire et précise que je l'étais lorsqu'il a fait sa grande demande. Ça me déçoit et m'angoisse… Pourtant, je sens déjà que je ne suis plus tout à fait la même, que je chemine, comme dirait mon thérapeute. Est-ce suffisant ? Pour un temps, au moins ? Une nouvelle vie avec lui, une promesse de conjugalité bénie par l'Église ou non, un nouveau chapitre dans notre histoire… ça, j'en ai envie. C'est vraiment la maudite bague qui change tout. C'est stupide, ce n'est qu'un symbole. Mais justement, pourquoi est-il aussi important ?

Les paroles de Maryse me font réfléchir au point où j'ai ce qui me semble être un éclair de génie : la demande en mariage de Robert survient au bout de deux ans de fréquentations. L'étape à laquelle mes autres relations ont avorté, le moment où j'ai presque tout gâché avec Robert à cause de ma jalousie et de mes conclusions trop vite tirées. Si je m'étais écoutée, je l'aurais accusé de mener une double vie, de me mentir et de me trahir. J'aurais explosé, tôt ou tard, et je lui aurais tout balancé ça sans lui donner la possibilité de se défendre, et surtout sans la moindre pièce à conviction. Un autre exemple de ma façon classique de saboter mes relations ?

Je m'empare de mon cahier et note cette dernière observation. Alors, une autre révélation s'impose à moi : comme ma première tentative de sabotage n'a pas fonctionné, suis-je en train d'en tenter une seconde en hésitant à accepter sa demande ? Suis-je en train de résister au point où, blessé sévèrement, Robert n'aura que le choix de m'abandonner ? Au secours ! ! ! Robert…

Là, ce n'est pas une révélation qui s'impose à moi, mais bien un manque sévère de lui, de son être, de son toucher. Quand nous faisons l'amour, ou… en fait, chaque fois que son corps se trouve près du mien, j'ai envie de poser mes lèvres sur chaque petit fragment de lui et déguster cette peau qui me fait bouillir de l'intérieur. Je me repais de son cou puissant, glissant la langue le long de la veine qui y palpite, la laissant y tracer un parcours de désir. Ses épaules solides me donnent envie de m'y agripper pour me hisser sur lui, mon épiderme se fondant au sien, puis d'onduler en goûtant son torse et en léchant au passage le joli sphinx tatoué sur ses savoureux pectoraux. Son ventre, ses côtes, ses hanches me bouleversent par leur perfection si masculine, la peau hâlée tendue sur ses muscles fermes. Son organe de plaisir s'éveille à mon approche, s'enhardit tandis que je m'en délecte, tétant comme une enfant pleine de gratitude jusqu'à ce que sa semence surgisse, telle une délicieuse irruption. Moi ? Qui l'aurait cru ! C'est Julie qui serait ahurie de constater qu'il m'arrive de m'égarer dans de telles pensées. Je me languis de la bouche de Robert qui sait si bien me rendre hommage. Cette bouche que je prendrais plaisir à simplement embrasser pendant des heures, si la suite inévitable ne venait rompre ce charme si simple.

J'ai chaud, je désire cet homme avec une telle intensité que j'en tremble. Pourquoi alors est-ce si compliqué ?

Pourquoi ne puis-je pas me réjouir, jubiler de cet incroyable cadeau de la vie? Grrr. Comme dirait si bien Julie: « J'm'énaaarve ! »

La sonnerie de mon téléphone interrompt mes pensées, mais seulement un très bref instant. En voyant le nom de mon amoureux s'afficher sur l'écran de mon téléphone, une bouffée de chaleur prodigieuse envahit tout mon corps, et c'est la voix rauque que je réponds:

— Allô... je pensais justement à toi...

— Ah bon ? Des belles pensées, j'espère ?

S'il savait ! J'ai encore du mal à exprimer de vive voix le trouble qu'il provoque en moi. Pudeur ? Une autre peur ? Je ne sais trop. Qu'importe, puisqu'il me devine et prend un moyen détourné – et tout de même habile – pour me le faire comprendre:

— Moi aussi, je pensais à toi, et j'avoue que c'étaient pas des pensées très pures... Tu me manques, ma belle Val, tu peux pas savoir combien j'ai hâte de revenir et te prendre dans mes bras... Je t'embrasserais pendant des heures, là !

Pourquoi ai-je encore du mal à le croire ? Pourtant, je songeais très exactement à ça il y a quelques instants à peine. Sa langue qui s'enroule autour de la mienne. Ses mains dans mes cheveux. Nouvelle émanation de chaleur qui irradie de mon ventre, cette fois. *Hot.*

— Robert, je... je pensais exactement à la même chose juste avant que t'appelles... c'est un peu *weird* !

— Ah bon ? Mais j'te gage que tu pensais pas aussi à combien j'aurais envie que tu m'embrasses, ailleurs. Tu me rends fou quand tu fais ça, lentement comme pour me faire souffrir. Et je veux pas nécessairement dire de... ben tu sais de quoi je parle. J'veux dire quand tu me donnes plein de becs dans le cou, sur les épaules, partout.

Comment a-t-il pu savoir que j'avais aussi précisément la même image en tête ? Robert et moi ne sommes pas du genre à verbaliser nos fantasmes facilement, même si notre intimité me semble bien riche à plusieurs égards. Ce n'est pas dans notre nature. Il me manifeste son appréciation sans paroles, il n'est pas l'homme le plus éloquent lorsqu'il s'agit des choses de la chair. Moi non plus d'ailleurs, c'est un autre trait que nous partageons. Alors je me plais à penser que nous avons une connexion bien particulière, unique. C'est pourquoi je suis aussi ravie de sa verve ce soir-là, et qu'elle m'inspire. Je me lance sans trop réfléchir :

— J'aurais envie de goûter à ton tatouage, là, maintenant. Et ton ventre, juste où ça te chatouille toujours un peu…

— … Val, je suis euh… tout excité. J't'imagine trop facilement, tes beaux cheveux sur mes côtes, ton sourire, quand tu fais ça… je capote un peu, là !

— Tu sauras que je capote aussi, je me suis jamais autant ennuyée de toi, même si tu me manques tout le temps ! Mais là, j'ai un peu chaud…

— Moi aussi, je pense que je vais aller prendre une douche froide. Tout va bien, sinon ?

— Hmmm… oui, oui. J'arrive de chez Maryse, j'allais me coucher. Je t'embrasse, Robert, partout où t'en as envie.

Ça peut sembler bien anodin, mais pour moi, c'est carrément osé. Et je suis sincère, en plus, ce qui me fait tout drôle. Il raccroche et je reste là un moment, pantoise. Qu'est-ce qui me prend ? Je suis en train de devenir obsédée comme Julie et Jessica ? Non, il ne faudrait pas exagérer. Sauf que j'ai l'impression que quelque chose vient de se déclencher en moi sans que je sache quoi. Je vais dans la salle de bains me changer et me démaquiller.

Et là, devant le miroir qui me renvoie l'image de mon corps à demi dévêtu, je comprends qu'il est affamé. Que les touchers de Robert font désormais partie de ses besoins primaires, vitaux. Fermant les yeux, je laisse les images lubriques de mon amant m'envahir tout doucement. Une fois dans mon lit, ces fantasmes prennent vie et s'emparent de mon être sans crier gare. Je m'étire, savourant la fraîcheur des draps sur ma peau, et j'imagine Robert me regarder, ses prunelles pétillant de désir. Une sensation inédite se déclenche dans mon ventre, comme s'il se préparait à accueillir mon amant pourtant absent, et d'une main qui ne m'appartient plus je me caresse, tentant de reproduire le toucher si particulier des doigts de Robert qui écartent la chair, la pétrissent, font rouler sous eux la perle qui jaillit. J'humecte les doigts de mon autre main qui prend la relève, glissant onctueusement en m'arrachant de petits halètements discrets. Derrière mes paupières closes, je suis éblouie par le visage de mon amoureux qui me sourit et je l'imagine en train d'ouvrir mes cuisses avant de s'engouffrer tout entier en moi. Nous voguons à une cadence parfaite, mes doigts s'agitent, mon bras s'épuise, et je m'épanche dans un soubresaut ahurissant, serrant compulsivement les cuisses contre le corps absent de mon homme.

Que vient-il donc de se produire ? Moi, comme une vulgaire chatte en chaleur, je me suis adonnée à un plaisir purement charnel, sans la moindre réserve ? Eh bien. C'est Docteur Jacques qui va être épaté. Docteur Jacques ? ? ? Je ne vais tout de même pas lui révéler ça ?

Devoirs de psy (la suite) :

- *Me suis masturbée. Moi !!!! Oh my GOD. OK, j'avais quand même déjà fait ça avant. Dans le temps d'Éric, pour essayer de trouver des façons de me stimuler, de voir si une caresse quelconque arriverait à débloquer ma libido handicapée. Mais ça avait rien à voir. Et surtout, ça avait rien donné. Pas le moindre frisson. Alors que là ? Ouuufff. Ayoye. Je suis encore essoufflée, juste à y penser, pis j'me sens les joues rouge tomate. Est-ce que je devrais voir ça comme un signe ? Si Robert arrive à me faire réagir comme ça alors qu'il est à des milliers de kilomètres, ça peut vouloir dire quelque chose, non ? Que je le désire, c'est clair. Ça non plus, c'est pas la première fois que je m'en rends compte. Mais jamais j'aurais pensé que je pouvais mouiller autant, le désirer au point de compenser son absence de même ! My God, je devrais peut-être profiter de ce déblocage d'une façon ou d'une autre ? J'entends presque Julie me suggérer d'aller m'acheter un paquet de gros faux pénis en caoutchouc et de petits kits de lingerie sexy. Tant qu'à y être !*

Eh ben, on aura tout vu !

11

À quoi pensez-vous ?
Hey amis Facebook, c'est où la meilleure place pour acheter des vibrateurs et autres jouets du genre ? Je pense que je suis en train de me déniaiser moi, là, mais je connais rien là-dedans. En passant, c'est l'fun, jouir, hein ? Avoir su, j'aurais essayé ça avant !

Ben oui, Val. T'as gaspillé toutes ces belles années. Bravo ma championne !

Docteur Jacques est impressionné. Il se dit ravi de mes observations. Tout d'abord, concernant mon père.

— Beaucoup d'hommes deviennent mal à l'aise quand leur fille arrive à la puberté. Ils ont peur d'avoir des réactions inappropriées, certains même d'éprouver du désir. Alors, ils prennent une certaine distance. Parfois, surtout quand le père était auparavant proche et affectueux, et que ça cesse tout d'un coup, la fille le perçoit comme un abandon et déteste ces changements pourtant inévitables qui l'éloignent de son père. T'es pas responsable, c'est pas comme si t'avais pu y faire grand-chose…

— Ah ben… dit de même, c'est tellement logique !

— Pour ton impression d'être un caméléon, ça peut très bien aller avec. Puisque tu peux rien faire pour arrêter les changements qui se produisent dans ton corps et que ces changements ont provoqué l'éloignement de ton père, peut-être que tu essaies de compenser autrement ? Avec ton style ? En te modelant aux personnes que tu veux attirer, par amitié ou autrement ?

— Ça aurait de l'allure. Quand quelqu'un me manifeste de l'intérêt, je veux pas décevoir, alors je me conforme à l'image que je pense que cette personne veut avoir de moi, c'est ça ?

— Ça se pourrait…

— Et le reste, y'a un lien ?

— Tu veux dire pour la durée de tes relations et ton idée que tu es peut-être en cause chaque fois, à la même étape de votre relation ? C'est bien possible. Mais justement, on y arrive. La dernière fois qu'on en a parlé, tu venais de rompre avec Éric et ta relation avec Sabrina tournait au vinaigre.

— Ah oui. Bon, à l'automne après ça, j'ai rencontré Martin, un technicien en informatique qui venait au bureau faire l'entretien des postes de travail. Je le connaissais un peu, mais sans plus puisque j'étais encore à peu près nouvelle dans l'entreprise. J'avais trouvé cet emploi après ma rupture avec Éric et j'aimais beaucoup mon travail. J'étais pas certaine d'avoir envie de fréquenter quelqu'un, mais Sabrina était *rushante* et j'me sentais pas mal seule ; elle était même plate avec ma mère qui m'accusait de pas être assez sévère avec elle. J'avais pas besoin de ça ! On s'est encore éloignées, elle et moi, et ce Noël-là a été particulièrement pénible. Elle a passé la journée à se plaindre de Sabrina qui ne disait rien, de son patron, de ses collègues et même du quartier où, selon elle, y'avait trop d'immigrants. J'en pouvais plus. Je lui ai même demandé si c'était possible qu'elle soit en dépression et elle m'a juste dit: « Franchement! Je suis pas malade dans tête! C'est pas ma faute si je suis pognée avec la vie que j'ai! » Belle mentalité. Née pour un p'tit pain, et tout ça. Donc, Martin m'a invitée à souper et, un mois plus tard, il vivait chez nous. Pas officiellement, il voulait garder son appartement parce qu'il voyait ses enfants une fin de semaine sur deux, mais presque.

— Sabrina prenait ça comment ?

— Pas tellement bien. Au début, elle était super plate. Elle boudait quand il était là, s'enfermait dans sa chambre ou allait chez des amies. J'ai essayé de lui parler, de lui expliquer que Martin était vraiment gentil, mais un soir elle m'a dit: « Ouain, il est gentil jusqu'à ce que tu gâches tout, encore! » Elle avait juste dix ans, mais j'avais l'impression de parler à une ado. Je savais plus trop quoi faire.

— As-tu pensé à consulter quelqu'un ?

— Oui, mais ses notes à l'école étaient bonnes, son comportement avec ses amies aussi. Elle était juste... fâchée. Finalement, après environ six mois, elle a arrêté de bouder et a commencé à être plus gentille avec lui, et avec moi aussi. Mais c'était pas le paradis. Loin de là.

— Et lui, dans tout ça, il réagissait bien ?

— Il me conseillait de lui laisser le temps de s'habituer, d'apprendre à le connaître, et ça a marché pas pire. Sabrina lui a jamais manifesté d'affection, elle est restée pas mal distante, mais elle était pas ouvertement plate, en tout cas. Elle était jeune, encore...

— Comment était ta relation avec lui ? Dans l'intimité, je veux dire ?

— C'était… correct. C'était un gars intelligent, posé et d'humeur stable, il m'aidait à rester calme dans tout ça, à prendre les choses une journée à la fois, et j'appréciais beaucoup ce côté-là de sa personne. Il m'apportait beaucoup, en fait, de manière différente des autres. Avec Sabrina, je pense que c'était ce qu'il fallait pour rétablir un peu de tranquillité à la maison. Mais je sais que tu veux dire au lit. Eh bien…

Au lit ? Martin était complexé, assez mal dans sa peau, physiquement du moins, et se satisfaisait de courtes séances de baise ventre à dos. Ça me convenait nettement mieux que le missionnaire routinier de Gaétan. Je fermais alors les yeux, le laissais déverser son sperme en moi et me murmurer des mots parfois étranges aux oreilles. Étranges ? Là, je suis charitable, parce qu'en fait, au début, j'avais été assez choquée. Cet homme réservé, à l'allure placide, se défoulait lors de nos ébats, heureusement brefs. La première fois que je l'ai entendu me dire « ah, ma petite salope, tu aimes ça, hein ? » j'ai été pour le moins sidérée. Je n'ai rien dit, parce que je ne savais pas quoi répondre. Il a pris mon silence pour une approbation et a continué dans la même veine. Au fil des mois, je suis devenue sa « petite cochonne qui aimait se faire enculer » même s'il n'a jamais même tenté d'effleurer l'entrée de cet orifice, mais ça devait être la raison de sa position fétiche. Il fabulait aussi de manière plus concrète en me disant : « Oui, suce-moi plus fort, je vais te l'enfoncer dans la gorge, ma grosse queue ! » Mais rien ne changeait et il me pénétrait toujours de la même façon. Tout ça se terminait assez vite. Une fois, je me suis demandé si c'était une manière détournée et pas très subtile de me dire qu'il aimerait que je lui fasse une fellation. Il avait été particulièrement prévenant ce soir-là, alors j'ai eu envie de lui faire plaisir. Je me disais qu'il serait peut-être si excité que ça serait terminé en moins de deux, mais il a plutôt paru choqué et a refusé. Je n'ai évidemment pas insisté et je me suis habituée au reste sans jamais répondre quoi que ce soit. Ce n'était, somme toute, pas si pénible. Docteur Jacques attend la suite, tout en respectant que je sois, encore une fois, plongée dans mes souvenirs. Je poursuis donc :

— C'était assez monotone, mais toujours bref et sans vraie passion, ni de son côté ni, encore moins, du mien. Il avait l'air satisfait de ça et j'avais pas du tout envie de creuser le sujet…

— Le contraire m'aurait surpris. Et donc, ça s'est terminé comment ?

— Un moment donné, j'ai constaté qu'il me faisait l'amour de moins en moins souvent. Si on peut appeler ça faire l'amour, en tout cas. On habitait ensemble depuis plus d'un an et demi, je me questionnais pas. En fait, ça faisait mon affaire. Après un bout de temps, il a arrêté de venir se coucher en même temps que moi, et ça, je trouvais ça plus difficile. J'aimais m'endormir près de lui, il ne ronflait pas et me serrait dans ses bras. Je me sentais bien, comme ça. Tranquillement, il s'est éloigné de moi, restant debout bien longtemps après moi, prétextant travailler dans le petit bureau qu'on partageait. Un matin, j'ai vu qu'il avait pas fermé sa session d'ordinateur et qu'il était toujours branché à un site porno. Des filles super jeunes, je dirais des adolescentes, à peine plus vieilles que ma fille, se faisaient « initier » par des « mononcles » bedonnants qui en redemandaient. C'était dégueulasse, ça me levait le cœur. J'ai rien dit pendant un moment…

Mais je comprenais enfin trop bien à quoi il pensait

pendant qu'il s'activait derrière moi, en me disant ces choses sans lien avec moi. Beurk.

— Et quand il a essayé, quelques jours plus tard, d'enlever ma culotte et de me faire ce qu'il faisait toujours, j'ai refusé, disant que j'étais trop fatiguée. Il l'a mal pris et a boudé pendant une semaine. Enfin, je lui ai dit ce que j'avais vu et ce que j'en pensais. Je suis même allée jusqu'à lui demander s'il regardait Sabrina d'une manière aussi dégueulasse, elle qui avait maintenant douze ans et était en pleine puberté. Il a pété sa coche et est parti.

— Il n'a même pas essayé de se défendre ?

— Se défendre de quoi ? Visiblement, il avait honte que son secret ait été découvert, et avec raison. S'il avait fallu qu'il touche à ma fille !

— Penses-tu vraiment qu'il aurait pu faire ça ?

— Non, pas vraiment. Mais juste à penser qu'il fantasmait peut-être sur elle, c'était assez pour me donner envie de vomir. Quand il est parti, j'ai demandé à Sabrina s'il lui avait déjà dit des choses qui l'avaient rendue mal à l'aise ou juste des affaires bizarres, mais elle m'a dit que non. Je te jure, s'il avait fallu…

— Elle te l'aurait dit, non ?

— J'ai pas de raison de croire que non. Ça allait assez bien entre elle et moi, y'avait comme une trêve.

— Les fantasmes ne sont pas toujours un reflet de la réalité. Beaucoup d'hommes et de femmes imaginent des choses qu'ils ne feraient jamais pour vrai, tu le sais, non ?

— Ben oui, je sais. Mais les filles sur qui il tripait étaient des enfants ! C'est malade, ça, un pédophile ! J'ai passé deux ans de ma vie avec un pédophile !

— Valérie, s'il est pas passé à l'acte, tu peux pas lui reprocher d'avoir des envies, même si elles te répugnent.

— Ouain, mettons. En tout cas.

— Bon. Et après ?

— Après, y'a eu Denis, l'avant-dernier avant que je rencontre Robert.

— C'était quel genre d'homme ?

— Le genre d'homme assez invisible, je dirais. Il travaillait à l'épicerie où je vais toujours. Je recevais Maryse et Julie à souper, un soir, et il n'y avait plus de viande à fondue dans les frigos du supermarché alors je lui en ai demandé. Son sourire en disait long, il me cruisait. Avec des commentaires pas très subtils, du genre « c'est donc parfait pour un souper en amoureux, hein ? » il a fini par savoir que j'étais célibataire et, la semaine suivante, pendant que je faisais mes courses, il est venu me demander si j'accepterais de prendre un café avec lui. C'était un gars drôle, il me faisait rire, et j'en avais bien besoin. Il aimait des choses que je ne connaissais pas, comme la danse sociale et les quilles, mais j'ai appris, et faut que je dise qu'on s'est amusés. C'était pas comme avec Éric, mais quand même.

— Et Sabrina ?

— Elle le trouvait insignifiant, comme Maryse et Julie, d'ailleurs, qui riaient de moi quand je leur parlais de mes soupers dansants. Elles se moquaient toujours de sa moustache. Bref… Sabrina l'ignorait, en fait. Ni chaude ni froide. Mais il me faisait du bien et je voulais rien bousculer. Ce qui était parfait, aussi, c'était qu'il était vraiment pas fatigant au lit.

Ah, Denis. Lui qui présentait déjà, au tout début de la quarantaine, des signes incontestables de troubles érectiles, le seul qui me convenait d'un point de vue sexuel puisque l'abstinence devenait de plus en plus son *modus operandi*.

Il était devenu vite embarrassé par les ratés de son organe et me laissait tranquille pendant des périodes qui ne cessaient de s'allonger. La perfection, quoi. Jacques sourit patiemment depuis ma dernière réplique et poursuit :

— Je dois comprendre que sa libido était... déficiente ?

— Non, il en avait envie, mais sa queue suivait pas. Il me jurait que c'était pas à cause de moi, que je l'excitais et qu'il avait envie de me faire l'amour tout le temps, mais quand arrivait le bon moment, pfff. Un ballon qui se dégonfle.

— Ça t'offusquait pas ?

— Un peu, oui. Au début, j'étais un peu froissée, je me demandais si je lui plaisais vraiment, ce qui clochait avec moi pour que ça se passe de même. Je voyais bien qu'il était excité, puisqu'il bandait normalement quand on s'embrassait et qu'on se caressait. Il voulait se faire prescrire la petite pilule bleue, mais comme il avait un historique de problèmes cardiaques, son médecin a pas voulu. En bonne fille compréhensive, je lui ai dit que c'était pas grave. Puis il compensait en masse en me disant à tout bout de champ qu'il me trouvait belle, brillante, drôle. J'avais besoin de rien d'autre. C'était parfait, vraiment. Comme un ami colleux et pas fatigant.

— Oui, je comprends. Tu avais le meilleur des deux mondes, l'admiration dont tu avais besoin sans le sexe qui venait avec d'habitude.

— En plein ça ! Après quelques mois, il a arrêté d'essayer d'avoir des relations. Il a plusieurs fois tenté de me caresser, pour pas que je sois frustrée, mais je lui ai bien fait comprendre que c'était pas nécessaire. M'endormir dans ses bras me suffisait. J'me sentais bien avec lui, en sécurité. C'était un gars un peu vieux jeu, galant.

Il m'envoyait des fleurs une fois par mois, sans raison particulière ; il cuisinait super bien, préparait le souper presque tous les soirs, était attentionné, et mes collègues me trouvaient ben chanceuse même si mes amies partageaient pas cette opinion-là. Lui aussi essayait de me rapprocher de ma mère, me disant combien je devais en profiter pendant qu'elle était encore là. Il était plein de bonne volonté, mais chaque essai me déprimait. Avec Sabrina, je peux dire qu'il a tout fait pour que ça marche. Il avait une fille de son âge qu'il ne voyait pas souvent parce qu'elle était partie vivre avec sa mère en Europe. Elle lui manquait beaucoup et j'imagine qu'il aurait voulu compenser en se rapprochant de Sabrina, mais elle l'a jamais laissé faire. Et quand on a rencontré Corine, sa fille, Sabrina a même pas essayé d'être fine avec elle.

— Est-ce qu'elle était ouvertement désagréable avec lui ?

— Assez, oui. À chaque occasion, elle lui faisait bien sentir qu'il était pas son père. Dès que Denis essayait de lui demander quelque chose, mettre la table ou ranger sa chambre, elle l'ignorait en haussant les épaules. Je lui ai parlé, mais elle m'a dit : « Voyons, m'man, c'est pas comme si t'allais passer le reste de ta vie avec lui. Pis c'est vrai que c'est pas mon père, il a pas à me dire quoi faire ! » Elle avait son ton d'ado dans toute sa splendeur. On se chicanait pour tout et pour rien ; elle ne voulait plus nous suivre nulle part, boudait sans arrêt et elle s'éloignait de moi. Quand elle a eu sa première peine d'amour, je savais même pas qu'elle avait un chum…

— Tu te sentais déchirée, entre les deux ?

— Oui, pas mal. Et Denis avait de plus en plus de misère à regarder ça sans pouvoir agir. Quand Sabrina était vraiment bête avec moi, ça le mettait hors de lui.

Je savais qu'il avait raison quand il me disait qu'il fallait que je sois plus sévère, que je me laisse pas faire, mais j'avais peur de déclencher encore plus de colère, alors je faisais rien. Et ça empirait. Quand elle a eu quatorze ans, Sabrina a commencé à sortir avec un gars de cinquième secondaire. Et là, ça a dégénéré. Elle allait dans des partys, rentrait plus tard que l'heure que je lui avais donnée, je savais qu'elle buvait et qu'elle a sûrement goûté à autre chose. Elle me parlait plus de rien. Plus j'essayais de la punir, pire c'était. Un soir, je lui ai interdit de sortir et elle s'est sauvée par la fenêtre de sa chambre, comme dans un mauvais film. Je l'ai vue juste quand elle montait dans l'auto de son chum et j'ai rien pu faire pour l'arrêter. Elle avait pas de cellulaire, je lui avais dit que je la trouvais pas assez responsable et je le pensais, mais j'aurais aimé qu'elle en ait un pour pouvoir la joindre...

— Elle aurait sûrement pas répondu à tes appels...

— Ouain, j'imagine. En tout cas, ce soir-là, Denis a insisté pour que j'appelle la police. Je voulais pas. On s'est chicanés fort. Il me disait que ça allait juste empirer si je lui donnais pas une bonne leçon, mais j'étais pas d'accord, ou j'avais peur d'être d'accord. Quelque part, je savais qu'il avait pas tout à fait tort, mais je voulais pas en arriver là. *Anyway,* ça s'est réglé tout seul parce que c'est la police qui a téléphoné pour nous dire que Sabrina avait été arrêtée pendant une descente dans un bar. Je suis allée la chercher au poste, et quand je suis revenue, Denis m'a dit qu'il pensait pas pouvoir continuer. Il est parti deux jours plus tard, et j'ai pas vraiment fait d'efforts pour le retenir. J'étais juste fatiguée de tout ça ; d'avoir mal, de me demander ce qui clochait avec moi, pourquoi j'étais pas capable d'aimer et d'être aimée... J'en pouvais plus de m'apitoyer sur mon sort, mais je pouvais pas faire autrement et je voulais que ça arrête…

— Et… ça a arrêté ?

— Pas vraiment. Après cette aventure-là, Sabrina s'est calmée un peu. Elle a cassé avec son chum sans que j'aie à intervenir, mais elle m'en a pas parlé. La seule chose qu'elle m'a dite, un soir, c'était qu'elle était désolée pour moi que Denis soit parti, mais elle avait pas l'air très sincère. Et ben franchement, je pense qu'elle était pas tout à fait sobre parce qu'elle m'a dit ça presque en riant, les yeux tout rouges. Après, elle est partie dans sa chambre et moi, j'ai pleuré.

— Est-ce que tu crois qu'elle est responsable de votre rupture ?

— Non, je pense que ça serait arrivé tôt ou tard. Je voulais pas donner à Denis la place qu'il pensait mériter, et il voyait ça comme un manque de confiance. C'est assez vrai… mais ce qu'il sait pas, c'est que je lui donnais raison la plupart du temps. J'étais juste trop *chicken* pour le lui faire savoir, encore moins pour agir en conséquence. En fait, je voulais pas qu'il ait raison, même si je savais que j'avais tort. Tordu, hein ? Eh boy, je peux pas croire… je viens juste de comprendre ça !

— C'est bien, Valérie. Tu commences à voir des choses, en m'en parlant. Je trouve ça très positif. Mais tu peux pas te blâmer, tu faisais de ton mieux pour élever ta fille. Je pense que tu commençais à faire confiance à ton propre jugement sans t'en rendre compte. Au lieu de laisser quelqu'un d'autre décider à ta place, tu résistais.

Vraiment ? Wow, je trouve ça assez spécial, comme déduction. Il est en train de me dire qu'au fond, j'ai peut-être eu raison ? Je sais pas. Que serait-il arrivé si j'avais été plus ferme avec Sabrina ? Je ne le saurai jamais et, Dieu soit loué, tout ça est derrière moi, maintenant.

— Mais je me suis tellement inquiétée…

— C'est pas facile *dealer* avec une ado en perte de contrôle. On ne sait jamais à quel point on doit intervenir, et les choses auraient peut-être été plus graves si tu avais été plus sévère. Tu m'as dit qu'aujourd'hui vous aviez rétabli une belle communication, elle et toi. Ça vient peut-être du fait qu'elle a senti, à ce moment-là, que t'étais de son bord. Ça compte…

Oui, de son bord. Je l'étais, et je le suis encore. Aurait-elle pu se rendre encore plus loin ? Oui, je le sais maintenant. J'en ai entendu des histoires d'horreur de jeunes qui se retrouvent en centre jeunesse ou, pire, de délinquants qui traînent ça toute leur vie. Nous nous en étions sorties pas si mal, après tout. Faut que je le dise :

— Oh, elle était pas si pire. Là, je le vois avec du recul, et j'ai entendu des histoires bien plus effrayantes. C'est sûr qu'à ce moment-là, j'avais peur que ça dérape pour vrai. Je la voyais déjà devoir aller en désintox ou lâcher l'école… Ses notes ont dégringolé pas mal, mais pas jusqu'à l'échec. Chanceuse. Sauf que c'est là que mon père a essayé de reprendre contact. J'étais vraiment pas en état de *dealer* avec ça !

— Non, je comprends. Et tu y as repensé, après ?

— Oui. Chaque fois qu'il m'envoyait une carte de Noël, un message de bonne fête à moi ou à Sabrina. Ça me mettait à l'envers pendant quelques jours, surtout à Noël, mais après ça passait…

Ouais. Et je lui envoyais des photos de Sabrina, de temps en temps. Jusqu'à celle de l'obtention de son diplôme. Il m'a remerciée, me disant à quel point ça lui brisait le cœur et le rendait heureux en même temps. Qu'attendait-il de moi ? Moi, ça m'enrage et me déchire. Jacques semble le deviner :

— Mais c'est toujours là, non ?

— Ben oui. Ça m'énerve, mais j'ai pas envie de revivre tout ça, d'ouvrir une porte sur quelque chose qui va me faire mal…

— Tu veux pas être déçue, te sentir abandonnée, c'est normal. Donne-toi le temps, un jour tu vas peut-être avoir envie de savoir ce qui se cache là. Ça sera pas facile, mais ça pourrait t'aider à faire la paix avec lui autant qu'avec toi-même…

— Tu penses ? En tout cas, pour l'instant, j'ai encore du chemin à faire.

— Peut-être. Respecte-toi là-dedans, c'est ça qui compte. J'imagine que tu es restée seule un bon moment, après Denis ?

— J'en avais l'intention, mais tout ça devenait trop lourd. Sabrina était pas parlable même si elle sortait presque pas. On se chicanait plus que jamais. Elle faisait tout pour me rendre folle. Elle me mentait, m'écoutait pas quand je lui demandais quelque chose, disparaissait chez ses amies. Elle s'est fait un nouveau chum, et j'me suis dit qu'il était temps que je fasse la même chose. Pierre était un ami de Denis, je l'avais rencontré plusieurs fois avec sa conjointe de l'époque, on sortait entre couples. Quand il a su que Denis était parti, il m'a téléphoné et on a soupé ensemble. Là, il m'a avoué que je l'avais intéressé dès la première fois qu'il m'avait vue, et que c'était terminé avec sa blonde. Il me regardait avec cette étincelle dans les yeux et j'ai pas essayé de résister. J'avais tellement besoin de ça ! On a commencé à se fréquenter au printemps et pendant l'été il est venu habiter avec nous.

— Et Sabrina ?

— Elle était insolente avec lui. Pire qu'avec Denis. Elle le trouvait con, laid, l'appelait « mononcle » Pierre. Elle riait de ses vêtements, disait qu'il était juste un autre « p'tit gros à moustache », m'a même dit qu'elle était pas étonnée puisque c'était le seul genre d'homme que je « pognais ». Elle me précisait que ça aussi, ça durerait juste un p'tit bout de temps. « Je sais pas pourquoi tu t'obstines, maman, tu sais ben que ça va chier dans pas longtemps ! » Et moi, j'avais juste envie de lui prouver le contraire, même si je ne ressentais pas un grand élan amoureux envers lui. Même chose pour Julie et Maryse, d'ailleurs.

— Elles n'approuvaient pas, elles non plus ?

— Non. Surtout quand elles ont su que son trip à lui c'était la danse en ligne, elles ont tellement ri de moi que j'ai arrêté de leur en parler et d'espérer qu'elles veuillent le connaître. J'en pouvais plus d'essayer de les convaincre et je commençais à leur en vouloir de toujours m'attaquer. On se voyait encore pour nos soupers, mais toujours sans nos chums, et j'évitais de parler du mien. C'était mieux comme ça. Cette année-là, Julie s'est séparée de son Danny avec qui elle était depuis genre seize ans et elle a pris ça dur. On essayait de la réconforter, Maryse et moi. Les gars avaient pas d'affaire là.

— Et ta fille, pendant ce temps-là ?

— Elle continuait son secondaire et s'est ressaisie un peu, pour l'école, du moins. Encore une fois, elle partait de la maison dès qu'elle en avait la chance. Elle me disait qu'elle couchait chez une amie, Catherine ou Ariane, mais je me doute bien qu'elle traînait encore dans les bars et faisait des choses qui m'auraient dérangée, alors je faisais comme si je la croyais. Et je continuais à lui donner de l'argent de poche même si je savais qu'elle le dépensait pas de la bonne façon.

— Tu achetais la paix, finalement ?

— Oui, pas mal. La semaine, elle venait à la maison, mais je la voyais pas beaucoup. Elle s'était trouvé une job dans un casse-croûte et elle aimait avoir son argent... ça avait son bon côté, jusqu'à ce qu'elle change de style et s'achète des vêtements vraiment « poupoune ». Les premières fois, j'ai essayé de lui interdire de sortir en haut moulant, talons hauts et jupe trop courte. Elle a ri et m'a dit : « Hey, j'ai acheté ça avec mon argent, ça me fait bien pis j'aime ça ! » Pierre osait pas s'en mêler, mais il était clair qu'il désapprouvait. Après un bout de temps, elle me montrait même plus son linge parce qu'elle savait que je la critiquerais. Elle partait tout de suite après l'école, le vendredi, et je la revoyais le dimanche. À peine... Elle avait le teint vert et s'évachait sur le divan avec ses écouteurs sur les oreilles et levait les yeux au ciel quand j'essayais de lui parler. Après, elle se couchait, en général super tôt, comme si elle avait passé la fin de semaine debout, ce qui était sans doute le cas...

— Tu en parlais avec Pierre ? Avec tes amies ? Ça devait pas être facile à vivre...

— Je voulais pas mêler Pierre à ça... mais j'aurais aimé pouvoir m'appuyer sur lui. Sauf que je me souvenais de ce que ça avait donné avec Denis, et Sabrina était encore plus odieuse avec lui. J'me sentais pas mal seule. Des fois, on est même plus seul en couple que sans conjoint, hein ? Les filles, Julie et Maryse, sympathisaient avec moi, mais j'avais pas envie d'entrer dans les détails. Les enfants de Maryse sont parfaits. Ils font jamais rien de mal, eux autres. Ils ont passé leur adolescence sans problèmes et je voyais que

Maryse avait pitié de moi. Je cherchais pas sa pitié, et comme elle était jamais passée par là, elle aurait pas pu m'aider de toute façon. Pour Julie, tout ce qui comptait, c'était sa rupture, et après ses *dates* avec des gars que ses amies lui présentaient. Ça me changeait les idées de l'entendre et je me trouvais chanceuse d'avoir Pierre même si...

— Même si t'étais toujours pas vraiment amoureuse, c'est ça ?

— Ouain, c'est pas mal ça. Je l'aimais quand même un peu, plus que d'autres de mes chums, je pense. Au moins, j'étais pas pognée comme Julie à m'acharner à trouver un gars.

Et il était quand même gentil, Pierre, quoi qu'en pensaient Sabrina et mes amies. Il était attentionné, m'aidait beaucoup en accomplissant une foule de tâches ménagères. Il était très, très affectueux et ça me faisait assez de bien pour que j'en profite. En fait, avec lui, ce n'était pas si terrible de faire l'amour une ou deux fois par semaine parce que c'était assez doux. Je n'ai jamais ressenti de véritable affolement des sens, rien qui me fasse vibrer ou atteindre ce septième ciel tant prisé par Julie, mais j'en tirais un certain réconfort. Pierre était un amant tendre, ne me brusquait jamais, et n'était pas très imaginatif. Davantage, tout de même, que d'autres, mais il n'exigeait rien d'étrange ou de déplacé, et surtout il m'appréciait et me le montrait de plusieurs façons, par des petits gestes amoureux, des paroles douces murmurées à l'oreille. Il me caressait comme si j'étais précieuse, délicate. Jamais d'emportements ni de brusquerie. À défaut d'être exaltant, c'était... confortable. Mais après deux ans...

— Et côté sexe, c'était comment ?

— Disons que pour une raison que je m'explique pas tellement, j'avais moins de misère avec lui qu'avec d'autres. Je pensais qu'après Martin et ses fantasmes fuckés j'aurais plus de mal que ça à me laisser convaincre, mais avec Pierre, c'était plus une série de marques d'affection que de la grosse passion ou du cul. C'était presque l'fun des fois. Rassurant, je dirais, comme s'il me montrait qu'il m'appréciait sans vouloir me transformer en cochonne de fin de semaine, t'sais ?

— Oui, je comprends. Et peut-être que c'est parce que tu avais confiance en lui plus qu'aux autres, parce que tu te sentais pas menacée ou forcée à quoi que ce soit ?

— Ça se peut. C'est vrai qu'il m'a confié ben des affaires, et que ça m'incitait à faire la même chose. Rien d'important ou de significatif, mais je me suis ouverte un peu plus facilement à lui sur quelques petits détails, comme ma gêne avec le sexe. Bizarre, hein ? Rien de comparable à ce que j'ai confié à Robert, loin de là, mais quand même…

— Et c'est peut-être pour ça que tu trouvais ça pas si mal. Certains prétendent qu'accepter de faire l'amour, c'est symboliquement laisser son partenaire entrer en soi psychologiquement autant que physiquement. Que penses-tu de ce que je te dis, là ?

— Hmmm. Je sais pas. Ça sonne assez psy-new-age, mais ça se peut. Les autres arrivaient jamais à savoir qui j'étais vraiment, mais j'ai toujours pensé que c'était parce que je le savais pas moi-même…

— Ça se peut aussi, t'sais, tu prends ce qui peut te servir, on a pas de preuve, c'est pas comme en médecine quand on peut trouver la cause d'une douleur. Bon. Alors, qu'est-ce qui s'est passé, avec lui ?

— Il a eu quarante ans et tout a changé. Il s'est mis à

vouloir expérimenter plein de choses. Il a acheté une moto, a eu des goûts soudains pour des trucs qu'il avait jamais faits. Il me disait que la vie était courte, qu'il fallait arrêter d'attendre pour vivre ses rêves et m'a annoncé un bon matin qu'il quittait son emploi. Il voulait réorienter sa vie, sa carrière. Il savait pas trop ce qui lui tentait, mais ça avait pas l'air important. Du jour au lendemain, il s'est transformé en un gars que je connaissais pas et qui me plaisait plus ou moins. Après quelques mois, c'était pas plus clair, ce qu'il voulait faire de ses journées. L'été était beau et chaud et, au lieu de planifier des choses avec moi, il partait à moto, disparaissait parfois pendant quelques jours sans me donner de nouvelles.

— Tu ne voulais pas l'accompagner ?

— Moi ? Non ! J'ai toujours eu peur des motos et je ne lui faisais pas confiance. Il était pas le meilleur conducteur d'auto, alors j'avais pas envie de mettre ma vie entre ses mains sur une espèce de bolide de la mort !

— Je vois… et pour lui c'est devenu une passion ?

— Complètement. J'ai toffé l'été sans rien dire. Puis, à l'automne, il a décidé qu'il voulait faire de la musique avec des chums de moto. Il avait déjà joué de la batterie, plus jeune, et là il voulait monter un band et faire des spectacles en hommage à Elvis, jouer dans des mariages ou autres patentes. C'est là que j'ai décroché.

— Pourquoi ? T'étais pas d'accord avec ses choix de passe-temps ?

— Non, c'est pas tellement ça. C'est qu'il voulait faire *juste* ça. Il s'imaginait qu'il pourrait gagner sa vie de cette façon-là. Donc, avec mon seul salaire, je me suis retrouvée à le faire vivre, en plus de Sabrina. Il me reprochait d'être *straight,* de pas savoir m'amuser et profiter de la vie.

Il aurait voulu que je devienne sa plus grande fan, mais… Elvis, vraiment ?

— Tous les goûts sont dans la nature, non ?

— Oui, et c'est pas Elvis, le problème, mais tout ce qui venait avec. J'imagine que ça paraissait un peu trop que j'étais pas d'accord. Il a fini par me dire qu'il emménageait avec son chanteur qui vivait seul dans un condo et j'ai pas protesté.

— Tu te sentais comment ? Tu peux me le dire ?

— J'étais en colère, je lui en voulais d'avoir tout chamboulé sans tenir compte de moi. J'étais blessée de voir que je comptais pas tant que ça pour lui. Un autre échec. Et là, j'en avais assez. Assez de tout. De toujours attirer des gars qui me plantaient là alors que je faisais tout ce que je pouvais pour que ça marche. Assez de Sabrina qui m'a juste regardée en me disant : « Évidemment, qu'est-ce que tu pensais ? Je l'avais *callé,* hein ? » Comme les filles qui me disaient que c'était une bonne affaire, que je méritais mieux. Ah oui, vraiment ? J'en doutais. Je voulais plus rien savoir.

— Quand on est en couple, c'est normal de penser qu'avant de faire un changement de cap aussi radical, les deux devraient être consultés. Faut que les deux partenaires soient sur la même longueur d'onde ou, au moins, qu'il y ait une volonté de faire des compromis. T'es pas fautive, là-dedans, tu pouvais pas t'adapter à ça en claquant des doigts, personne aurait pu.

Je pleure. Les mots de mon psy me font du bien, j'aurais tant aimé les entendre à ce moment-là ! Personne n'a su que c'était ce que j'avais besoin d'entendre. Maryse et Julie étaient de mon côté, mais leur façon de l'exprimer ne me réconfortait pas le moins du monde. Tout ce que je voyais, c'était que j'avais encore fait foirer quelque chose qui aurait pu durer par peur du changement, de l'incertitude, de ma stabilité financière autant qu'émotionnelle. Et je me retrouvais seule, encore une fois.

— Qu'est-il arrivé après ?

— J'ai passé les vacances des Fêtes avec Sabrina. On a même fait du ski ensemble, ce qu'on avait pas fait depuis des années. On a soupé avec ma mère et ma tante à Noël, et ça s'est étrangement bien passé. Quelque chose tracassait Sabrina, mais je voulais pas la brusquer, étant donné que son humeur était cent fois meilleure que depuis trop longtemps. Puis ce soir-là, en revenant chez nous, elle s'est effondrée. Je l'ai prise dans mes bras et elle s'est laissé faire en pleurant comme un bébé. Elle s'est excusée de ce qu'elle m'avait dit, et même de la façon qu'elle avait agi avec Pierre et avec moi. Elle a réussi à m'expliquer maladroitement, avec le nez qui coulait, mais avec une surprenante sincérité, qu'elle avait hâte que le secondaire finisse parce qu'elle avait besoin de changer d'air. Elle m'a avoué qu'une de ses amies lui avait piqué son dernier chum, un gars qu'elle m'avait même pas présenté, mais de qui elle avait été amoureuse. J'ai compris que ma puce était en peine d'amour et on dirait qu'on a connecté, grâce à ça. Je me sentais pas très crédible pour la consoler, mais je pouvais comprendre sa peine et, surtout, elle voulait que je sois là. J'en revenais juste pas. On a passé des heures à parler ou à se coller, c'était incroyable. Je *freakais* parce qu'elle m'a raconté qu'elle avait failli faire l'amour avec son chum et j'étais pas préparée à ça… mais j'ai tout fait pour pas le montrer. S'il avait fallu ! Je me suis rendu compte à quel point elle avait grandi, et de tous les bouts que j'avais manqués, si importants ! Elle a même dormi dans mon lit, ce qu'elle avait pas fait depuis… je sais plus quand. Après ça, notre relation a changé du tout au tout. Sabrina a commencé à se tenir avec d'autres filles, une gang qui apparemment aimait les mêmes choses qu'elle, sans se tenir dans les partys ou les bars. Sabrina faisait partie du comité organisateur du bal de finissants, s'investissait dans toutes sortes d'activités et c'était encourageant. Elle se sentait bien avec ses nouvelles amies ; la manière dont elle me parlait de ces filles me rassurait. Un peu après, Maryse nous a convaincues, Julie et moi, d'aller à Cuba avec elle, et Sabrina m'a demandé de lui faire confiance en la laissant seule à la maison. C'était la première fois qu'elle me demandait ça et je trouvais sa nouvelle attitude pas mal déstabilisante… Elle comprenait que j'étais pas impressionnée par ses dernières années, mais elle était prête à tout faire pour que je lui donne une chance. J'me suis parlé pendant des jours, j'ai demandé à Maryse ce qu'elle en pensait et j'ai accepté. J'ai pas été déçue, au contraire. Sabrina m'a surprise : elle me textait chaque jour, me tenait au courant de ce qu'elle faisait, avec qui elle était et, quand je suis revenue, la maison était impeccable, elle avait mangé tous les plats que je lui avais préparés avant de partir et elle avait rempli le frigo. Je reconnaissais plus ma fille !

En fait, non. Pour être honnête avec ma propre conscience, j'avais l'impression de me retrouver devant une étrangère. Cette belle jeune femme aux grands yeux bleus de son père, je n'aurais pas pu la reconnaître parce que j'avais laissé les événements nous éloigner l'une de l'autre. Je m'en voulais, mais je tenais à bâtir une relation saine et ouverte avec elle, même si les bases me semblaient toujours fragiles. Comme il m'était arrivé souvent de le faire quand elle était plus jeune, j'ai pensé à Steeve, et je me suis demandé ce qu'il penserait de sa fille. Si elle songeait parfois à cet homme qu'elle avait si peu connu. Nous n'en avions presque jamais parlé et je trouvais ça étrange, même si ça me soulageait. Que pourrais-je lui dire ? Je n'ai pas la moindre idée de l'endroit où il se trouve et s'il est même encore vivant. Qu'il n'ait jamais cherché à entrer en contact avec sa fille me dépasse. Comment peut-on vivre en sachant qu'on a quelque part une enfant qui ne sait strictement rien de nous ? Il aurait dû être là pour la voir grandir et devenir qui elle est. J'ai si longtemps entretenu une colère sourde envers lui, un dépit devant lequel je suis impuissante ! J'ai tenté d'offrir à ma fille l'amour d'un père, mais je n'y suis pas arrivée, pas plus que je me suis offert à moi-même l'affection durable d'un compagnon aimant. Ça me déprime.

— La Terre appelle Valérie ! T'es loin, là. Tu veux partager ça ?

— Non, pas vraiment, pas pour le moment.

— OK, on va se laisser là-dessus, alors. Tu vas continuer tes devoirs jusqu'à la semaine prochaine et on reprendra de là.

Oui. Il me semble que mon petit cahier va continuer à se remplir pas mal.

Ouille.

12

Devoirs de psy :

- *Docteur Jacques est la première personne, à part Julie et Maryse (et encore !), à valider mes choix et mes conclusions. Avec lui, j'hésite pas à dire ce que je pense parce que la plupart du temps, il me donne raison. Et si lui me donne raison, ben… j'arrive à me donner raison à moi-même. Il approuve ou justifie, plutôt, mes réactions… et je tripe. Nenon, en fait, je CAPOTE ! Ça se peut-tu ?*

- *Son affaire du sexe qui est comme laisser entrer quelqu'un symboliquement… c'est peut-être pas bête. En tout cas, ça expliquerait pourquoi j'ai autant de plaisir à faire l'amour avec Robert. Jamais je me suis exposée à ce point-là, jamais j'ai « laissé entrer quelqu'un » en moi. Et même pas par effraction, y'a pas de délit, ici, au contraire. J'suis complice et consentante. Trop ? Est-ce que je suis en train de devenir nymphomane, moi, là ? Ha ! Ha ! Ha ! charrie pas, Val ! Mais avoue que c'est weird, quand même…*

- *J'ai pas été capable de m'identifier à Sabrina quand elle a eu sa peine d'amour. Ce que j'ai vécu qui s'en approche le plus, c'est quand mon père m'a comme flushée quand j'étais encore une petite fille, du moins dans ma tête. C'est pas mal ça qu'il a fait, hein ? Le premier d'une longue série à me flusher, mais lui, je l'aimais. Pas comme un chum, c'est sûr ; plus, même. Pour la première fois, j'arrive à me dire que mon père était ~~épais~~ dans le tort. Cool. Sauf que j'arrête pas de penser que Sabrina a presque couché avec ce gars et je veux mourir. J'étais où, moi, quand elle avait besoin de moi, de mes conseils, pour une étape aussi importante ? Et si elle était tombée enceinte ? Si elle avait vécu une première fois aussi désastreuse que la mienne ? Je me serais jamais pardonné. Jamais. Maudite mère pas d'allure… On l'a échappé belle !*

- *Je trouve Dr J. brillant. J'ai l'impression qu'il me comprend pour vrai et qu'à ses yeux je suis pas aussi ~~nounoune et pathétique~~ insignifiante qu'à ceux de Julie et Maryse. Maudit que ça fait du bien ! ! ! Quand il me dit des choses comme « Quand on est en couple, c'est normal de penser qu'avant de faire un changement de cap aussi radical, les deux seront consultés » ou « T'es pas fautive, là-dedans, tu pouvais pas t'adapter à quelque chose de même du jour au lendemain, personne aurait pu », je me sens enfin en paix avec moi-même. Vraiment, on dirait que j'étais pas tant dans le champ. Peut-être que j'ai le droit de me faire confiance, quand je sens quelque chose de pas correct ou de bizarre ? Ça se pourrait-tu ? Comment ça se fait qu'un homme que je connaissais même pas y'a à peine un mois arrive à me faire voir des choses que j'essaie de comprendre depuis trente ans ? Il est ~~hot~~ incroyable, mon psy. Et si Robert était pas dans l'décor, j'ai l'impression que je pourrais même tomber amoureuse de lui. Ça doit arriver souvent dans des situations de même… Ça, faut* PAS *que j'en parle à Dr J. !!! ;)*

Plus que deux jours avant le retour de Robert. Il y a une heure à peine, mes vacances ont commencé. Quelle joie ! C'est tranquille au bureau depuis le début de l'été et, en cette fin de juillet, c'est carrément désert. À croire que les gens ne se séparent pas ou ne divorcent pas quand il fait beau ! Les activités au Palais de justice sont au ralenti depuis la Saint-Jean-Baptiste et ça se ressent partout. Et je savoure, malgré l'absence de Robert, une espèce de liberté qui, contrairement à la solitude que je devrais ressentir, me donne des ailes. Assez ironique… Alors que je me languis de mon amoureux, que celui-ci espère nous voir convoler en justes noces, j'aime vivre seule pour la première fois de ma vie. Lorsque ma fille est dans les parages, nous faisons des randonnées en vélo ou allons au cinéma. Sinon, je me balade seule avec ma paire d'épagneuls, je me cuisine des petits plats, je me détends. J'ai à peine vu ce mois passer et ça m'étonne. Entre mes visites chez le psy, les sorties avec les filles et les agréables soirées avec Sabrina qui, je le pense, est en voie de m'annoncer qu'elle a un nouveau copain, les semaines se sont écoulées à une vitesse folle. Je suis au même point que lors du départ de Robert quant à sa demande en mariage, mais je comprends un peu mieux pourquoi celle-ci m'angoisse à ce point, et je me sens un peu plus paisible. À la suggestion de Docteur Jacques, je vais tenter de savoir exactement pourquoi Robert y tient tant que ça. Connaître ses motivations au sujet des liens sacrés du mariage éclairera peut-être mes propres craintes. Je pense pouvoir lui en parler sans risquer de perdre les pédales et sans lui faire penser que je me dirige vers un refus. Sans pleurer ? Ha ! Ha ! Peut-être pas, mais bon. Mon psy m'a conseillé de ne rien déclarer de précis sur mes intentions, sans toutefois éviter le sujet. Et de me préparer, choisir des mots neutres, sans menace. Facile à dire… Robert a hâte de discuter de ce projet qui lui tient tant à cœur, mais je vais suivre les conseils de mon thérapeute : gagner du temps en faisant croire à mon amoureux que j'ai envie de bien mûrir les tenants et les aboutissants de cette célébration décisive pour que le reste de notre vie ensemble soit heureuse. C'est tout à fait le cas, au fond, et ça me semble raisonnable. Ne reste plus qu'à découvrir si Robert sera du même avis sans bouder.

En attendant, Maryse nous a convoquées chez elle pour une trempette piscine. Elle a supposément quelque chose à nous raconter à la suite de sa rencontre avec François. J'appréhende ; elle va sûrement nous expliquer de quelle façon elle a l'intention de se venger de ce que Gilles lui a infligé en faisant payer François, le supposé instrument des agissements dégueulasses de son défunt mari. J'en ai assez. J'ai envie de joie autour de moi, de calme et de sérénité. Pas de reproches, de vengeance ni de sentence. Je suis en vacances, après tout ! J'aimerais que Maryse décroche de cette quête malsaine. Je la sais cependant assez têtue pour entreprendre ce dernier « cas ». Si, comme elle le pense, cette ultime intervention a pour objectif de régler la « cause » et lui permettre de regarder devant plutôt que derrière, eh bien, ça ne regarde qu'elle. J'ai beau désapprouver, je sais pertinemment que rien ne pourra la faire changer d'idée.

J'avais prévu bien des hypothèses, mais surtout pas ce qu'elle nous préparait.

Maryse attend que nous soyons bien installées dans le coin tourbillon de sa grande piscine creusée, chauffée à une température idéale pour cette splendide soirée des derniers jours de juillet. L'agacement qui m'a assaillie à la vue de Jessica, portant un minuscule bikini de manière presque insolente, se dissipe grâce à la douceur de l'air, à la cour luxuriante de mon amie et à l'ambiance joviale. Julie a le rire facile ; elle doit être dans une bonne passe avec ses amoureux. Ses amoureux… je ne m'habitue pas, malgré mes efforts. Céline et Alain, ce couple « uni » qui l'a incluse en son sein pour se transformer en un triangle amoureux, me confondent. Je l'avoue, j'ai eu du mal à accepter, à comprendre. Mes amies me trouvent *straight,* et elles ont sans doute raison, mais qu'importe. Je n'arrive pas à croire que ce genre d'union puisse être aussi satisfaisant que Julie le prétend ; qu'aucune jalousie ne s'immisce, ne serait-ce que lors de leurs ébats. Ni d'imaginer Julie dans les bras de Céline… Elles sont sensuelles, belles, et je conçois parfaitement que leur attirance soit légitime et réelle, mais… Julie ? Ma Julie, croqueuse d'hommes au besoin de séduction presque excessif ? Peut-être n'est-ce qu'une perception erronée de mon amie, après tout ? Tout ce qu'il m'est permis de constater, et ça devrait me suffire, c'est qu'elle paraît heureuse.

Jessica, par contre, semble d'humeur plus taciturne, presque effacée malgré l'exhibition nonchalante de ses courbes et son attitude facétieuse. Ça ne lui ressemble pas. Maryse, elle, a l'air d'une petite fille impatiente et coquine plutôt que de la garce mesquine qui s'apprête goulûment à savourer sa victoire, comme je m'y attendais. Ça me soulage. Que nous cache-t-elle donc ?

Comme je l'avais anticipé, le champagne est au frais dans un seau à glace à portée de main et nos flûtes pétillent des bulles rosées qui réjouissent tant mon amie. Maryse nous fait languir, causant du temps radieux des dernières semaines, et je sais qu'elle n'attend qu'un signal pour enfin nous dévoiler l'objet de ce rendez-vous. Comme personne ne semble vouloir prendre les devants, je me lance :

— Bon, Maryse, *shoot*. On est là, on a un verre à la main, on est installées, tu peux y aller. T'as soupé avec François. J'avoue que j'ai pas particulièrement hâte de savoir quelle malicieuse intention t'as envers lui, mais vas-y, qu'on en finisse !

Ménageant son effet, elle se contente de nous inciter à lever notre verre sans rien dire. Puis, une fois assurée que nous sommes toutes les trois bien pendues à ses lèvres, elle se livre enfin :

— Pour commencer, pour pas que vous le fassiez avant moi, je vais dire tout de suite que je me suis trompée. Solide. Au point où j'ai le plaisir de vous annoncer que j'ai fait le tour de ma colère et de toute la rancune que j'avais envers Gilles. J'ai plus envie de me venger, même si je vais continuer, avec Julie, à faire prospérer Karmasutra.com. J'ai réglé ce qui devait l'être, et là, j'ai juste envie de penser à ce qui s'en vient, pas à ce qui s'est passé.

Ahhh ! Quel soulagement ! Je souris de toutes mes dents, moi qui n'espérais plus entendre ma douce amie prononcer de telles paroles. Wow. Mais je ne suis pas sûre de bien comprendre, pas plus que mes amies d'ailleurs, dont l'air confus est éloquent. Maryse s'en rend bien compte et il est évident qu'elle a hâte de nous raconter la suite. C'est avec un aussi grand sourire que le mien qu'elle continue :

— Julie, tu te souviens de la femme qui était à l'hôpital

le soir où Gilles est mort ? Celle qui était avec lui quand il a eu son « malaise » ?

— Oui, la maudite. Comment je pourrais l'oublier ? J'avoue que j'ai eu envie de la rentrer dans un mur, celle-là...

— Bon, ben, elle s'appelle Sonia et c'est l'ex-femme de François.

Un hoquet de surprise généralisé accueille cette révélation et incite Maryse à poursuivre. Elle nous raconte : François a lui-même été trompé à plusieurs reprises et pendant des années par sa femme ; il a vécu à peu près le même calvaire de manipulation et de mensonge que Maryse a connu. Il n'était pour rien dans les agissements de Gilles, avait même essayé, en vain, de les contrecarrer. Maryse nous avoue qu'elle a d'abord été sceptique, pour bientôt se laisser convaincre par la sincérité qu'elle voyait briller dans les yeux de François. C'est là, prétend-elle, qu'elle a choisi de croire. Croire son interlocuteur qui se mettait ainsi à nu devant elle, croire en la vie et au destin, surtout. Une telle coïncidence ne pouvait pas être ignorée, affirmait-elle, et j'étais entièrement d'accord. C'est aussi à ce moment qu'elle a senti que tout se mettait enfin en place pour lui permettre de profiter du reste de sa vie en paix. Ce qui me fait le plus plaisir, c'est que je ne vois plus dans son sourire que quiétude et bienveillance. Comme il m'a manqué, ce sourire ! Mais il y a plus, je le sens ; une étincelle particulière danse dans ses prunelles alors que Maryse se mord les lèvres comme une petite fille. Enfin, elle nous dévoile le clou de sa rencontre avec François :

— En fait, il m'a avoué qu'il m'a toujours trouvée de son goût et que ça a brisé son amitié avec Gilles. Il savait que mon mari me trompait et il était juste pus capable de le laisser me faire ça. En même temps, il aurait voulu me le dire mais avait peur que je le déteste, lui, le messager, ça fait que… il prenait un gros risque en me racontant tout ça, et là, ben…

— Et là, quoi ? l'interrompt Julie. Ça se pourrait-tu que notre *bitch* en chef se soit laissé attendrir par le sourire et les beaux yeux du gars qu'elle s'apprêtait à crucifier, genre ?

Éclat de rire général, ponctué du plus savoureux rougissement de Maryse et d'un aveu des plus mignons :

— Ben oui, euh… on dirait bien. Je sais pas comment ça se fait que j'ai changé d'idée boutte pour boutte à son sujet en si peu de temps, mais c'est ça qui est ça.

Je contiens mal ma joie :

— *OhmyGodOhmyGodOhmyGod !* Quand est-ce que vous allez vous revoir ?

— Euh, ben… demain soir. Pis on a de la misère à attendre, des vrais ados !

Jessica pousse un soupir qui, en d'autres circonstances, aurait paru exagéré, mais qui nous fait plutôt éclater de rire. Elle s'explique :

— Ah, c'est cool, Maryse. C'est tellement l'fun, c'te période-là, quand ça fait juste commencer pis que tout reste à découvrir… T'es chanceuse, profites-en !

— Ben là, es-tu en train de me dire que c'est déjà rendu plate avec ton beau patron, toi, là ? demande Maryse, légèrement inquiète.

— Non, non. Mais ça change, forcément. Je m'ennuie de ça, le bout où tu le vois dans ta soupe et lui pareil, où tu peux juste pas attendre. Les heures ont l'air ben trop longues…

— Oui, les mosus de papillons, hein ? Si on pouvait

juste les faire durer tout le temps…, ajoute Julie, soupirant à son tour.

Son commentaire me semble étrange. Mélancolie ? Nostalgie ? Moi qui trouvais justement que ma copine semblait nager en pleine béatitude… Je m'étonne de cette réplique de la part de notre spécialiste des fameux coléoptères si difficiles à trouver, et à retenir. Moi qui croyais que son bonheur était complet et que les papillons volaient dans tous les sens pour elle, je ne sais plus trop que penser. Elle fait diversion en me demandant :

— Pis toi, ton beau Robert revient après-demain, tu dois avoir hâte !

— Oui, vraiment. J'ai comme l'impression qu'on était en *stand-by* depuis deux mois et que là on va pouvoir recommencer à vivre et à respirer comme du monde, ou presque.

— En tout cas, j'espère que Sabrina travaille dimanche soir.

— Oui, jusqu'à minuit. Ça tombe plutôt bien…

— Plutôt ! J'irai pas cogner chez vous dimanche soir, j'ai l'impression que tu vas être occupée ! promet Julie.

Oui, j'en ai bien l'intention. Pour la suite, on verra…

Son vol est retardé. Merde. Il y a déjà une heure que je suis à l'aéroport et je m'impatiente. J'ai eu du mal à me convaincre qu'il serait là, à apprivoiser l'inconnu, le vertige devant tout ce qui serait désormais différent. Et là, ce pépin. Est-ce un signe ? Quelque chose cloche ou va clocher ? Je me réprimande d'avoir de telles pensées négatives alors que je devrais me réjouir. Mais je ne fais que ça, n'est-ce pas, ressentir l'inverse de ce qui devrait être ? Je croyais pourtant que le dernier mois m'avait appris quelque chose, mais je dois bien admettre qu'entre apprendre, assimiler et agir en conséquence, il y a peut-être une grosse nuance.

On annonce enfin l'arrivée du vol en provenance de Calgary. Je suis comme une somnambule, assise sur un banc trop dur, à regarder sans les voir les passagers retrouver leurs proches. Mes narines frémissent déjà de l'odeur de Robert, mes lèvres picotent de se coller aux siennes et je les mâchouille sans relâche. À ce rythme, elles seront gercées et craquelées à son arrivée. Ses baisers seront donc un baume exquis. J'aime cet homme, c'est aussi évident que le nez au milieu de mon visage… mais alors ? Pourquoi ce retard inopportun me soulage-t-il en même temps qu'il me torture ? Maudite folle. Pas pour rien, le psy, après tout.

L'appareil transportant mon homme s'est posé sur la piste et ma fébrilité monte d'un cran. Trente minutes plus tard, des passagers commencent à apparaître, et j'entends un couple préciser qu'il arrive de Londres, dont l'appareil a pourtant atterri un bon dix minutes après celui de Robert. Mais que se passe-t-il ? Un texto de Robert m'informe enfin :

Grrr. Y'a un problème avec la porte de la soute à bagages. On se fait niaiser, ma belle ! ! ! J'espère qu'ils vont régler ça vite, trop hâte de te voir !

Bon, quoi d'autre encore ? Je vais me chercher un café, question de passer le temps, et ce n'est qu'une bonne demi-heure plus tard qu'une autre alarme texto retentit :

Ça y est, enfin... qq minutes et je suis là ! xx

Précisément dix-sept minutes plus tard, je le vois enfin. Encore une fois, j'ai l'impression de tourner la scène finale d'un film : nos regards se croisent, se soudent l'un à l'autre. Plus rien n'existe. Seul l'espace qui nous sépare et que Robert parcourt à grandes enjambées, presque au pas de course. Mon estomac se noue, j'ai la gorge sèche et les mains moites. C'est donc ça, l'effet des papillons. Que je ressente ça maintenant, alors que je connais Robert depuis deux ans, me semble presque absurde. Oui, mon cœur bat follement lorsque je vois apparaître cet homme, chaque fois ; la petite décharge d'adrénaline qui me fait sursauter lorsque je l'aperçois de loin, dans une foule ou n'importe où, m'est désormais familière. Mais il s'agit d'autre chose, aujourd'hui. Ça vole, ça brasse, une volée de papillons virevolte dans mon ventre et je dois donner raison à Julie et Jessica : c'est enivrant. J'ai l'impression de ne plus être dans mon corps ; en esprit, je suis déjà avec Robert. Il me soulève, m'embrasse à pleine bouche, les gens nous regardent, quelques personnes esquissent un sourire de connivence, d'autres de dégoût. Envieux. Mon cœur fait des folies, cognant comme si je venais de fournir un effort surhumain avant de s'arrêter quelques fractions de seconde puis de s'emballer à nouveau. Ma langue s'accroche à celle de Robert, ses mains dans mes cheveux me décoiffent et je suis pendue à lui, hameçonnée comme une petite truite, sans la frayeur, évidemment. Je veux que ce moment dure une éternité, ne jamais devoir retourner à mes doutes, mes angoisses, mes stupides appréhensions.

Beaucoup trop tôt, nous nous séparons de quelques centimètres et Robert me dévore de ses beaux yeux :

— T'es tellement belle, Dieu que tu m'as manqué !

Sa bouche emprisonne la mienne, m'interdisant toute réplique. À contrecœur, nous nous dirigeons vers le stationnement, et là, adossée à ma voiture, je le laisse m'embrasser encore. Il est gourmand et son sourire me chavire chaque fois que j'ouvre les yeux. Il est là, vraiment là, et jamais je n'ai connu de désir aussi puissant. J'aurais presque envie qu'il me fasse l'amour ici, debout contre ma Toyota. Je me trouve sotte. Puis il me murmure, le souffle court :

— J'ai tellement envie de toi, je te prendrais ici, maintenant…

Je souris à mon tour. Cette connivence… elle est là depuis le tout premier jour, même si je m'interdisais d'y croire. Comment Julie a-t-elle pu laisser passer un tel homme ? « Pas pour moi », m'a-t-elle assurée tant de fois. Je sais. Pas pour elle, pour moi.

Nous réussissons tant bien que mal à entrer dans la voiture et je suis heureuse de prendre le volant. Ça me calmera sans doute un peu. Quelques minutes, trente maximum, et nous serons à la maison sans devoir nous retenir davantage. C'est la plus longue demi-heure de ma vie. S'il avait fallu que Robert revienne à l'heure de pointe un soir de semaine ordinaire, ça aurait été intolérable. Mais la circulation est fluide.

Dès la porte de la maison refermée, nous pouvons enfin laisser libre cours à nos élans réfrénés. Jamais je n'ai été aussi affamée de lui, de quiconque. J'ai cependant envie de le savourer, me régaler lentement, m'apaiser une caresse à la fois et il le devine. L'urgence semble aussi forte pour lui qu'elle l'est pour moi, mais d'un accord tacite, nous prenons le temps de nous rendre dans notre chambre et de nous dévêtir à coups de baisers et de touchers tremblants. J'ai envie de glisser mes lèvres sur son corps entier, que ma langue laisse de douces traînées de désir sur sa peau, mais ça s'avère impossible. Mes yeux plongés dans les siens, je me glisse sur lui et l'attire en moi sans plus de préambule. Nos baisers expriment toute la soif du monde, la complicité incomparable de deux amoureux ; nos langues se cherchent, se faufilent. Tant de sentiments, de questions, de réponses et de révélations peuvent passer par un simple baiser ! Ça m'émerveille et m'émeut. De petits lèchements traduisant l'impatience aux entortillements profonds, de légers mordillements de nos lèvres au souffle chaud de son haleine à mon oreille, je ruisselle tandis que, immobile, sa queue m'emplit de toute sa vigoureuse douceur. Comment ai-je pu passer à côté de ça pendant tant d'années, avec tant d'amants ? J'ai du temps à rattraper, des heures de plaisir à récupérer et l'homme qu'il me faut pour y arriver. Je me redresse pour l'enfouir encore plus profondément en moi et il gémit, un air de concentration intense crispant son beau visage. Je sais qu'il voudrait que je le transporte dans une chevauchée endiablée, mais je préfère le sentir là, tout simplement. J'ondule, basculant les hanches en douceur pour m'approprier sa virilité tout entière et, après quelques minutes de ce manège, c'est moi qui n'y tiens plus. Robert me fait basculer, m'assujettit sous la force de son assaut et pénètre en moi, symboliquement ou non. Docteur Jacques me dirait que cette communion est manifeste, que Robert est aussi profondément ancré dans mon cœur et dans mon âme qu'il l'est dans mon corps, et je lui donnerais raison. Les mains de mon amant saisissent les miennes et son torse s'appuie contre le mien ; Robert étire mes bras au-dessus de ma tête, me forçant à un abandon que je ne retiens pas le moins du monde. Nos sueurs se mêlent et nous ondoyons ensemble tandis que mes jambes l'emprisonnent solidement. Nous nous appartenons et aucune pensée troublante ne vient gâcher ce moment béni. Je reconnais ses halètements, et son rythme qui s'accélère m'annonce qu'il ne saura faire durer cette étreinte. J'ai envie de le laisser s'épancher, déverser dans mon ventre le résultat d'une si longue attente. Mon tour viendra, ça n'a aucune importance puisque mon cœur jouit, et ce, depuis de longs instants. Orgasme clitoridien, vaginal… c'est bien beau, mais un orgasme cardiaque ? Ha ! Ha ! Julie l'aimerait celle-là !

Après un long frisson et quelques tremblements, Robert se laisse choir près de moi et me capture dans ses bras. Je ne veux plus bouger de là, jamais. Pas question. Je suis sur un nuage de bien-être indestructible ; il m'embrasse, son souffle est toujours haletant, le mien également. C'est ça, le bonheur, hein ? Oui. Du moins, jusqu'à ce que Robert ouvre la bouche et me dise :

— Je sais que ça changera rien, mais j'ai juste trop hâte que tu sois ma femme.

Whack. Le charme ne s'est pas rompu, il s'est… fracassé.

Comment vais-je réussir à esquiver la maudite question, maintenant que Robert est de retour pour de bon et alors que nous partons dans quelques jours pour une escapade supposément romantique ?

Meeerde.

13

Contrairement à ce que j'appréhendais, Robert n'a pas évoqué le sujet du mariage avant notre départ. Il était trop occupé à bouder. Mon manque de réaction à la phrase maudite l'a froissé, et il me l'a montré de manière bien peu élégante. Je me doutais de ce trait de caractère dont je n'avais eu que des aperçus, mais là, j'ai été servie. J'ai eu droit au silence complet pendant deux jours, accompagné de regards accusateurs intenses. Il se croyait subtil, mais je l'ai surpris à quelques reprises. Je trouvais cette tactique enfantine très agaçante. À tel point que je n'ai rien tenté, au début, pour le dérider. Mais le troisième jour, je n'en pouvais plus. Si Robert ne changeait pas d'attitude, j'allais exploser et commettre un geste que je regretterais. J'ai donc enfilé mes gants blancs et usé de mon charme pour l'amadouer, jouant le tout pour le tout. J'ai admis que j'avais figé, en évoquant la surprise. Je l'ai embrassé, chatouillé jusqu'à ce qu'il cède, ce qui m'a tout de même demandé un effort considérable. Quelques fois, pendant ces deux jours de comportement glacial, je l'ai détesté. J'ai détesté ses sœurs, aussi, puisque je les tiens responsables de ses accès de colère correspondant mieux à un bambin de trois ans qu'à un homme prétendument mûr. Il n'aidait pas sa cause ! Mais comme je tenais à ce que notre voyage se passe dans le bonheur et l'harmonie, j'ai mis de l'eau dans mon vin en me promettant d'aborder la question de cette attitude déplorable plus tard, au besoin. Nous avons donc réussi à renouer doucement, et à préparer nos premières véritables vacances ensemble en Virginie (presque) sans anicroche.

Robert dort en paix et moi, j'écris. L'endroit est magnifique. De mon balcon, j'entends et je vois, malgré la pénombre, les vagues se briser sur la plage, à quelques mètres seulement de l'endroit où je me trouve. Une grosse lune presque pleine file vers l'ouest, et son reflet métallique sur l'eau me semble surréel. Je pourrais être à l'autre bout du monde que je ne serais pas plus dépaysée. En ce moment, alors que les touristes bruyants sont couchés et les commerces avoisinants fermés, il n'y a que la mer et moi. Moi et ma tête tout emmêlée.

Devoirs de psy :

- *Je vois plus Robert de la même façon depuis son retour. Déjà que l'intensité avec laquelle j'aimais faire l'amour avec lui me surprenait, là, c'est autre chose. J'me sens encore plus proche de lui, mais en même temps, plus loin. Je sais pas si la maudite demande y est pour quelque chose, mais c'est comme si j'avais encore ~~plus~~ peur de le perdre, peur que quelque chose foire au moment même où j'essaie de me convaincre que ce mariage-là est une bonne idée. Superstitieuse, moi ? Pas rien qu'un peu ! Je suis à la veille de trouver des pages Facebook de sorcellerie pour voir si y'aurait pas une p'tite potion à base de sang de grenouille qui me guérirait une bonne fois pour toutes. Ben oui. Me connaissant, je m'étoufferais avec ou je la vomirais drette là. En tout cas. C'est quoi, c't'affaire-là ? Faut que j'en parle à Dr J.*

- *En parlant de tous mes ex, je me rends bien compte que ça a dû être ~~l'enfer~~ difficile pour Sabrina et je m'en veux. Je sais ben qu'elle était jeune, quand j'ai eu mes autres chums, mais elle a jamais été aussi proche d'aucun d'eux qu'elle l'est de Robert. C'est probablement ma faute. Je lui ai imposé tous ces gars-là, sans lui demander si ça la dérangeait. Je viens enfin de comprendre que même si je pensais que c'était une bonne chose pour elle, c'était peut-être pas ce qu'elle voulait. Je regrette pas parce que je suis pas sûre que je serais arrivée, toute seule, à être une ~~bonne~~ mère potable, mais… peut-être que oui, finalement ? Et peut-être que ça nous aurait évité ben des chicanes et des réactions, à Sab et moi ? Je le saurai jamais. J'ai pas envie de me poser ces questions-là, parce que, anyway, je peux rien y changer. Wow ! ! ! J'viens-tu de dire que j'voulais pas me torturer pour rien, moi-là ? Wouhou ! Une première ! Sauf que l'effet pervers de tout ça, c'est que j'ai une raison de plus d'hésiter à accepter la demande de Robert. Si Sabrina l'aime et s'attache à lui et que ça finit par péter, elle va en souffrir aussi…*

- *D'un autre côté, j'me dis : « Hey, elle a presque dix-neuf ans ! » C'est elle-même qui me l'a dit : elle va pas rester à la maison éternellement, et il est temps que je pense à moi, pour une fois. Eh que ça m'a fait ~~capoter~~ drôle d'entendre ça de sa bouche. Elle sait, au fond, que je m'efforçais de lui donner une vie de famille avec chacun de ces gars. Elle m'en veut pas… elle est hot, ma fille ! Mais en fait, c'est peut-être parce que le choix que j'ai à faire, là, je dois le faire pour moi, et juste pour moi. J'ai jamais fait ça de ma vie, sauf quand j'ai décidé de garder Sabrina au lieu de me faire avorter. Pis encore. C'était une non-décision. À force de staller et de niaiser, il était trop tard pour faire autrement. J'étais juste un bébé moi-même, mais là, coudonc, est-ce que je stalle encore, jusqu'à ce qu'il soit trop tard ? My God ! Là, faut que je prenne une super grosse décision et je peux même pas avoir recours à Sabrina pour faire pencher la balance. Ça m'aiderait tellement ! Ahhh j'pense que je viens de trouver quelque chose, moi, là ! Coudonc. Si je peux plus m'en remettre à Sabrina pour trouver des excuses, peut-être que je pourrais me servir de Babouche pis Patouche ? Genre dire à Robert, « Excuse-moi, mais Babouche est pas d'accord pour qu'on se marie, pis Patouche a menacé de se sauver si on le fait ! » Ha ! Ha ! Ha ! Niaiseuse ! Mais sérieux, j'ai quasiment envie d'appeler Docteur Jacques pour lui en parler ! Ben non. Je le vois la semaine prochaine, je suis capable d'attendre. Je pense.*

Oui, je pense, même s'il me semble que je n'ai jamais autant réfléchi de toute ma vie. C'est épuisant ! D'accord, c'est utile et parfois révélateur, mais pas toujours plaisant. Je crois que je tiens vraiment quelque chose, avec cette dernière réflexion notée dans mon carnet. Robert est le premier homme dont je suis amoureuse. Sans doute parce que je l'ai choisi pour moi. D'accord, on s'entend là-dessus. Il est donc le premier que j'ai peur de perdre. Je suis persuadée que c'est inévitable, peu importe la raison, alors je me protège. C'est ça, hein ? Mon psy va vraiment être fier de moi ! N'empêche.

J'aimerais que cette semaine ne se termine jamais.

Chaque instant s'est avéré magique. La route était belle ; je découvrais une nouvelle facette de cet homme merveilleux. Il était curieux de tout, aimait s'arrêter pour, ici, admirer une chute, là, goûter à des spécialités locales. Il n'hésitait pas à emprunter quelque détour pour mieux admirer la beauté sauvage des montagnes ou faire une pause à un belvédère au panorama époustouflant. Moi qui n'ai jamais trop aimé être photographiée, je me prêtais au jeu de la parfaite petite touriste avec un plaisir presque enfantin. Tout est si simple, avec lui. Il est un conducteur prudent et courtois. Nous n'étions jamais pressés et le trajet de l'aller a été aussi agréable que l'est notre séjour à la mer. La première nuit, nous nous sommes arrêtés dans un minuscule *inn* en montagne, à mi-chemin de notre destination. Une petite auberge rustique, en pleine forêt, qui sentait bon le pin. Notre chambre mansardée était décorée avec charme et le lit si douillet que nous nous sommes endormis presque en touchant l'oreiller. Nous avions envie de faire l'amour, mais les centaines de kilomètres de la journée ont eu raison de nos élans charnels. Ce n'était pas grave puisque je me suis réveillée tôt, au chant des oiseaux, les lèvres de Robert sur mes seins et sa main toute chaude entre mes cuisses. Nous nous sommes offert des ébats paresseux et empreints de tendresse durant lesquels nos corps entiers demeuraient soudés l'un à l'autre, aucune distance de nos lèvres ou de nos bras n'étant tolérée de part et d'autre. Cette proximité si délicieuse… Lové contre moi, son ventre contre mon dos, Robert m'envahissait avec une volupté incroyable, usant de son membre dans mes entrailles comme de ses lèvres sur mon cou et de ses mains sur mon ventre. Il me serrait contre lui, comme s'il voulait s'enfoncer encore plus profondément, m'appartenir tout entier. Il m'agrippait les cheveux d'une poigne ferme, relevant plus d'un geste de possessivité que de brutalité. Nos corps ondoyaient à l'unisson, dans un ballet langoureux, et je jouissais comme jamais auparavant. Même l'assoupissement qui s'en est suivi était d'une lascivité incommensurable.

Nous avons quitté notre chambre vers midi, avons mangé de généreuses portions de crêpes comme si nous n'avions rien avalé depuis des jours. Ça creuse l'appétit, autant d'amour. Enfin, vers six heures, nous sommes arrivés aux *Sunrise cabins by the sea*. Ce que j'en avais vu sur Internet m'avait paru tout à fait accueillant, mais la réalité était encore plus étonnante. Un chalet nous attendait, exigu et modeste, mais d'un confort irréprochable. La façade entièrement vitrée nous octroyait une vue imprenable sur l'Atlantique. De grosses vagues formaient un tapis mouvant prenant des teintes multiples à cette heure magique, alors que le soleil entame sa descente. La lumière, en ce début d'août, a déjà son éclat particulier qui annonce le raccourcissement des jours. Déjà ! Une grande véranda munie de deux chaises Adirondack invitait à la contemplation, tant du paysage que de l'esprit, et j'ai su que ces quelques jours remueraient toute une variété d'émotions.

Nos journées se sont égrenées à déambuler sur la grève, cueillir des coquillages, visiter de charmants villages de pêcheurs et déguster de savoureux fruits de mer. Le soir venu, notre véranda nous attendait, et là, nous sirotions du vin en discutant de tout, de rien, ou en partageant un silence confortable. Même ce silence me plaisait. Avec Robert, je ne ressens aucun besoin de le combler ni de le justifier. Je sais qu'il l'estime autant que moi et ça le rend d'autant plus précieux. Mon souhait le plus cher, depuis notre arrivée, est qu'il s'abstienne d'évoquer notre mariage éventuel ; je ne veux pas penser à tout ça ni devoir esquiver ses questions et suggestions. Je n'ai pas eu à le faire depuis le soir de son retour alors qu'il m'a balancé la maudite phrase. Ce soir-là, je lui ai demandé, avec une impatience que je n'arrivais pas tout à fait à camoufler, pourquoi il y tenait tant, à ce mariage. Et j'ai compris plusieurs choses, la principale étant que nos modèles de mariages heureux différaient considérablement. Nous n'avons pas poursuivi cette discussion le même soir, et je pense – j'espère – que ça ne sera pas nécessaire à court terme. Robert m'a plutôt raconté les nombreuses fois où il était venu dans un endroit semblable avec ses parents et ses sœurs. De doux souvenirs, et je me pris à songer avec nostalgie que j'aurais aimé le connaître enfant, ou plus tard, alors que j'étais une toute jeune femme, avant Sabrina. Me serais-je bien entendue avec ses sœurs que je connais à peine puisque nous nous voyons peu ? Avec sa mère qui semble se méfier de moi, comme si je voulais faire du mal à son petit garçon chéri ? Aurais-je été aussi attirée par lui que je l'étais en ce moment ? Je n'en sais rien. Peut-être que non, en fin de compte. Comme il l'avait dit lors de notre première rencontre, je n'étais pas la même femme, et lui certainement pas le même homme. Il m'a confié que l'échec de son premier mariage était sans doute le résultat de ses attentes démesurées et de sa manière quelque peu immature de faire face au déclin de sa relation avec son épouse, celle qu'il avait connue presque à l'adolescence. Il est même allé jusqu'à s'attribuer l'odieux de cet échec, affirmant que c'était peut-être son côté parfois juvénile qui avait rendu sa femme aussi amère.

— Je sais que t'es capable de bouder, quand ça marche pas comme tu veux. Mais c'est pas la fin du monde !

— J'étais pas mal pire que ça, avant. Je piquais des crises de jalousie, je boudais, comme tu dis, mais pendant des semaines. Comme un bébé.

— J'avoue que ça me surprend pas, quand je vois comment tes sœurs et ta mère te traitent ! T'as pas mal toujours tout eu sur un plateau d'argent, non ? Encore aujourd'hui, tu pourrais leur demander n'importe quoi, n'importe quand, pis elles seraient à tes pieds !

Ma remarque se voulait taquine, mais c'est pourtant vrai. C'en est presque ridicule au point où je frémis lorsqu'une fête quelconque est l'occasion d'un repas avec ses proches. Les trois femmes de sa famille en viennent presque aux coups pour le servir, le bichonner. Un peu plus, elles lui beurreraient son pain ! Toutes les conversations tournent autour de lui, son travail, sa santé, ses humeurs. C'est un véritable miracle qu'il ne soit pas devenu totalement égocentrique ! Mais bon, si ce n'est que ça…

En ce dernier soir, je suis incapable de me résigner à dormir. Je veux profiter de chaque instant de paix qui me reste. Je sais qu'au retour, bien des choses changeront et je ne pourrai plus retarder l'échéance de livrer le combat ultime contre mes démons. Faire face, et vaincre, surtout. Même s'il n'avait jamais été question de mariage, Robert s'installera à la maison ; nous devrons nous habituer à notre présence mutuelle permanente. Je m'en réjouis sincèrement, car le voir partir toutes les deux semaines me déchirait. Et le mois durant lequel j'étais persuadée qu'il menait une double vie, celui qui a mené à la visite de Maryse là-bas et à la découverte des véritables aspirations de mon fiancé, m'a affectée. Je ne veux plus souffrir de la sorte, c'est inhumain.

Devoir de psy :

- *En fait, c'est con. Je souffrirais de le perdre qu'on soit mariés ou pas. J'aurais pas moins de douleur, j'aurais pas moins l'impression de mourir s'il me laissait alors qu'on est simplement des « conjoints de fait », pis ça serait un échec aussi gros. Ça fait que… Pourquoi j'arrive pas à me rentrer ça dans la tête ? C'est sûrement important. En parler à Dr J.*

Les premières lueurs de l'aube, ocre et roses, donnent une teinte indéfinissable et dégradée au ciel lorsque je me décide enfin à rejoindre Robert. Mais avant de dormir, j'ai autre chose à faire. J'ai déjà dit que j'avais du temps à rattraper, n'est-ce pas ?

— Alors, il s'est passé pas mal de choses depuis qu'on s'est vus, non ? Les retrouvailles ont dû être agréables ?

Docteur Jacques me regarde, dans l'expectative, avec un gentil sourire. À cause du retour de Robert et de mes vacances, j'ai espacé cette consultation de deux semaines supplémentaires, ce qui fait que je n'ai pas vu mon psy depuis trois longues semaines. J'en ai long à lui raconter… J'ai envie de lui mentir, lui dire que je suis guérie et que l'absence de Robert m'a fait comprendre plein de choses, que j'ai compris à quel point je l'aimais et que je voulais passer le reste de ma vie à ses côtés. Le genre de conclusion que j'aurais souhaitée, en somme. Je lui réponds plutôt :

— Oui, pendant environ une heure, c'était fantastique… mais il a tout gâché avec une toute petite phrase : « J'ai hâte que tu sois ma femme. »

Il veut tout savoir, et je lui raconte. Pas avec les détails explicites et libidineux qui me viennent à l'esprit, mais assez pour qu'il comprenne que rien n'est réglé.

— S'il avait rien dit, t'aurais continué à flotter sur ta bulle pendant longtemps, tu penses ?

— Oui, sérieux. J'étais si bien, je commençais vraiment à me sentir calme, confiante. C'est tellement con ! C'est juste des mots, ça devrait rien changer, comme il le dit lui-même !

Je suis fâchée, et je préfère nettement ça à la confusion ou à la tristesse. Au moins, je ne pleure pas, ce qui est déjà incroyable.

— Est-ce que tu lui as dit ?

— J'ai répondu : « Justement, Robert, si ça change rien, pourquoi on se contente pas d'être bien, heureux comme on l'est maintenant ? J'ai pas besoin d'avoir une bague au doigt pour savoir que je t'aime… » Il a pas aimé ça. C'était la première fois que je lui exprimais mon malaise. Mais me semble que j'ai été correcte, non ?

— Oui, tout à fait. T'avais le droit de le demander. On avait dit qu'il fallait que tu comprennes ses raisons, c'est un bon pas. A-t-il ajouté quelque chose ?

— Ça a été long. Il est resté silencieux un bon bout de temps, il est allé aux toilettes, et je pensais qu'il était de mauvaise humeur. Mais en revenant, il m'a dit avec calme que c'était symbolique pour lui. Qu'il avait vu ses parents être heureux ensemble pendant plus de cinquante ans, qu'il trouvait ça beau, et que, d'après lui, c'était un engagement plus définitif si on se mariait, la preuve ultime qu'il avait pas l'intention de partir, qu'il voulait qu'on soit ensemble pour toujours.

— Ça devrait donc te rassurer…

— Oui, ça devrait. Je comprends, en fait. C'est juste que pour moi, quand il m'a dit ça, j'ai ben vu que l'exemple de mariage que j'ai eu, moi, c'est tout le contraire. Mon père était pas heureux, c'est évident. Si mes parents avaient pas été mariés, il aurait peut-être juste décidé de partir quand il a compris qu'il aimait plus ma mère, ça aurait été mieux pour tout le monde.

— C'est bon que tu aies compris ça ! Mais penses-tu vraiment que ça aurait fait une différence ? Y'a plein de gens qui sont infidèles sans être mariés…

— C'est sûr. Je pense qu'au fond mon père est seulement un lâche. Ça aurait sans doute rien changé, mais moi, ça me dit que c'est pas une garantie que ça va durer plus longtemps si t'es marié. Je trouve ça con et irrationnel, mais j'y peux rien.

— OK, je comprends. Alors, que s'est-il passé, après ? Vous avez continué à en parler ?

— Pas vraiment. Je sais que Robert était blessé. J'ai essayé de lui expliquer que c'était pas que j'étais contre, juste que j'avais du ménage à faire dans ma tête avant de pouvoir penser à ça. Il m'a dit qu'il comprenait, mais je suis pas sûre. Depuis, il semble méfiant, quelque chose a changé entre nous ; y'a comme une distance. On a passé des vacances extraordinaires, il était tout à fait là et aussi merveilleux que d'habitude, mais je pense qu'il se retenait d'aborder le sujet.

— Tu sais que tu peux pas laisser traîner ça, hein ?

— Oui, je sais bien.

— Alors, parle-moi de ta relation avec lui depuis que vous vous êtes connus. On va peut-être trouver des pistes. T'es d'accord ?

— Oui, bien sûr. Je commence un peu avant, parce que je pense que c'est important. Le soir où j'ai fêté mes quarante et un ans avec Julie et Maryse a été le début d'un grand changement dans ma vie. Je me suis vraiment rendu compte à quel point j'étais tannée d'être la souris peureuse et plate que j'étais. J'arrivais à la moitié de ma vie et j'avais pas envie que la deuxième soit aussi pathétique que la première. Mes amies m'ont écoutée et encouragée, même si Maryse filait pas elle non plus. Elles m'ont dit que j'étais belle, intelligente, capable d'obtenir tout ce que je voulais. Selon elles, même si j'étais célibataire depuis plus de six mois, ce qui m'était pas arrivé souvent, j'étais mieux seule qu'avec un épais. Je ne trouvais pas que mes ex avaient tous été des épais, mais mes amies étaient convaincues que je pouvais trouver mieux, quelqu'un avec qui je serais heureuse pour vrai. C'est là que je leur ai avoué, comme si je venais de le comprendre moi-même, que je choisissais mes compagnons en fonction de ce qu'ils pouvaient nous apporter, à Sabrina et moi, pas de mon attirance envers eux. Elles en revenaient pas et m'ont dit qu'il fallait que ça change. Moi aussi, fallait que je change, et j'ai commencé ce soir-là, en décidant d'en parler. Mes amies m'ont offert, comme cadeau d'anniversaire, de me « transformer ». Avec leur aide, j'ai enfin eu l'impression de devenir une autre femme, ou plutôt, une nouvelle moi.

— En effet, on dirait bien que t'avais commencé à comprendre certaines choses, des patterns. J'aime beaucoup la nuance que tu apportes quand tu parles de ta transformation. Donc, tu es restée toi-même, mais en version améliorée, c'est ça ?

— Exact. Julie m'a fait changer de coiffure, ensuite Maryse et elle m'ont emmenée magasiner et m'ont aidée à me trouver, enfin, un style bien à moi. C'est fou comment tout a changé autour de moi à ce moment-là.

— Comme quoi, au juste ?

— Ben... ça a commencé au bureau, le lundi matin. Mes collègues m'ont fait des compliments toute la journée. Ils étaient surpris, disaient qu'ils avaient du mal à me reconnaître, que ça m'allait bien et plein de belles choses du genre. Les hommes, surtout, avaient quasiment l'air de m'admirer et réagissaient comme s'ils me voyaient pour la première fois. Même Yves Fecteau, un super bel homme que j'ai toujours trouvé attirant, m'a fait des compliments. Et là, on dirait que toute mon attitude a changé. Tout d'un coup, je me sentais plus solide, j'avais moins envie de me cacher derrière mon ordinateur pour travailler, je sentais que je fittais pour la première fois que je travaillais là, c'est-à-dire huit ans. C'est fou, hein ?

— Non, pas du tout. On a tous besoin de validation, de se sentir admirés ou respectés et, quand ça arrive, ça nous donne de l'assurance. Ça peut sembler puéril, mais je pense que c'est juste humain.

Le voilà qui rationalise et me donne raison, encore une fois. J'aime cet homme d'amour. Vraiment ! Je poursuis :

— Donc, pendant cette fameuse fête, Julie m'a parlé de Robert. Elle l'avait rencontré sur un site, avait soupé avec lui et l'avait trouvé gentil. Sauf qu'il était pas son genre, ça avait juste pas cliqué sans qu'elle puisse s'expliquer pourquoi. Il l'avait étonnée, elle l'avait trouvé mûr et intelligent, mais je pense que certaines choses l'agaçaient, comme le fait qu'il exagère peut-être un peu sur l'épilation et les manucures… c'est une question de style. Elle trouve que ça fait un peu vaniteux, mais moi, ça me dérange pas trop. J'aime mieux ça que le contraire ! En tout cas, depuis qu'ils s'étaient laissés, ce soir-là, elle l'avait toujours gardé en tête, j'imagine. Pas pour elle, mais pour se souvenir qu'il y avait encore des bons gars, séduisants et intéressants. Elle s'est dit qu'avec moi, ça pouvait être un bon match. Sur le coup, évidemment, je voulais rien savoir. La façon dont elle parlait de Robert et surtout avec les photos qu'elle nous a montrées, je trouvais que cet homme-là était bien trop attirant. Pas le genre d'homme que j'intéresse, d'habitude ! Eux préfèrent les Julie de ce monde, jolies, sexy, sûres d'elles, fonceuses. Tout le contraire de moi. J'ai soulevé plein d'objections, mais quand elle a une idée, Julie, elle en démord pas. Une fois que j'ai été transformée, elle a pris une photo de moi avant que je puisse l'en empêcher, et m'a organisé une rencontre avec Robert. Un *blind date*. J'étais terrorisée.

— On dirait que tu t'en faisais pour rien !

— Oui, mais à ce moment-là, j'étais certaine que c'était une erreur monumentale. Donc, même si j'ai presque *choké* à la dernière minute, on s'est rencontrés et on a passé une soirée magique. Elle s'est terminée avec juste un bec, mais le genre de bec qui s'oublie pas, t'sais ?

Oh, non, qui ne s'oublie absolument pas. J'avais eu le sentiment très étrange que c'était naturel, dû pour se produire. Mon karma, quoi. Je me souviens que Robert avait trouvé mon sourire merveilleux. Ce n'était pas un baiser passionné ni rempli de désir, mais de curiosité, de bien-être. Oui, c'est ça. La conclusion de toutes nos paroles échangées, une promesse de partage de moments doux et merveilleux, sans urgence ni contrainte. Ça en fait des révélations en quelques secondes, mais c'est pourtant tout ça que j'ai ressenti.

— Qu'est-ce qui t'attirait, exactement ?

— Ça serait moins long de dire ce que j'aimais pas, parce rien clochait... J'aimais tout. Ses valeurs, sa façon de voir les choses, l'amour... J'ai eu de petits moments de doute, du genre « c'est trop beau pour être vrai, il doit bien avoir quelque chose qui cloche », mais plus je l'écoutais, plus j'étais pâmée. Une vraie ado ! En même temps, Julie nous avait raconté tant d'histoires de gars pas d'allure qui sont des champions pour dire ce qu'on veut entendre, surtout ceux qui sont contaminés par les sites de rencontre, que je me méfiais.

— C'est sain de se méfier, tu le connaissais pas, après tout.

— Non. Mais le plus surprenant, je dirais même bizarre, dans mon cas, c'est que quand il m'a embrassée, je me suis presque vue en train de faire l'amour avec lui sans me demander à quel point ça serait poche.

— Peut-être que ton instinct t'envoyait des messages... il a toujours été là, mais tu te donnais pas toujours la chance de l'écouter !

— Mon instinct ? Bof. Je sais qu'il a toujours été là, mais je pense que des fois y'était juste pas bon. En tout cas. On s'est quittés là-dessus en prenant un rendez-vous pour le surlendemain parce qu'il repartait dans l'Ouest pendant deux semaines après ça.

— Et la deuxième soirée s'est aussi bien passée que la première ?

— Oui. Je m'étais attendue à ce qu'il me dise que c'était juste une joke, qu'il avait pas vraiment envie de me revoir, mais non. Il m'a même téléphoné la veille pour me dire à quel point il avait hâte. Julie m'a dit que le fait qu'il téléphone, plutôt que de texter, était un signe indéniable que quelque chose de cool se dessinait. Elle dit que les textos, c'est un fléau, l'outil parfait de ceux qui ont peur de faire un *move* ou qui veulent te flusher plus facilement...

— Elle a pas tort... si tu savais le nombre de personnes qui m'ont dit la même chose ! C'est une façon prudente de communiquer, sans trop s'engager. Très fréquent au début d'une relation, de nos jours...

— Oui. J'ai vu ça plus tard... *Anyway,* on a passé une soirée merveilleuse. Il m'a fait à souper, on a parlé, parlé, parlé. On avait tant de points en commun que ça faisait presque peur. Méchant feeling ! Il me complimentait et je voyais le désir dans ses yeux. C'était aussi clair que ça devait l'être dans ma figure à moi, mais surtout, je me sentais bien avec lui, comme en sécurité et en paix, je ne sentais pas que je devais l'impressionner ou être une fille que j'étais pas. C'est dur à expliquer. On riait une minute, après on parlait de choses super profondes, de sentiments, de choses intimes que j'ai de la difficulté à partager avec quelqu'un d'habitude.

— C'est l'fun à entendre, ça. Peut-être que, inconsciemment, tu avais assez confiance en toi pour te montrer telle que tu es ? Question de voir s'il t'appréciait réellement ou seulement l'image qu'il se faisait de toi ? Les relations qui durent commencent comme ça, pas de faux-semblants. C'est toujours mieux de savoir à qui on a affaire dès le départ que d'être déçu ou surpris plus tard, une fois que l'attachement est plus solide.

— Ouain, ça a de l'allure. Peut-être que t'as raison. Ce gars-là me plaisait beaucoup et je savais peut-être que ça servait à rien de jouer des *games* avec lui. En tout cas. C'était... parfait comme soirée. Quand je me suis préparée à partir, on s'est juste embrassés. Et là... alors que j'aurais dû être soulagée qu'il essaie pas de me retenir ou de m'entraîner dans sa chambre, j'ai été déçue qu'il fasse rien du genre. En roulant vers la maison, je me posais des milliers de questions et je souhaitais que ça aille plus loin, c't'histoire-là, même si j'avais la chienne comme c'est pas possible.

La chienne, oui. C'est peu dire. En fait, je m'étais sentie comme au bord d'un précipice. J'avais peur de tomber, mais l'exaltation du danger rendait le décor encore plus spectaculaire. Jamais je n'avais éprouvé un tel vertige.

— Peut-être qu'il voulait prendre le temps de te connaître avant de brouiller les cartes. Quand on fait l'amour avec quelqu'un, inévitablement les attentes changent, l'émotivité est plus la même et ça peut compliquer les échanges. C'est pas tous les hommes qui ont besoin de coucher avec quelqu'un au tout début d'une relation, malgré ce que tout le monde pense !

— On dirait bien ! Mais si c'était arrivé à Julie, je sais pas comment elle l'aurait pris !

Je revois mon amie en train d'agoniser devant un message de son Simon. Lui, c'était l'ambiguïté personnifiée et c'est peut-être même ça – un défi, une conquête difficile – qui l'avait attirée vers lui. Elle m'avait dit que son signe astrologique était Poissons et, même si Julie n'y croit pas trop, Simon correspondait tout à fait à certaines caractéristiques voulant que ce soient des êtres fuyants, insaisissables, qui nous glissent entre les mains lorsqu'ils se sentent pris au piège. Je l'avais alertée, mais elle m'avait ignorée. Si quelqu'un me prévenait de quelque chose du genre pour Robert, j'en ferais sûrement autant... mais il s'avère qu'il est Vierge et que ce signe-là est tout à fait compatible avec le Taureau que je suis. Je suis pourtant assez atypique des femmes de mon signe qui sont censées être calmes, en paix et charnelles ! Par contre, je suis tout à fait dans les standards par mon côté traditionnel, conservateur et modeste… Comme quoi c'est un peu n'importe quoi. Je ne parlerais jamais de cela devant Maryse ou Julie puisqu'elles ne répliqueraient qu'avec des railleries. Avec tout le reste, c'est à se demander ce qui a bien pu les inciter à vouloir développer et entretenir notre amitié !

Quoi qu'il en soit, dans mon cas, les signaux que m'envoyait Robert étaient somme toute clairs et, prudence ou pas, j'avais terriblement envie de le croire. Il m'avait affirmé qu'il n'allait plus sur les sites de rencontre, qu'il n'avait pas l'intention de fréquenter d'autres femmes que moi parce qu'il souhaitait voir où ça pourrait nous mener. Et ça, c'était une douce musique à mes oreilles.

— Donc, il est parti pour deux semaines après ce deuxième rendez-vous. T'as vécu ça comment ?

— Pas si mal… En fait, c'est pas vrai. Les premiers jours, tout allait bien. Il me textait souvent, le matin pour me souhaiter une bonne journée, l'après-midi pour me dire qu'il pensait à moi, le soir pour me demander comment s'était passée ma journée et me parler de la sienne. Quelques soirs, il m'a téléphoné et on a parlé longtemps. Chaque fois que je voyais son nom apparaître sur l'écran de mon téléphone, mon cœur sursautait. C'était cool… mais en même temps, j'en étais rendue à traîner mon téléphone partout et à le surveiller toutes les trois minutes. Si je lui envoyais un message et qu'il ne répondait pas dans les instants qui suivaient, je me mettais à angoisser et à me dire qu'il en avait peut-être assez, que je l'avais dérangé, qu'il n'avait pas le temps ou envie d'échanger ou encore, qu'il avait rencontré quelqu'un de plus intéressant que moi. C'est niaiseux, je le sais bien. Il travaillait, moi aussi, normalement c'est pas le genre de choses que je fais au bureau. Mais là, je me contrôlais plus. Ces deux semaines-là ont eu l'air de durer des mois. Enfin, Robert est revenu et on s'est vus quatre fois pendant les quatorze jours où il a été à Montréal. Sauf que…

— Sauf que quoi ?

— Sauf que je l'aurais vu tous les jours si j'avais pu. Mais il s'occupait de sa mère qui venait d'être placée en résidence et avait quand même plein de choses à faire ici. J'aurais aimé qu'il me consacre plus de temps, mais je voulais pas avoir l'air fatigante…

— Je comprends. C'est toujours un peu délicat, au début, hein ?

— Eh boy, oui ! Je savais qu'il voulait rien brusquer et je trouvais ça parfait. Ça me montrait qu'il prenait notre relation au sérieux, mais je percevais aussi ça comme un manque d'intérêt. Moi, je pensais à lui à peu près tout le temps. En me réveillant le matin, en me couchant le soir et tout au long de la journée. Je me demandais ce qu'il faisait, avec qui, comment il était habillé, s'il pensait à moi. Ça me rendait folle. C'est ben beau l'anticipation, mais là j'en avais un peu trop. Il est reparti et j'ai recommencé à douter, à m'ennuyer, à me dire qu'au fond, je ne l'intéressais pas tant que ça et qu'il avait l'embarras du choix. À espérer, chaque fois que je recevais un message texte, que c'était de lui et à être déçue en voyant que c'était seulement Maryse ou Julie. À peser mes réponses quand il m'écrivait, de peur de faire une gaffe en ayant l'air trop entiché, à pas lui écrire quand j'en avais envie pour pas qu'il pense que j'avais trop hâte de le revoir ou que je pensais beaucoup trop à lui. Ça a pris des mois avant qu'il se passe vraiment quelque chose.

— Quelque chose comme avoir des relations avec lui ?

— Oui, mais c'est pas arrivé tout seul… en fait, c'est quand il m'a avoué qu'il était en train de tomber amoureux de moi que ça s'est enfin produit. Il m'a dit qu'il voulait pas s'embarquer tant qu'il était pas sûr que j'acceptais les contraintes qui venaient avec, comme son travail, et que je ressentais la même chose que lui. Il est pas mal romantique, mon Robert…

— OK, c'est super. Donc, il t'a dit ça et toi tu as répondu…

— Je lui ai dit que le fait qu'il parte était difficile, mais que ça me dérangeait pas tant que ça parce que j'en profitais pour décanter et passer du temps avec Sabrina. C'était ni tout à fait vrai ni tout à fait faux. En fait, quand il était pas là, j'étais comme perdue. J'avais plus de repères, plus envie de rien. Je traînais mon téléphone même dans la salle de bains. Plus ridicule que ça, tu meurs, non ? Mais je lui ai pas dit. Y'a quand même des limites. J'veux bien être le plus moi-même possible, mais Robert est pas obligé de savoir que je suis plus que légèrement débile. En tout cas. C'est là que ça s'est passé. C'est comme si c'était la première fois de ma vie que je couchais avec un gars. Ça avait rien à voir avec tout ce que j'avais connu. Y'avait aucun malaise, aucune maladresse, comme si on se connaissait depuis des siècles. Na-tu-rel. Et là, j'ai enfin compris c'était quoi l'affaire. Pourquoi tout le monde est si obsédé par ça. C'était… fou.

Fou, oui, complètement. Il ne m'avait fallu que quelques minutes pour me détendre, moi qui, dans ces moments-là, devenais si crispée que c'était un miracle si mes ex avaient réussi à me pénétrer. La douceur de Robert, sa manière lente et respectueuse de me manifester ses sentiments avaient fait leur œuvre. Et quelle œuvre ! De tous les hommes que j'avais fréquentés, il n'y avait que Steeve que j'avais trouvé beau, et Éric. À l'époque de Steeve, nous n'étions que des ados attardés ; c'était son aura de musicien et son look rebelle qui m'avaient attirée. Éric n'était en fait qu'une jolie coquille qui ne cachait pas grand-chose de significatif à l'intérieur. Or Robert, lui, est un homme, un vrai. Je suis même tentée de mettre une majuscule à Homme. Son corps est solide et vigoureux sans être esthétiquement parfait, mais pour moi, il est plus séduisant que n'importe quel bellâtre adepte de musculation.

Depuis cette première nuit ensemble, Robert me traite comme si j'étais une princesse. La moindre caresse, chacun de ses gestes est empreint d'une sorte de vénération. Comme s'il cherchait à me prouver sa reconnaissance à être avec moi, à quel point il s'estime privilégié d'être à mes côtés. Cela, en soi, serait facilement irrésistible. Si on ajoute à cette conduite son intelligence, la finesse de son humour, son côté positif, sa grande curiosité et sa façon de s'intéresser à tout ce qui me concerne, eh bien, je ne peux faire autrement que d'abdiquer.

— Bon. Après cette première nuit ensemble, les choses ont-elles changé ? Est-ce que c'était plus facile pour toi de le voir repartir et de vivre sans lui pendant deux semaines ?

— Au début, non. C'était pire, en fait. Parce que je me disais que s'il fallait qu'il me laisse, après m'avoir fait connaître autant de bonheur, je passerais pas à travers. J'imagine qu'il le sentait, car chaque fois que je commençais à trouver ça difficile qu'il ne soit pas là, genre quatre ou cinq fois par jour, il m'envoyait un petit mot. Des fois des photos, des pensées ou juste des petits bonshommes sourire ou des babounes qui voulaient dire qu'il s'ennuyait. Je sais pas comment il faisait, mais ça arrivait toujours au bon moment.

— Peut-être qu'il est juste vraiment synchronisé avec toi et qu'il le ressentait lui aussi. Ça se peut, t'sais !

— J'imagine. Faut croire qu'il y a quelque chose, un gars demande pas une fille en mariage juste pour le fun !

— Non, ça, c'est sûr. Et comment ça se passait entre Sabrina et lui ?

— Au début, pas fort. J'ai même eu peur que notre relation, qui commençait juste à avoir de l'allure, se détériore. Elle était déçue, je pense, parce qu'elle m'a dit : « Câline, maman, tu trouvais pas qu'on était bien, toutes les deux ? » Alors le fait que Robert avait envie de faire les choses petit à petit nous a sûrement aidées. On était en couple, mais je continuais à me sentir comme une mère célibataire pas mal souvent… comme le soir du bal des finissants de Sabrina. C'est seulement avec ma mère et sa sœur que j'ai regardé ma fille, mon bébé, partir au bras de son nouveau chum. Mon père aurait voulu être là, ça aurait pu être une occasion de rapprochement… mais ma mère ne me l'aurait jamais pardonné. Même si elle est presque devenue une étrangère tant je me suis éloignée d'elle, je ne tiens pas à ce qu'elle me déteste. J'aurais aimé partager ce moment-là avec Robert, mais même s'il n'avait pas été dans l'Ouest, je n'aurais pas voulu imposer mon chum à Sabrina. Je la regardais, ma grande fille, et j'étais émue aux larmes de la voir si belle. Et pas seulement à cause de la robe, de la coiffure et du maquillage, non. Je me sentais fière de la jeune femme qu'elle était en train de devenir, et soulagée que les orages entre nous ne soient plus que de mauvais souvenirs. Je revoyais ma petite fille dans ses robes de princesse quand elle avait cinq, six ans, et je pleurais sans pouvoir me contrôler.

— Ça fait toujours drôle de voir nos enfants comme ça, c'est comme doux-amer. On se souvient d'eux en couche, ça nous manque, mais de les voir presque adultes, c'est réconfortant…

— Ah moi, sérieux, les couches, ça me manque pas pantoute !

— Donc, si je comprends bien, ta mère et toi avez jamais réussi à vous rapprocher, même après toutes ces années ?

— Non. Plus le temps passait, plus elle devenait amère. J'aurais aimé qu'elle se trouve un amoureux, qu'elle recommence à vivre, mais c'est jamais arrivé. Elle gardait Sabrina souvent, avec ou sans ma tante ; elles ont une belle complicité. Mais avec moi, ça s'est pas recollé. Je la vois pas souvent, à Noël, aux anniversaires. Sabrina lui rend visite plus régulièrement, surtout depuis qu'elle est plus tranquille, et je sais que ça fait plaisir à ma mère. J'ai rien fait pour arranger les choses entre nous, et elle non plus. On est pas en conflit ouvert, c'est juste que sa façon super négative de tout voir me paralyse et me déprime. Je veux pas que ça déteigne sur moi.

— C'est courageux de ta part. Peut-être qu'un jour vous allez trouver quoi vous dire et comment vous le dire.

— J'aimerais ça… Elle rajeunit pas, ma mère. Sa santé est bonne, mais je sais qu'elle sera pas toujours là. Elle va avoir soixante-dix ans et ça fait pas longtemps qu'elle a arrêté de travailler. C'est pas vieux, je sais, mais elle est comme… usée, t'sais ?

— Oui, l'amertume ça use, c'est certain. Mais il est pas

trop tard, il est jamais trop tard. On y reviendra. Pour l'instant, continuons de parler de Robert, si tu veux bien.

— Oui, c'est vrai. Donc... Il a fallu presque un an avant qu'il vienne habiter avec nous. Je trouvais ça ridicule qu'il paie un loyer alors qu'il passait plus de temps chez nous que chez lui en plus de partir la moitié du mois. Et cette fois-là, contrairement aux autres, j'ai demandé l'avis de Sabrina avant d'en parler à Robert. Ça l'a touchée et je m'en suis félicitée. Elle était pas super enthousiaste, mais encore là, le fait que Robert partait régulièrement l'aidait à accepter la transition.

— Tu as très bien fait. Tu lui as donné de l'importance et tu lui as confirmé que non seulement son avis comptait pour toi, mais aussi que tu la traitais en adulte en l'incluant dans ta décision...

— Oui, c'est pas mal comme ça qu'elle l'a compris. N'empêche que ça a été une adaptation. Ça faisait plus d'un an et demi qu'on vivait ensemble, juste nous deux. Ajouter une troisième personne, même si dans les faits ça a pas changé grand-chose, ça a forcément fait quelques frictions. Sab est à l'âge où elle peut accaparer la salle de bains pendant des heures si je la laisse faire, et elle avait pris ses habitudes ; pour les soirées, c'était la même chose, elle avait sa routine, ses émissions de télé préférées. Alors Robert a suggéré qu'on lui aménage le sous-sol pour qu'elle ait son espace, son salon, sa salle de bains, même. Il a trouvé des ouvriers pas chers et ça s'est fait en quelques semaines. Sabrina était aux anges.

— Eh, il a dû compter pas mal de points avec elle en faisant ça ! Juste en te donnant l'idée, en fait.

— Oui, vraiment. Depuis qu'elle est installée dans ses affaires, ça se passe encore mieux. Elle était prudente, se laissait jamais tout à fait aller à montrer quelque sentiment envers lui, mais depuis sa grande demande, et surtout depuis qu'il lui a donné son auto, je pense qu'elle est sa fan numéro un ! C'est spécial de les voir ensemble, des fois je pleure, pour des niaiseries. Comme la façon dont elle l'a remercié quand il lui a donné les clés de sa petite Hyundai. Elle lui a sauté au cou. C'était spontané et ça a duré à peine quelques secondes ; après, elle semblait mal à l'aise, mais c'était beau et vrai. Je sais qu'elle était sincère, qu'elle savait pas trop comment lui faire comprendre à quel point elle était contente, mais ça se voyait, et Robert l'a très bien saisi. J'hésitais à parler à Sabrina de la demande en mariage, mais mon fiancé avait hâte qu'elle sache. Selon lui, elle comprendrait que c'était du solide, qu'elle pouvait le considérer comme autre chose que « le chum de sa mère ». Mon excuse, pour attendre, c'était que je voulais pas qu'elle pense me perdre à cause de ça, ou qu'elle s'imagine que ça changerait plein de choses pour elle. En fait, c'est ben parce que je savais pas encore si j'allais dire oui ou non. Je me suis fait prendre à mon propre jeu. Comme j'ai jamais réussi à parler clairement à Robert, il a tenu pour acquis que j'acceptais et il s'est échappé un soir pendant le souper. Faut que je dise que la réaction de Sab a été presque comique…

Je revois la scène. Nous parlions depuis un petit moment de l'escapade à la mer que Robert et moi avions planifiée pour la semaine suivante. Nous partions seuls ; Robert avait offert à Sabrina de nous accompagner, mais entre faire le chaperon de sa mère et rester seule à la maison, son choix était clair. Je n'étais pas inquiète de la laisser. À presque dix-neuf ans, Sabrina n'était plus la même que lorsque j'étais partie à Cuba et tout s'était bien passé, alors.

Il me fallait tout de même faire les recommandations d'usage. Finalement, Sab a regardé Robert et lui a dit :

— C'était vraiment une bonne idée, ça, Robert. Maman est tellement peureuse en avion !

Et Robert de répondre :

— Ouais, je sais, moi qui voulais l'emmener à Venise pour notre voyage de noces…

J'ai figé, ma bouchée de spaghetti à mi-chemin entre mon assiette et ma bouche. J'ai fait de gros yeux à Robert et il a compris qu'il venait de faire une bourde. Sabrina, elle, a carrément laissé tomber sa fourchette et j'ai eu l'impression qu'elle s'était pétrifiée, comme si quelqu'un avait arrêté le temps ou quelque chose du genre. Elle fixait Robert ; puis, elle a cligné des yeux et m'a dévisagée. Son beau visage exprimait une incrédulité quasi caricaturale, au point où je n'aurais pas été surprise d'y voir apparaître un énorme point d'interrogation rouge, lumineux et clignotant. J'ai eu envie de rire. Presque. Robert s'est raclé la gorge et a dit, l'air piteux :

— Oups, j'pense que j'viens de faire une gaffe. Pour moi, j'vais dormir sur le divan, ce soir…

Sabrina s'est enfin réanimée et m'a regardée, les yeux remplis de larmes :

— Maman, est-ce que c'est vrai ? Vous allez vous marier ?

— Euh, ben… c'est-à-dire qu'on est fiancés, en tout cas…

Sabrina s'est levée et est partie dans sa chambre sans rien ajouter. Je l'ai suivie. À cet instant, à part les quelques agacements sporadiques liés à son attitude parfois douteuse d'enfant gâtée, je ressentais de la colère envers Robert pour la toute première fois en plus de deux ans. Je n'arrivais pas à croire qu'il ne m'avait pas laissé la chance de parler à ma fille seule à seule. J'étais furieuse. Je suis entrée dans la chambre de Sabrina et je me suis assise sur son lit, tout près d'elle. Elle ne pleurait pas réellement; elle semblait plutôt en proie à une foule d'émotions que je n'arrivais pas à déchiffrer. J'ai été étonnée qu'elle me laisse mettre un bras autour de ses épaules, je m'étais attendue à ce qu'elle me repousse. Elle aussi devait être en colère, et je ne pouvais pas la blâmer. Une fois de plus, cependant, ma grande fille m'a confondue. Elle s'est tournée vers moi et a pris mes mains dans les siennes. Puis, d'une voix toute douce, elle m'a dit:

— Maman, si tu savais… j'étais pas capable de te dire ça devant Robert, je suis contente que tu sois venue me trouver, j'avais besoin d'être toute seule avec toi. C'est parce que je suis vraiment contente, pour vous deux. Enfin, je pense que t'as trouvé le bon gars pour toi. Vous vous aimez tellement, c'est clair, je t'ai jamais vue comme ça avec aucun de tes chums, même si je me souviens pas trop de chacun. Mais depuis que t'es avec Robert, t'es heureuse, ça se voit. Je comprends juste pas pourquoi tu m'en as pas parlé avant… J'aurais aimé mieux ça!

— Je sais, ma chouette, c'était pas supposé se passer de même. Mais en fait, c'est parce que je suis encore sous le choc, je pense et ça m'angoisse, tout ça. Tu peux pas comprendre, je l'aime, c'est certain, et j'ai envie que ça marche, nous deux, c'est juste que…

— Que quoi? T'avais peur que je sois pas d'accord?

— Y'a ça, oui… Mettons que je suis en train d'essayer de me comprendre moi-même, OK? C'est sûr que ça me soulage de savoir que ça te met pas à l'envers, je voulais tellement pas que ça arrive!

— À l'envers ? Ben non, maman, au contraire. J'étais contente quand j'ai su qu'il travaillerait juste à Montréal, qu'il partirait plus dans l'Ouest. Je sais que tu trouvais ça dur, toi aussi. Et sérieux, je suis plus un bébé, il est temps que tu penses à toi, un peu, là...

Docteur Jacques me regarde, son sourire indulgent m'indique qu'il respecte ce moment de souvenirs que je viens d'évoquer. Je lui en relate les grandes lignes et il me dit :

— Ta fille est très équilibrée, Valérie. Ma théorie, c'est qu'elle percevait cette demande en mariage comme une confirmation qu'enfin elle pouvait se permettre d'apprécier réellement un homme qui fait partie de ta vie. Qu'il ne partirait nulle part et qu'elle pouvait compter sur lui, un peu comme ce que Robert veut te faire voir par son geste. Mais j'aurais cru que de savoir ça t'aurait peut-être éclairci les idées. C'est pas ce qui est arrivé ?

— Non. J'aurais pensé ça, moi aussi. Ça me soulageait, c'est certain, mais ça enlevait rien à ma panique. Par contre, ce que ça a fait, c'est que ma colère envers Robert s'est évaporée d'un seul coup, ou presque. Il restait quand même de la rancune à cause de la façon que ma fille l'avait appris, et je me sentais mise au pied du mur. Comme si là, j'avais plus de raison d'hésiter ou de tourner autour du pot.

— Et c'était quand, ça ?

— Avant-hier.

— Donc, depuis le voyage, il n'y avait pas eu d'autre discussion ni d'accrochage ?

— Non, tout se passait dans ma tête, je pense que Robert se doutait de rien. J'ai fait comme tu m'as suggéré, je suis restée vague quand le sujet se présentait. Au bord de la mer, j'ai décroché et Robert aussi... On profitait de chaque moment, comme des amoureux. J'avais jamais connu ça. J'ai fait du camping, je suis allée aux chutes Niagara avec Éric et Sabrina, à l'époque, mais j'ai jamais fait de vrai voyage en couple. Mais quand on est revenus, la question a resurgi. J'aurais pensé que Robert serait bien plus préoccupé par la nouvelle job qu'il commençait le lendemain, mais il a trouvé le moyen de me demander, le dernier soir de ses vacances, si j'avais réfléchi à une date, un endroit, un genre de cérémonie et j'ai répondu que j'y pensais encore, qu'il y avait trop d'options ; c'était difficile. J'avais l'impression d'être malhonnête envers lui...

— T'étais pas malhonnête, tu prends une distance vis-à-vis ton angoisse pour essayer de la comprendre, c'est tout.

— Oui, peut-être. Mais il est pas fou. J'arrive pas à me laisser aller complètement à lui parler. Je me sens bien, j'ai pas de blocage ou rien, mais y'a comme une distance qui m'énerve.

— Je pense qu'il est temps que tu fasses l'effort, là. D'après tout ce que tu me dis de lui, j'ai vraiment l'impression qu'il va saisir et essayer de t'aider à y voir plus clair. Tu penses pas ?

— Oui, sûrement, mais je stresse. Je sais maintenant un peu pourquoi, mais quand j'essaie de m'imaginer en train d'organiser mon mariage pour vrai, y'a rien à faire. C'est le néant, je suis juste pas capable.

Docteur Jacques m'a donné quelques conseils sur la façon d'aborder le sujet avec Robert. Il fallait que je lui fasse comprendre qu'il n'était pas du tout en cause dans mon malaise, que je l'aimais profondément. Je devais tenter de lui expliquer que mes craintes venaient de mes relations précédentes, de celles de mon entourage, de mon père, surtout, et lui demander de me soutenir dans mon cheminement... Je trouvais que ça me faisait avoir l'air faible et vulnérable, mais c'était comme un test. Si Robert gardait un esprit ouvert envers tout ça, j'arriverais peut-être à me laisser convaincre.

Peut-être.

« Même quand la blessure guérit, la cicatrice demeure », a écrit un sage sur Google.

Qui suis-je pour le contredire ?

14

Maryse est partie en voyage. L'Italie, Venise en particulier, et une croisière en Méditerranée avec son François. Elle me fait penser à Sabrina quand elle tripait sur un de ses vampires ou quelque autre bel acteur, et je me réjouis de la voir s'abandonner à ce cadeau de la vie auquel elle ne croyait plus il y a à peine quelques semaines. Quand je lui ai demandé si elle ne trouvait pas tout ça un peu précipité, elle m'a simplement répondu :

— T'sais, ça confirme juste que les meilleures choses arrivent quand on s'y attend le moins. Et pourquoi j'me priverais ? On a tous les deux envie de ce voyage. Peut-être qu'on va se taper sur les nerfs au bout d'une semaine, ou qu'on va tomber amoureux, j'le sais pas, mais j'vais pas m'empêcher de profiter de cette occasion. À mon âge, j'ai pus le goût d'attendre pour foncer, y'a comme une urgence de profiter de ce qui se présente, de prendre des grosses bouchées dans la vie. Ça serait trop con de passer à côté de quelque chose juste parce que j'veux pas me planter, ou faire une erreur. Si c'est ça qui arrive, ben coudonc. Ça sera pas ma première gaffe, sans doute pas ma dernière non plus.

Quelle sagesse. J'aimerais donc pouvoir ressentir la même chose, le même appétit pour l'inconnu et les belles surprises ! Maryse resplendissait lorsque nous sommes allées la reconduire à l'aéroport, Julie et moi, et on a été heureuses de la voir ainsi. Notre première impression de François a été plus que favorable : un bel homme chauve aux traits virils, galant et doux. Il a un sourire craquant et des yeux de velours, mais c'est surtout sa façon de regarder notre amie avec tendresse, admiration et une bonne quantité d'étincelles dans les yeux qui nous a convaincues de ses bonnes intentions. Julie a d'ailleurs bien résumé notre pensée, à sa façon :

— Je suis sûre que c'est *the one,* pour elle autant que pour lui. T'as vu comment elle le dévore des yeux, elle aussi ? Whoooa ! Trop *cute* ! ! !

The one. Est-ce bien vrai qu'il y a une personne spéciale pour chacun de nous ? Une véritable âme sœur avec qui la communion n'est pareille à nulle autre, irremplaçable, et avec qui nous sommes assurés de vivre en parfaite harmonie, en amour et unis jusqu'à la fin des temps ? J'y ai déjà cru ; là, je ne sais plus. Si c'est le cas, Robert doit être mon âme sœur. Mais qu'arrive-t-il si moi, je ne suis pas la sienne ? Ce genre de question m'accule aux sempiternels doutes qui ont failli tout détruire entre nous. Je sais que le temps est venu de tout déballer à Robert, de voir comment il accueillera mes craintes. Je risque gros, mais ça devient intenable. Je sais qu'il est froissé, même s'il ne le montre pas, et qu'il combat son envie de comprendre jusqu'à ce que je sois prête à me confier à lui. Je ne serai jamais tout à fait honnête. Alors, pour citer Maryse, pourquoi attendre davantage ?

Le mois d'août est mon favori. Outre les minicanicules occasionnelles, j'adore les journées chaudes dénuées de la lourdeur humide de juillet qui précèdent de magnifiques soirées confortables, un peu fraîches, même. La lumière de ce mois rend tout plus éclatant et je me surprends à tomber dans la lune devant les plates-bandes luxuriantes de Maryse que j'entretiens en son absence. Robert et moi sommes venus la semaine dernière profiter de la piscine, du spa et de ses magnifiques installations. Mon amie a fait de sa cour arrière un havre de paix, avec la petite chute qui murmure et les immenses fauteuils autour du foyer de bronze. Elle a même ajouté un somptueux lit à baldaquin comme nous en avions vu sur la plage, à Cuba. Il lui arrive fréquemment d'y dormir, bien à l'abri des regards grâce à l'immense haie de cèdres cernant le terrain. Bref, cette soirée aurait été magique, n'eût été la tension – subtile mais bien présente – qui habite désormais mon amoureux. Il est chaleureux, mais sur ses gardes. Comme s'il attendait que je fasse les petits gestes tendres la première, ou que j'amorce une conversation qu'il attend avec impatience sans vouloir me brusquer. Ce sera ce soir. La journée a été radieuse, je lui concocterai un repas comme il les aime, nous nous installerons sur la terrasse somptueuse, éclairés par de jolies lanternes et bercés par une musique de circonstance. Je dois des explications à Robert. Mais en attendant, dès mon retour du travail, en ce début d'après-midi d'un magnifique vendredi, j'arrose, je désherbe et je prépare tout ce qu'il faut. Plus que quelques semaines de ce superbe horaire estival, autant en profiter.

Lorsque je sors de la petite serre de Maryse, portant des tomates cerises et une variété d'herbes fraîches, Jessica fait son apparition. Je suis contrariée, mais je tente de le cacher tout en espérant me débarrasser d'elle rapidement.

— Valérie… ça va ? T'es toute seule ?

— Oui, Robert vient me rejoindre tantôt.

— Je me demandais si je pouvais avoir un peu de tomates, moi aussi, y'en a assez ?

— Y'en aurait assez pour une famille de dix ! Sers-toi…

Je jubile. Ce n'est pas très charitable de ma part, mais je n'y peux rien. Avant de partir pour son périple de plus de trois semaines, c'est à moi que Maryse a donné sa clé et son code de sécurité. Pas à Julie, qui est aussi en voyage avec Céline et Alain, ni à sa voisine immédiate, ce qui aurait été naturel. « Je t'en demande beaucoup, Val, je sais que c'est pas sur ton chemin, mais je me sentirais mieux si c'était toi qui venais ramasser les journaux et t'occuper du terrain plutôt que Jess. Je l'aime ben, mais je lui fais pas autant confiance qu'à toi. T'as pas grand-chose à faire, quelqu'un vient tondre le gazon et le système d'arrosage fait sa job, mais les légumes vont se perdre, les fleurs aussi. Prends ce que tu veux, donnes-en à Julie et à Jess, viens te baigner, profites-en ! Si ça te dérange pas trop, évidemment… » Non, ça ne me dérange pas le moins du monde, au contraire, d'autant plus que je crois que Jessica en a été vexée. Vlan ! Dans tes jolies dents si blanches, ma belle !

Jessica n'a pas l'air dans son assiette. Elle qui, d'ordinaire, ne sort pas de chez elle sans être impeccable, me semble quelque peu… négligée ? Oui, c'est ça. Sa queue de cheval n'est pas lisse, elle n'a pas de rouge à lèvres (une invraisemblance, en soi) et porte un t-shirt ample et taché. Que se passe-t-il donc ? Je n'ai pas vraiment envie de le savoir, mais ne pas le lui demander serait impoli. Elle hésite avant de me répondre, prend une inspiration laborieuse et me répond enfin :

— C'est Pierre-Louis… on s'est quittés.

— Hein ? ? ? Ben voyons, comment ça ?

Pourquoi suis-je aussi empathique, tout à coup ? Parce qu'elle souffre ? Parce que je me réjouis de son malheur ? Non ! Je ne peux pas être aussi méchante, quand même. Si ? Ouf… Avec soulagement, je reconnais enfin que je suis bouleversée pour elle, parce que d'une femme à une autre, sa peine me touche. Malgré mes sentiments mitigés en ce qui la concerne, je ne peux faire autrement que d'essayer de la soutenir. Je ne vois plus la fille arrogante et un peu chipie, mais la femme abattue devant une rupture vraisemblablement imprévue. Je m'apitoie :

— Oh non ! Qu'est-ce qui s'est passé ? Tout allait super bien, me semble ! Voyons, raconte !

— J'ai fait une gaffe. Une grosse. Je lui ai avoué que je prenais pus la pilule et on s'est chicanés.

Ah, ce n'est que ça.

— Ben là, c'est pas une raison pour vous laisser. Tu commences à la prendre et c'est tout, c'est quoi le problème ?

— Ben, d'abord, je veux pas. Mon doc pense que je fais de l'endométriose et il veut que je passe des tests. Ça serait peut-être pas grave pantoute, si je la prenais, mais ça m'a toujours donné mal à la tête, pis ça réglerait probablement même pas mes problèmes de saignements. Pis ça, c'est poche, je sais jamais quand ça va commencer pis ça nous enlève des occasions, mais…

— OK, Jess, j'ai pas besoin d'autant de détails ! Reviens-en à Pierre-Louis, là.

— OK. Ben il m'a dit que ça l'avait fait réfléchir, qu'il avait compris qu'il trouvait que c'était pas une bonne idée et que… et que…

Elle s'effondre. Seigneur ! Me voilà avec une véritable crise de larmes sur le dos, moi qui ne souhaite que préparer une soirée importante avec mon amoureux. Je ne peux pas laisser Jess dans cet état. Elle aurait sans doute préféré que Maryse soit là, qu'elle la réconforte comme elle l'a fait la première fois, lorsque Mathieu l'avait quittée. En l'absence de notre mère à toutes, je dois apparemment jouer les substituts. Mouais. Meeerde.

— Viens t'asseoir, Jess. Respire un bon coup et raconte-moi ce qui s'est passé.

Elle me suit avec docilité jusqu'au *gazebo* et se laisse littéralement tomber dans le plus grand fauteuil. Je lui donne le temps de se calmer et, au bout de plusieurs longues minutes durant lesquelles je me dis que j'aurais dû arriver plus tard, elle déballe son sac à grands coups de hoquets et de reniflements :

— Il m'a dit hier soir que tout ça l'avait fait réfléchir, comme j'te disais. Que si j'étais tombée enceinte, il aurait capoté et pas dans le bon sens. Il a dit qu'il avait compris qu'il était peut-être pas prêt à laisser sa femme, et qu'en fin de compte, il était pas trop tard pour essayer d'arranger ça avec elle. Il me disait qu'il était fou de moi, mais qu'il pensait pas que je pouvais lui apporter autant qu'elle, à long terme. Ça veut dire quoi, ça, tu penses ?

J'aimerais pouvoir dire à Jessica ce qui me paraît évident : elle lui apportait beaucoup au lit et l'avait soulagé d'une monotonie qui devenait lourde, mais qu'au fond, il n'était pas vraiment question d'amour, plutôt d'une passade. Je choisis de lui donner une version plus conforme à ce qu'elle espère entendre :

— Ça veut dire qu'il a pas de couilles et qu'il préfère rester malheureux plutôt que de prendre un risque.

— Penses-tu que c'était juste un trip de cul et qu'il me faisait accroire plein d'affaires juste pour être certain que je restais là, à l'attendre comme une épaisse ?

Euh, oui, c'est exactement ce que je pense. Encore une fois, je me censure :

— Non, Jess. Je pense qu'il était sincère, mais que quand est venu le temps de passer à l'acte, il a *choké*. En voyant que t'étais prête à avoir un enfant avec lui, ça lui a fait voir qu'il fallait qu'il se déniaise et il a paniqué. C'est tout.

— J'suis ben tarte ! J'entendais des histoires de maîtresses qui se font niaiser, qui attendent des années que leur chum laisse leur femme sans que ça arrive, et j'arrêtais pas de me dire que pour nous c'était différent. J'imagine que les autres se disent toutes la même chose, hein ?

Oui, sans doute. J'ai déjà eu une collègue qui, après cinq ans de relation avec un homme marié, a été larguée sans avertissement. Le remords empêchait Monsieur de passer à l'étape suivante. Elle en a fait une dépression majeure, la pauvre. Je m'étais dit, à l'époque, qu'elle l'avait bien cherché, et je pensais à peu près la même chose de Jess. Mais comme je sais maintenant ce que c'est que d'être réellement amoureuse, je refuse de lancer la pierre à quiconque. Quoique…

— Bon. Alors tu vas faire quoi, là ?

— Je sais pas, je sais plus rien. Ça scrappe tous mes plans ! J'aurais pu montrer à Mathieu que je me fous de lui, que je suis guérie. Je suis tellement fâchée contre Pierre-Louis que j'arrive pas à penser comme du monde.

— Contre lui ? T'es pas un peu fâchée contre toi ?

— Ben là ! J'ai pas de raison ! Moi, j'ai été super patiente et correcte. J'ai attendu, j'ai pas mis de pression, j'ai rien à me reprocher…

— Euh… ton histoire de pilule, c'était quand même un p'tit peu de pression, non ?

— Non, je dirais pas ça. Au fond, j'ai bien fait, sinon il se serait peut-être jamais déniaisé. Mais je peux pas croire que je le reverrai plus, ça se peut juste pas !

Nouvelle crise de larmes. Je lui tapote le dos de manière assez absente, par principe. Elle ne se reproche rien, rien du tout, pas même d'avoir corrompu un homme marié depuis des années. Et elle pleure sur le fait qu'elle ne pourra pas mettre le nez de Mathieu dans son bonheur parfait. Bravo championne, ça c'est du sérieux ! Elle me fait pitié, tout à coup. Elle m'irritait tant, auparavant ! Je la vois maintenant sous son vrai jour : une petite fille gâtée, égoïste, qui n'obtient pas ce qu'elle veut et se retrouve désemparée. Son revers avec Mathieu ne lui a rien appris, elle s'est laissé entraîner par amour, par dépit ou par orgueil dans une autre situation compliquée où elle est la seule perdante. Je la perçois différemment : toujours belle, d'apparence si forte, mais démunie devant ce rejet qu'elle juge inadmissible et, surtout, incompréhensible. Oui, pauvre petite. Elle me hérisse, mais je comprends mieux la propension de Maryse à la materner. Je décide donc de lui donner une deuxième chance et d'agir comme une amie, ou du moins, tenter de faire une Maryse de moi-même.

Quand Robert arrive, je lui explique la situation en toute discrétion. Comme je m'y attends, il se montre compatissant et me suggère d'inviter Jessica à souper avec nous, ce qui, dans les circonstances, m'apparaît de mise. Je suis déçue de cette tournure impromptue, mais ne suis pas tout à fait contre l'idée de ce petit sursis… ma « conversation » avec Robert devra attendre. Jessica joue les indécises, mais je vois bien que mon offre la tente.

— OK, je vais aller chercher mon maillot et une

bouteille de vin. Je vais faire une salade, aussi, si tu veux. C'est super gentil de votre part, j'veux pas m'imposer...

— Ben non, c'est correct. Reviens quand t'es prête, on t'attend.

Qu'est-ce qui me prend ? Je n'en sais trop rien, mais j'ai l'impression de faire quelque chose de bien, je me sens charitable. Je m'approche de Robert et le remercie de son indulgence en espérant qu'il ne se mettra pas à bouder. Ce serait trop pour une soirée ! Il soupire bruyamment et m'avoue :

— J'avais hâte de me retrouver seul avec toi, mais on a toute la vie pour ça, hein ?

Sa remarque me soulage même si j'y entends une lassitude, une résignation que je n'avais jamais perçues auparavant. Je dois cependant mettre cette impression de côté pour le moment en me jurant de ne plus le faire languir. Je lui parlerai plus tard, si la soirée le permet, ou demain. Sans faute.

Après un premier verre de vin, alors que nous flottons béatement dans l'eau douce et parfumée du spa de Maryse, Jessica prend du mieux. Sa beauté m'agace et m'émeut à la fois... même sans maquillage, sa peau est encore lisse, ses traits parfaitement dessinés et ses yeux, magnifiques. Que pense Robert de cette femme presque nue qui babille sans arrêt, sourire aux lèvres, comme si la crise de larmes survenue plus tôt n'avait été qu'un mirage ? Lorsqu'elle est revenue chez Maryse, bouteille de vin à la main, elle semblait s'efforcer de paraître joyeuse ou, du moins, plus pimpante. Ça fonctionne très bien, au point où je commence à me demander si ce n'était pas qu'une mise en scène, un prétexte pour se joindre à nous. C'est pourtant ridicule. Son chagrin m'a paru bien sincère et j'imagine qu'elle ne fait que le camoufler du mieux possible. J'essaie de m'en convaincre, mais la façon dont elle discourt sur son travail, ses collègues, ses enfants qui s'accoutument plutôt doucement à leur garde partagée me fait en douter. Je me rembrunis et j'ai de plus en plus de mal à participer. Robert, lui, est beaucoup moins taciturne que moi et une désagréable sensation s'installe au creux de mon ventre. La présence de mon amoureux contribue peut-être à distraire la jeune femme de sa peine, le fait d'avoir un auditoire masculin agissant sur elle comme le plus efficace des baumes. La garce. Je pourrais me dire que c'est sans importance, tenter de me convaincre que Robert l'écoute attentivement seulement pour la soulager et lui faire oublier une part de sa détresse, mais j'en suis incapable. Mes vieux fantômes, sans doute, ceux de la jalousie, de l'insécurité et de l'anxiété me font toutefois combattre vaillamment l'idée que Jessica représente une menace potentielle.

Alors que nous entamons la seconde bouteille de vin, Jessica souligne que neuf mois, déjà, se sont écoulés depuis sa séparation d'avec Mathieu, et son humeur s'assombrit. Elle devient songeuse, glissant dans un mutisme nostalgique. Robert et moi ne trouvons rien à dire. Nous choisissons de la laisser tranquille, ce dont elle semble avoir besoin. Robert m'embrasse et je me blottis contre lui. L'eau chaude qui chatouille mon corps m'excite et j'ai une envie viscérale d'être seule avec mon homme, de faire l'amour avec cette douce et délicieuse ivresse qui caractérise nos ébats. Je voudrais que Jessica disparaisse et j'espère qu'elle saisira qu'elle est de trop. Elle se verse du vin et le boit en une seule grande gorgée avant de recommencer l'opération. Sa tête ballotte sur ses épaules, elle est visiblement soûle. Prendra-t-elle enfin congé pour cuver son vin tranquille chez elle ? Non, ça serait trop parfait. Soudain, elle se met à sangloter sans faire le moindre effort pour se retenir. Ses pleurs prennent de l'intensité et je me vois obligée de la consoler. Bon. Ne pourrait-elle pas nous épargner son désarroi et nous laisser profiter de ce qui reste de cette soirée ? Je me trouve bien méchante sans toutefois ressentir de remords. Elle gémit au creux de mon épaule ; Robert et moi nous regardons et poussons en même temps un soupir éloquent. Au bout de quelques minutes de ce manège, Jessica passe en mode lamentations, son élocution témoignant de son état d'ébriété :

— J'ai touttte gâché ! J'étais teeellement ben avec Pierre-Louis ! Il avait touttte, il était parfait. J'ai tout scrappé à cause de mon impatience... ou parce que je pogne juste moins qu'avant. M'fait chier ! Avec Mathieu, c'était la même affaire. Je suis vieille, je commence à faire dur, faut croire... c'pour ça que j'suis juste bonne à fourrer ! Mosus, c'est pas juuuste ! ! !

— Ben non, Jess, ben non. T'es belle, t'es fine, c'est pas ta faute. T'as rien fait pour que ça arrive, c'est juste chien.

Je ne crois pas un mot de ce que je dis, mais je pense être convaincante. Vraiment ? Vieille, elle « pogne pus » ? Elle ? *Come on*. M'énerve, là. Ma conclusion, à moi, c'est qu'elle est juste trop superficielle et exigeante et, qu'après un moment, un homme en a fait le tour. Je ne la connais pas, ce jugement est tout à fait gratuit, quoique plausible. Pauvre petite. Je constate qu'elle est en crise existentielle, mais que, le vin aidant, sa suffisance habituelle a été remplacée par l'apitoiement. Au petit matin, elle aura tout oublié. Je m'apprête à lui suggérer de la raccompagner chez elle lorsqu'elle poursuit laborieusement :

— Sérieux, on avait touttte, Mathieu pis moi. Une belle famille, du *cashhh* en masse, on était un couple parfait et y'a fallu qu'il arrête de m'aimer. Pourquoi ? C'est quoi l'afffaire ? J'étais pus aaasssez bonne pour lui ? Pourtant, on baisait presque chaque jour pis je lui donnais touttte ce qu'un gars peut vouloir, et plus. J'étais cochhhonne en masse, ça le faisait triper. Il me disait tout le temps qu'il me trouvait belle, que je suçais bien, qu'il en avait jamais assez.

— Euh… c'est correct, Jess, on comprend ce que tu veux dire, là…

— Pis avec Pierr… Pierre-Louis, c't'ait pareil. Y'aiment ça, les gars, quand une fille les fait triper dans le lit, hein, Rrrobert ? Dis-le, qu't'aimes ça, toi aussi. Pis dis-moi donc pou'quoi c'est pas assez, hein, tant qu'à y être ? C'est tellement chiiiennn ! ! !

J'ordonne silencieusement à Robert de ne pas répondre. De toute évidence, Jessica n'est pas en mesure de discuter. Mon amoureux lève les yeux au ciel avec une mimique qui me rappelle encore une fois Sabrina au cœur de son adolescence, et je retiens le gloussement qui me monte à la gorge. Ce n'est pas le moment. Jessica poursuit :

— En-entucas, moi, j'veux pus rien savoir. J'vas revirer lesssbienne, j'cré ben ou à moitié, comme Ju-Julie. Pour moi à l'a compris plus vite que moi… Maudits gars à maaarde ! ! !

— Bon, Jess, viens, j'vais te reconduire chez toi, OK ? Ça va aller mieux demain matin, tu vas voir les choses autrement.

— Non, j'veux pas me coucher. Quand j'pense à touttte

c'que j'ai fait pour Matt pis Pierre-Louis ! Pour rien. J'm'entraîne comme une fooollle, j'm'arrange ben, j'me suis même faittte faire les boules pour Mathieu, pis j'me retrouve tusseule. Hey, sont super belles mes boules, en plus, r'gardez ça, comment sont belles !

Seigneur. Elle s'apprête à retirer le haut de son maillot et je l'en empêche juste à temps.

— Je suis sûre qu'elles sont ben belles, Jess, j'te crois sur parole. Viens, on va sortir, OK ?

Robert ne sait absolument pas quoi dire ou faire. Puis il se secoue et, embarrassé, sort du spa pour m'aider à me relever. À nous deux, nous hissons Jessica hors de l'eau et lui remettons son paréo.

— J'ai frette ! ! ! J'veux r'tourner dans l'eau !

— Non, non, viens.

Je l'enveloppe dans un drap de bain tout moelleux, enfile ma robe de chambre et entraîne avec douceur une Jessica titubante vers le patio pour dénicher ses clés.

— J'me sens pas bien, là…

Elle vomit une quantité impressionnante de vin suri dans le bosquet d'échinacées préféré de Maryse. Après quelques spasmes qui n'occasionnent que des régurgitations acides, elle se relève tant bien que mal.

— Ouain, t'as p't'être raison. J'vas aller me coucher…

Maintenant son équilibre en s'appuyant contre moi, elle semble un peu mieux. Assez pour que je la laisse choir dans ses draps de satin noirs en laissant près d'elle des serviettes et la petite poubelle de sa salle de bains. Je serais étonnée qu'elle vomisse encore, mais au cas.

Il est encore tôt, assez peut-être pour profiter un peu de la soirée avec Robert. Pour discuter ? Je n'en sais rien. Nous verrons bien. Lorsque je reviens chez Maryse, Robert a allumé un feu dans le foyer et arrose le buisson malencontreusement aspergé. J'interromps mes pas pour l'admirer de loin à son insu. Suis-je condamnée à vivre la même chose que Jess, l'abandon d'un homme merveilleux à qui je ne suffirai plus un jour ou l'autre? Tous les hommes sont-ils aussi peu maîtres de leurs bas instincts que Jess semble le croire? Je sais bien que non, mais je dois demeurer sur mes gardes, ne serait-ce que par prudence. La silhouette de Robert se découpe dans la pénombre et un pincement m'étreint le cœur. Je l'aime. « Quand on se fait pas d'attentes, on peut pas être déçu », murmure ma mère à mon oreille, comme si elle avait été là en chair et en os. Je secoue la tête pour la chasser de mon esprit, cette femme toujours beaucoup trop présente dans mes pensées pour que je puisse l'ignorer. Il serait facile et tentant de les croire, elle et Jessica. Car il y a eu Gilles, puis le Danny de Julie, son Simon aussi, qui, même s'il l'avouait facilement, ne pouvait ou ne voulait se contenter d'une seule femme. Et en ajoutant tous les imbéciles, infidèles et éternels insatisfaits débusqués par Karmasutra.com ou croisés au travail, comment pourrais-je croire qu'il n'en sera pas ainsi avec Robert? Je maudis l'amour, tout autant que je l'accueille. Pourquoi s'exposer à tant de souffrance? C'est douloureux, l'amour. Tous ces doutes qu'il entraîne, cette dépendance à l'autre, au regard de l'autre. Sommes-nous toutes ainsi faites? Est-ce la clé de notre épanouissement? C'est pathétique. L'amour devrait être un complément à une vie déjà remplie et riche, pas une panacée. Pourquoi alors prend-il autant de place, nous rendant aussi vulnérables qu'une fourmi sur un trottoir? Parce que. L'état de grâce qu'il procure n'est comparable à rien, voilà pourquoi. Depuis que je suis amoureuse de Robert, je me sens à la fois fragile et invincible. Il me donne envie d'offrir le meilleur de moi-même et de déplacer des montagnes… tout en souhaitant m'isoler avec lui dans une île déserte, à l'abri d'éventuelles déceptions. Je me remémore les paroles de Maryse, lorsqu'elle m'a annoncé son voyage avec François et, une fois de plus, je l'envie. J'aimerais être comme elle, et oser. « J'vais pas m'empêcher de profiter de cette occasion, a-t-elle dit. À mon âge, j'ai pus le goût d'attendre pour foncer, y'a comme une urgence de profiter de ce qui se présente, de prendre des grosses bouchées dans la vie. Ça serait trop con de passer à côté de quelque chose juste parce que j'ai peur de me planter, de faire une erreur. » Merde. Pourquoi n'y a-t-il pas un simple interrupteur pour éteindre tous les doutes et les angoisses ? Ce serait si simple ! Ahhh. Re-merde. Et qu'est-ce qui me prend, au juste, de philosopher de la sorte ?

Lorsque j'arrive près de Robert, il me prend dans ses bras et m'embrasse ; toutes mes sombres considérations s'envolent d'un seul coup. Plus rien n'importe que de sentir la chaleur de son corps contre le mien. Il m'entraîne doucement vers le lit à baldaquin et retire mes vêtements en glissant ses doigts sur ma peau frissonnante. Tant de tendresse… je refuse de croire que ces doigts pourraient toucher une autre femme de la même manière. Ce serait… intolérable. Le feu qui crépite dégage une bienfaisante chaleur, toutefois insignifiante en comparaison de la touffeur qui émane de mon ventre. Nous nous enlaçons, nus et tremblants de désir, sous le regard indifférent des étoiles, et c'est avec un naturel désarmant que je me caresse, souhaitant constater moi-même le ravissement de ma chair. Robert m'observe, j'ai l'impression qu'il m'adule et qu'il n'ose interrompre ce spectacle qui le ravit. Mais j'insiste pour que sa main s'enduise de mon plaisir et le décuple. Il ose à peine, insérant un doigt hésitant d'abord, puis un second. Je m'ouvre à ce toucher de plus en plus familier, mais ô combien gratifiant. Robert me murmure des mots d'amour, me promet de bien belles choses, et, heureuse, j'ai envie d'y croire. Plus que tout. Plus encore que la moiteur qui s'écoule en un onctueux nectar, plus que les palpitations de mon ventre lorsque sa langue se pose juste au bon endroit pour danser avec ma chair tandis que trois doigts, dorénavant, me transpercent délicieusement. J'ai envie de lui, de son membre dressé dignement, envie qu'il m'envahisse jusqu'au tréfonds de mon être. Notre jouissance est folle, démesurée, presque simultanée, et c'est avec un petit cri difficilement retenu que je sombre, ma bouche soudée à la sienne.

Que dire de plus ? Nous nous sommes endormis dans ce décor de rêve, emmitouflés dans une couverture duveteuse pour nous réveiller au petit matin et nous offrir d'autres épanchements tout aussi languides, quoique brefs. « Une p'tite vite, le matin, y'a rien qui se compare à ça ! » m'a déjà dit Julie. Pas très élégant, comme formulation, mais très, très juste.

Et non, nous n'avons pas « discuté ». Est-ce vraiment nécessaire ?

15

Devoirs de psy :

- *On peut pas appeler ça un mensonge, hein ? J'ai peut-être pas dit à Robert pourquoi je voyais un psy, précisément, mais je lui ai quand même avoué que j'en consultais un. Je lui ai pas expliqué non plus que je le voyais aussi souvent parce que je trouve que ça presse. Je voulais rien lui cacher, mais je sentais que ~~c'était pas de ses affaires~~ ça regardait juste moi. C'est mal, ça ? J'pense pas. J'ai dit quelque chose comme : « J'veux juste penser à mon travail, je sais pas si je suis vraiment heureuse, et y'a des choses avec ma mère, aussi, que je voudrais comprendre. » Il m'a crue, il avait pas de raison de douter de moi. Je ~~pourrais~~ devrais me dire que moi non plus, j'ai pas de raison de douter de lui, mais c'est mes bibittes à moi, bon. En tout cas. Là, je pense que je vais lui dire. Ça serait peut-être une bonne entrée en matière et ça lui montrerait que j'accorde assez d'importance à tout ça pour régler le problème ? Demander à Dr J. ce qu'il en pense.*

- *Jessica, la ~~salope~~ maudite. Avec sa crise de l'autre soir, elle a détruit tous mes beaux efforts d'optimisme envers les relations qui durent. Elle est aussi cynique que Maryse*

l'était quand Gilles est mort et ça m'influence, même si je veux pas. Si une fille pétard comme elle est pas capable de garder ses hommes, quelle chance j'ai de garder Robert jusqu'à la fin des temps, moi ? Ses ~~maudites fausses boules~~ faux seins, ses faux cils, ses grands yeux de poupée ont pas réussi. Alors moi, avec mes ~~boules molles~~ seins pendants, mon début de culotte de cheval et mon petit mou de ventre et de bras, je serais censée y croire ? Je sais, je sais, c'est pas juste le physique qui compte ; quand on aime quelqu'un, on voit pas ses imperfections, blablabla, Robert est pas du genre à triper poupoune comme Mathieu, Gilles ou tous les autres. Beeen non, c'est sûr, y'a pas de testostérone, lui, c'est un extraterrestre. E.T. en pas mal plus sexy. J'aurais quand même aimé savoir ce que Robert pensait quand Jess disait que tous les hommes aiment les cochonnes. Si je l'avais laissé parler, qu'est-ce qu'il aurait dit ? Probablement quelque chose comme : « C'est pas si important, quand on aime quelqu'un, on l'aime pas juste pour ça. » Et j'aurais été contente, mais est-ce que je l'aurais cru ? Sais pas. Anyway. Je suis pas encore complètement déniaisée, mais j'ai évolué pas mal. Mettons que je suis semi-cochonne. Ça doit compter un peu…
Eh que c'est con !!!

- *Ma mère. Faudrait ben que je lui parle de tout ça aussi. Elle aime beaucoup Robert même si elle le connaît à peine. Elle l'a vu, quoi, une douzaine de fois, depuis qu'on se connaît ? C'est clair qu'elle approuve, mais elle a ses doutes. J'aurais envie de lui dire que c'est sa faute, à elle (au moins un peu), si je suis aussi méfiante. Mon père est le grand responsable, mais mettons qu'elle a pas tellement aidé. En même temps, j'ai pas envie de la blesser. La meilleure chose serait de lui montrer que je fonce, que je prends un risque, que je réussis à croire qu'y a des hommes corrects qui méritent notre confiance même si elle pense que c'est impossible. Un jour, peut-être…*

- *En attendant, je suis fatiguée de penser. J'me suis jamais posé autant de questions ! J'arrête pas d'essayer de comprendre des affaires : la vie, l'amour, le désir… le karma versus la foi, ma zone de confort et sa sécurité versus prendre un gros risque et peut-être trouver le bonheur total ou… le contraire. Méchant coup de dés. Le genre de discussion qu'on a des fois, Maryse, Julie et moi, quand on a trop bu, sans que je m'engage tout à fait parce que… parce que je sais pas pantoute quoi en penser pis que j'ai peur d'avoir l'air épaisse. Non, mais c'est vrai ! C'est quoi, aimer quelqu'un ? Vraiment ? Pis le désir, me semble que ça fausse la donne, que ça nous rend forcément moins objectifs, non ? Si je le ~~voulais~~ désirais pas autant, tout le temps, est-ce que j'aimerais Robert aussi fort que je le pense ? Pis là, j'ai pas le choix de dire un gros OUI ! Ses valeurs, sa façon d'être (même s'il en fait des fois un peu trop avec l'after-shave !), de réagir. C'est un gars honnête, loyal, généreux, attentionné, fondamentalement gentil. Même quand il boude, j'aime ça (enfin presque), parce que c'est sa façon de me dire qu'il est blessé, ou qu'il réfléchit. Je crois qu'un gars de même serait pas capable de me faire du mal, pas consciemment, du moins. Mais c'est peut-être ça le problème ; j'ai pas envie d'être une vieille autruche de quarante-trois ans (au fait, ça vit combien de temps, les autruches ? Je sais, on s'en fout !!!) qui garde la tête dans le sable. Maryse non plus pensait pas qu'après tant d'années ensemble et un aussi gros morceau de vie partagé, Gilles pourrait être aussi dégueu. Ou peut-être que oui, au fond? Je sais pas, je sais RIEN!!! Grrr!*

Docteur Jacques m'écoute parler de mes dernières observations avec beaucoup d'attention. J'aime tant cette façon qu'il a d'être totalement présent, ça me réconforte mieux qu'un verre de rosé un jour de canicule. Il prend la parole de sa belle voix de baryton:

— Je trouve que ce serait effectivement une bonne idée d'expliquer à Robert la principale raison qui t'emmène ici. Ça lui prouverait peut-être ta bonne volonté, et là, libre à toi de décider ce que tu veux lui dévoiler ou non de nos conversations. Y'a juste toi qui peux savoir ce qui est vraiment pertinent... et t'es pas obligée de tout déballer d'un coup. Vas-y à petites doses, vois comment il réagit et ajuste le tir. S'il est curieux, ouvert, et que t'as envie de partager, go. Sinon, y'a rien de mal à garder certaines choses pour toi, de manière permanente ou pas. De toute façon, tu penses que tu as cessé de *staller,* mais tu procrastines, là. Même chose. Alors, oui, si tu penses que ça peut t'aider, vas-y...

— C'est vrai que je procrastine, mais ça m'aide de faire un portrait de tout ça, ça démêle. Pis ma mère?

— Je pense que ta mère serait réconfortée de te savoir heureuse. Je doute beaucoup qu'elle ait consciemment voulu semer tous ces doutes-là en toi. Elle a réagi à une situation et ça a déteint sur toi, mais je suis pas du tout certain qu'elle soit consciente de l'effet de son attitude. Vous avez jamais, ta mère et toi, discuté calmement ou en profondeur de ce qui s'était passé avec ton père, hein?

— Non, jamais. Je pense qu'elle avait honte...

— Je connais pas ta mère, mais elle s'est sûrement sentie

profondément trahie, et elle a peut-être voulu t'épargner le même genre d'humiliation. Penses-tu qu'elle serait ouverte et prête à en parler avec toi, maintenant ?

— Ben… j'me suis dit à un moment donné que si je lui annonçais que je me marie, ça pourrait être une bonne occasion. Mais en même temps, ma mère, c'est une huître. Pas le genre de femme qui parle facilement de ses sentiments… Je sais qu'elle m'aime, elle me l'a montré à sa façon avec Sabrina et autrement, mais elle me le disait pas souvent, et juste du bout des lèvres…

— Parlant d'amour… Ton analyse de tes sentiments envers Robert m'a l'air bien lucide. Et positive. Je pense que ta définition de l'amour, au niveau des valeurs, de la façon d'être, de qui il est, est aussi bonne sinon meilleure que bien d'autres. Y'a pas grand monde qui se pose ces questions-là et je trouve ça dommage.

— Moi, ce que je trouve dommage, c'est de pas m'être posé ces questions-là avant… Tous ces chums que j'ai eus avaient rien à voir avec tout ça !

— Non, mais t'as modelé tes attentes autour des besoins que t'avais à ce moment-là. T'es plus la même femme que t'étais quand tu sortais avec Luc, Gaétan ou même Pierre. Et c'est ça qui compte, aujourd'hui. Tes valeurs profondes sont les mêmes, par contre, et c'est pareil pour Robert. Ça, c'est rare que ça change, à moins qu'il se produise quelque chose d'inattendu, de dramatique ou de traumatisant. Robert va rester qui il est, avec sa générosité, sa loyauté et tout ce qui te plaît.

Hmmm. J'espère qu'il dit vrai… mais je sais que les humains sont tout de même malléables. C'est vrai que je ne suis plus tout à fait la même, tout ce qui est arrivé m'a forgée. Je ne pourrais pas devenir méchante, téméraire ou déloyale. Pourquoi j'arrive pas à croire qu'il en va de même pour Robert ?

Docteur Jacques reprend son analyse :

— Je trouve ça normal que tu aies été ébranlée par ce qui s'est passé avec Jessica, l'autre soir. Et ça aussi je trouve ça dommage, parce qu'il me semble que tu commençais à entrevoir des possibilités plus concrètes avec Robert. Mais essaie de pas revenir à la case départ… ce que tu m'as raconté de la réaction de Robert à tout ça est très positif. Il était clairement ton allié, là-dedans, et j'ai l'impression que ça vous a rendus un peu complices. C'est important, ça, dans une relation.

— Oui, c'est vrai, mais on en a pas reparlé, je sais pas vraiment ce qu'il en a pensé. Je sais qu'il trouve Jessica un peu nouille et superficielle, mais j'ai jamais eu envie d'en discuter parce que je me sens toujours un peu, genre… menacée par elle.

— Vous êtes pourtant si différentes, d'après ce que tu m'as dit. Je serais surpris que Robert soit attiré par ce genre de femme !

— Oui, moi aussi je serais surprise… Je pense pas qu'il voudrait une relation « sérieuse » avec elle, mais un trip ? Les hommes aiment tous ça vivre une histoire de cul avec une belle femme comme elle à un moment donné, non ?

— Non, pas tous. C'est un peu réducteur, comme affirmation !

Il sourit pour se moquer gentiment, mais j'ai du mal à le croire. Il poursuit :

— T'as un choix, Valérie. Ou bien tu continues de penser ça et de capoter chaque fois qu'une belle femme va apparaître, ou bien tu choisis de faire confiance et tu te prends toi-même en exemple. Est-ce que t'as besoin ou envie de ça, toi, un « trip » avec un super bel homme, comme tu dis ?

— Non ! Mais t'sais, moi...

Justement me sermonne ma conscience. Quoi, moi ? Ma libido toute fraîche va-t-elle finir par déraper et m'encourager à reprendre le temps perdu ? Peut-être, je ne peux plus me permettre d'affirmer le contraire avec autant de conviction qu'autrefois. Sauf que... Robert a tout ce qu'il me faut, je ne vois pas ce que je pourrais trouver ailleurs. Contrairement à Julie à une certaine époque, je ne m'imagine pas me jeter dans les bras de tous les beaux hommes qui croisent mon chemin. Car avec eux, je n'aurais pas l'affection, l'admiration, l'envie de faire plaisir à mon partenaire qui me dévore lorsque je suis avec Robert.

— Quoi, toi ?

— Ben... je viens juste de me rendre compte que mon désir pour Robert est autant dans ma tête et dans mon cœur qu'ailleurs... ça s'adonne qu'en plus, il m'attire beaucoup.

— Justement ce que j'essayais de dire. C'est ça, la différence. C'est pour ça qu'avec les autres, tu n'y arrivais pas. C'est pour ça aussi que c'est loin d'être tous les gars qui sauteraient sur la première belle fille libre juste pour le sexe.

— Ouain. Mettons. Pourquoi, d'abord, j'en vois autant des histoires de même ? Juste à mon travail, et je parle même pas de Karma sutra, le nombre de divorces qu'on traite chaque année pour des raisons d'adultère est hallucinant. Ça aide pas !

— Non, c'est certain. Mais t'es ailleurs. Y'a tellement de divorces et de séparations chez les couples dans la quarantaine et la cinquantaine... ces gens-là arrivent à une étape de leur vie où ils refusent de continuer à être malheureux. Les enfants ont grandi, les rôles changent, la retraite approche, et ils sentent que ce qu'ils ont bâti correspond davantage à ce qu'ils veulent, ou qu'ils ne sont pas avec la bonne personne pour vivre leurs rêves de deuxième moitié de vie. Toi, c'est le contraire. C'est maintenant que tu veux bâtir parce que, encore une fois, t'es plus la même femme que t'étais il y a quinze, dix ou même deux ans. C'est beaucoup plus encourageant ! À vingt ans, on choisit un compagnon pour fonder une famille, ou se « caser » en fonction de nos critères. Dans la quarantaine, ces critères-là sont plus valides ou ont changé, et l'ex de quelqu'un convient mieux à l'ex de quelqu'un d'autre qu'à celui ou celle avec qui il a passé la première moitié de sa vie. Si t'avais rencontré Robert à vingt ans, ça n'aurait peut-être pas marché. Aujourd'hui, c'est différent… Penses-y cette semaine, OK ?

« Penses-y, penses-y. » Je ne fais que ça ! Ces paroles pleines de bon sens m'atteignent et m'encouragent, je l'avoue. C'est le cœur presque léger que je quitte cet homme qui, une semaine à la fois, a pris une place importante dans ma vie.

« Penses-y », qu'il dit.

Même si je ne voulais pas, pourrais-je faire autrement ?

Moi qui angoissais à l'idée de parler à Robert, je m'en faisais pour rien. Ayant enfin trouvé le courage d'entamer cette conversation, je me suis jetée à l'eau. « Advienne que pourra », me suis-je dit, tout ça a assez duré. Robert ne m'a pas seulement étonnée, il m'a éblouie par sa façon de prendre les devants. Ça s'est produit hier soir et je suis encore sous le choc. Comment a-t-il réussi à me cerner avec autant de justesse et de précision ? Si ce n'était de la confidentialité à laquelle Docteur Jacques est assujetti à mon endroit, je serais tentée de croire qu'il a confié à mon amoureux des bribes de nos conversations. Ce n'est pas possible, je le sais bien, mais ce qui s'est produit est suffisamment troublant pour que cette idée me soit passée par la tête.

J'avais préparé la soirée en conséquence. Il m'avait semblé pertinent, d'abord, d'attendre la fin de semaine, mais en ce jeudi, au lendemain de mon dernier entretien avec mon thérapeute, je ne me sentais plus la force d'attendre. « Ça passe ou ça casse ! » m'auraient déclaré mes amies. Alors j'ai concocté une magnifique salade tiède au chèvre et au saumon, dressé la table sur ma petite terrasse, dans un jardin qui n'a rien à voir avec celui de Maryse, mais qui offre tout de même une intimité agréable, mis du vin au frais et convié Robert à un tête-à-tête qu'il a accepté avec un enthousiasme des plus engageants. J'ai fait en sorte que la discussion autour de l'apéritif demeure légère :

— Tu sais que Jessica m'a téléphoné presque tous les jours depuis samedi dernier ? On a pas parlé très longtemps, mais elle a dû s'excuser au moins cent fois...

— Ouain... elle était à l'envers, hein ? Ça va mieux ? Au moins, elle a pas complètement gâché notre soirée...

Il m'a embrassée et des étincelles de souvenirs de notre si merveilleuse nuit ont dansé dans mon cœur.

— C'était... extraordinaire, Robert, je vais m'en souvenir longtemps !

— Et moi donc ! Mais à part ça, que voulait-elle ?

— Je sais pas trop. J'ai l'impression que comme Maryse

est partie, elle s'ennuie et essaie de la remplacer. Je la vois demain après-midi, elle va m'aider avec les plates-bandes. Je sais pas trop si ça me tente, j'avoue que je sais pas quoi penser d'elle. C'est pas une méchante fille, ni une épaisse, j'pense, mais on dirait qu'elle fait exprès, des fois, pour en avoir l'air. Comme si elle avait peur de quelque chose, mais qu'elle voulait pas le montrer.

— Tout le monde a peur de quelque chose, Val…

Le ton qu'il a employé pour dire ça était éloquent, empreint de douceur et d'indulgence. Il me visait. J'ai reculé malgré mes belles intentions et joué les innocentes :

— Ah bon ? Même toi ? Moi, j'ai peur de ben des affaires, mais t'as l'air si sûr de tout…

— J'me donne des airs, moi aussi, faut croire, parce que je suis sûr de rien pantoute. Par exemple, j'ai peur de…

Il a hésité une fraction de seconde et m'a prise dans ses bras. Il m'a serrée fort, sans me faire de mal, mais cette étreinte recelait toute l'incertitude de celui qui s'accroche à quelque chose d'insaisissable. Mon angoisse a décuplé et, me dégageant, je l'ai regardé en espérant que transparaissent dans mes yeux tous mes questionnements étouffants. Il semblait souffrir et j'ai cru mourir. Sans fléchir ni détacher ses prunelles des miennes, Robert a murmuré :

— J'ai peur de te perdre. J'ai peur que tu m'aimes pas autant que moi et que tu me repousses. J'ai peur que tu m'échappes et que tout ce que je vis depuis que je te connais – la paix, le bonheur que je cherche depuis si longtemps – s'envole comme si ça avait jamais existé.

Un coup de poignard m'aurait fait le même effet. Je ne pouvais simplement pas supporter de le voir pâtir de la sorte. Je l'ai embrassé à mon tour en lui disant :

— Robert, je t'aime plus que j'aurais jamais cru possible

d'aimer quelqu'un. J'en ai jamais douté, pas une seconde.

— Mais tu veux pas qu'on se marie.

— J'ai jamais dit ça !

— T'as jamais dit que tu voulais non plus... Quand tu me disais que tu voulais réfléchir, tu me laissais entendre que tu parlais de la cérémonie, comme telle, mais je me doute bien que ça va plus loin que ça. T'sais, j'ai beaucoup repensé à tout ça, quand j'étais à Calgary, au bord de la mer avec toi, et tous les jours depuis qu'on est revenus. Peut-être que je comprends un peu.

Tout ceci énoncé sans le moindre ton bourru ou maussade. Wow.

— Vraiment ?

— Pas sûr, mais peut-être, tu me diras. Je sais que c'est pas facile pour toi de me parler de certaines choses, et je respecte ça, alors je vais te dire ce que je pense et tu me corrigeras si j'me trompe, OK ?

— Euh... OK, si tu veux.

Robert s'est assis dans la grande chaise longue et je me suis allongée entre ses jambes, la tête bien appuyée contre son torse. Je n'avais pas à le regarder en face, ce serait plus facile. Avait-il compris ça aussi ? Sans doute. Après une grande gorgée de vin, il m'a fait part de sa théorie :

— Val, je pense que t'as été blessée. Je parle pas de déceptions amoureuses, là, mais d'une ou de plusieurs vraies blessures. Je sais pas exactement quoi, mais avec le peu que tu m'as dit au sujet de ton père et du tempérament de ta mère, je serais pas surpris que ça vienne de là. Ensuite, ce qui s'est passé avec le père de Sabrina a pas dû être facile pour toi. Je sais que t'as eu d'autres chums, tu m'as quand même confié des petits bouts ici et là, assez pour que j'aie comme l'impression que ma demande en mariage te fait peur. T'as pas eu beaucoup d'exemples concluants de ce que ça pouvait donner d'heureux, avec Maryse, Julie, et tout ce que tu vois au bureau, en plus. Ça fait que j'me dis que t'es peut-être pas du tout convaincue que c'est une bonne idée, c'te mariage-là, ou que t'as peur que ça soit ça, justement, qui gâche tout. Si c'est ça, avec ton aide, j'pense que je pourrai comprendre. Parce qu'au fond, t'sais, moi aussi ça me fait peur…

— Ça te fait peur ? Ben alors, pourquoi se donner autant de trouble alors que ça va bien, nous deux, comme on est maintenant ?

— Parce que j'me dis que c'que je vis avec toi, c'est trop beau pour que tu sois juste ma blonde. J'veux que tu sois plus, ma FEMME. Celle qui veut autant que moi qu'on finisse nos jours ensemble, qu'on devienne deux p'tits vieux toujours amoureux qui se bercent en repensant à tous nos beaux moments. Je sais, c'est peut-être quétaine, symbolique, ça veut pas dire la même chose que dans l'temps de nos parents, pis je suis pas plus religieux que toi. C'est juste… comme une confirmation qu'on est plus qu'un gars et une fille qui vivent ensemble. Je sais pas si c'est clair, mon affaire…

— Oui, je comprends aussi, j'pense. Mais me semble juste qu'on est pas obligés de se marier pour ça…

— Non, c'est vrai. Je suis romantique, que veux-tu que j'te dise ! Mais c'est important, pour moi, j'y peux rien. Pour moi, ça veut dire que même si on devient séniles pis radoteux, on va toujours être là un pour l'autre.

Qu'est-ce que j'ai fait, là ? J'ai pleuré, évidemment. De toutes petites larmes silencieuses, d'abord, qui se sont transformées en un torrent incontrôlable. Tout ce que Robert me disait était si beau ! Malgré tout, l'image qui me venait en tête était : moi, ratatinée et décrépite, seule dans mon coin de la salle commune d'une lugubre résidence pour aînés, et lui, âgé, mais toujours séduisant, entouré de petites vieilles pimpantes battant des quelques cils qui leur restaient devant le charme de mon homme. Je savais que c'était toute une chance, que le ridicule ne tue pas, et que cette image aurait dû me faire sourire, mais je n'y arrivais pas. Alors, pour essayer de lui expliquer, je lui ai raconté. Presque tout. Mon père, Steeve, les autres. Le sexe et à quel point c'était une découverte déstabilisante pour moi. Puis, Julie, Maryse, Jessica, même s'il connaissait les grandes lignes de leur histoire. Enfin, je lui ai parlé de tous ces cas de divorce, ces disputes pour la garde des enfants et les biens accumulés, tous ces hommes et ces femmes qui s'étaient juré un amour éternel qui se terminait dans le feu et le sang. Il m'écoutait sans rien dire, comprenant que s'il m'interrompait, je n'arriverais pas à m'épancher, ni maintenant ni jamais. J'ai pleuré encore, me sentant mille fois plus émotive que je l'avais été lorsque j'avais fait à peu près le même récit, en pièces détachées, soit, mais avec plus de détails, à mon psy. Robert caressait mes cheveux, m'encourageait en silence en me touchant la joue avec douceur, de temps à autre, au moment opportun. Puis, je me suis tue. Je ne savais plus quoi dire, comment conclure. Je lui ai simplement fait un aveu plus sincère que je m'en serais crue capable :

— J'ai jamais aimé personne comme je t'aime. Je pense que si tu me quittais, ou si tu me trompais, je mourrais. J'haïs ça avoir l'air fragile et vulnérable de même. J'haïs ça t'aimer au point où ça me fait mal juste d'y penser. Quand t'es parti, au printemps, juste avant que tu m'arrives avec ta bague, j'étais certaine que tu voulais me laisser. Que t'avais une autre vie, là-bas. Pourquoi je me suis torturée de même ? Je sais pas. Mais dans ma tête, je voyais clairement une autre femme à qui tu souriais comme tu me souris, à qui tu faisais l'amour en te disant que je saurais jamais. Et je pourrai jamais te dire à quel point j'ai souffert.

— Pis ça t'aurait pas tenté de juste m'en parler, plutôt que d'envoyer Maryse essayer de me pogner ?

Il avait tout compris, et son air quelque peu exaspéré m'indiquait qu'il avait été froissé... Comment avait-il su que mon amie n'avait pas été dans la même ville que lui par hasard, comme elle l'avait prétendu ? Simple instinct, m'assurait-il. Intuition masculine ? Ouf ! Ce n'était pas la première fois qu'il manifestait de l'impatience ou de la morosité à mon égard, mais cette fois je lui donnais raison ; je me trouvais ridicule. Pas tant d'avoir douté, mais de ne pas lui en avoir parlé ouvertement plutôt que de mettre Maryse à ses trousses.

— Ben toi, t'avais juste à pas me faire plein de cachotteries ! Tu peux bien parler !

Mon ton avait été plus sec que prévu et je sentais que cette conversation pourrait déraper. Robert m'en a donné la preuve :

— Franchement, Val ! Avoir su que tu te mettais dans un état de même, j'aurais changé de tactique ! C'est pas mon trip à moi non plus, les cachettes, mais je voulais te surprendre. C'est beau, j'ai compris ! Même si j'ai été soulagé de pouvoir en parler à ta chum, j'en pouvais plus, moi non plus, de toutes les manigances, même si c'était pas pantoute ce que tu croyais. Mais tu m'as jamais rien dit...

Le petit garçon bougon refait surface et ça m'agace. Je tente de désamorcer ce qui me semble une réaction enfantine :

— Ben non. C'est pas comme si une fille aimait ça avoir

l'air de la jalouse hystérique qui fait pas confiance à son chum !...

— On est pas mal niaiseux, hein ?

— Ouain, pas mal.

Robert réfléchit. Je sens que j'ai réussi à éviter que les choses s'enveniment. Comme preuve, il ajoute :

— Écoute, on va faire un *deal,* OK ? Qu'est-ce que tu dirais qu'on se donne jusqu'à l'été prochain pour y penser chacun de notre bord ? J'me doute que ton psy, là, t'aide à démêler tout ça, j'me trompe ?

— Tu te trompes pas pantoute. En fait, c'est pour ça que j'y vais. Je fais dur, hein ?

— Non, tu fais pas dur, ma p'tite mélangée d'amour. Au contraire. Tu prends des moyens pour comprendre, ça me touche. Ça veut dire que c'est assez important pour toi et que t'as envie d'être heureuse, en fin de compte. J'espère juste pouvoir faire partie de ton bonheur, Val. C'est tout ce que je veux.

La salade n'était plus tiède quand nous l'avons mangée, mais ça nous importait peu. La soirée s'est terminée dans une étreinte d'une douceur incroyable à la suite de laquelle j'ai encore pleuré. Je me suis souvenue de Julie et de la fois où j'avais baptisé les crises de pleurs qui l'affligeaient après des épisodes de sexe intense de « déprime postcoïtale ». Ce qui m'arrivait n'avait rien à voir puisque je n'étais pas déprimée, loin de là. Dans mon cas, le terme « confusion postcoïtale » aurait été plus approprié ; je voyais même Julie me renvoyer la balle en formulant une suggestion du genre « braillage-postcoïtal-fucké-pas-rapport ». Elle n'aurait pas tort.

Soulagée mais toujours inquiète, à la fois amoureuse et terrorisée, je me suis endormie dans les bras de mon bien-aimé alors que les larmes séchaient sur mes joues.

En repensant à tout ça, je me rends compte que Robert vient de me donner une espèce d'assurance. Sans l'avoir verbalisé, il se montre d'accord pour « passer un test » afin de gagner ma confiance. Docteur Jacques m'en a parlé… en amour, il n'y a pas de garanties, que des preuves concrètes, par des gestes, que l'autre est prêt à s'investir, à s'engager. Avec sa suggestion de nous donner du temps, Robert vient de m'affirmer qu'il sera patient, qu'il comprend que j'ai besoin de pouvoir associer ses paroles rassurantes à des actes réels. Ce n'est pas suffisant pour que j'adhère aveuglément à toutes ses belles images de nous voir vieillir ensemble en étant toujours là l'un pour l'autre, mais c'est un début, non ? Mes yeux coulent encore, à croire que cette source de larmes est intarissable. Braillage-fucké-pas-rapport ? Oh, que oui.

Il y avait un rabais sur les mouchoirs chez Costco la semaine dernière, et j'ai fait des provisions. Quelle chance…

16

À quoi pensez-vous ?

Ben... j'pense que Jessica me tape vraiment sur les nerfs pis que je suis pas la seule reine du braillage dans le coin. OK c'est dit. Bonne journée !

— Ton chum a dû trouver que je faisais pas mal dur, l'autre soir, hein ? Je m'excuse encore. T'as été tellement fine de m'inviter à veiller avec vous autres, pis moi j'me soûle la gueule, pis je braille. Je fais dur ! T'as dû regretter de m'avoir invitée...

— Ben non, arrête, Jess. C'est pas grave, ça arrive à tout le monde. Pis je trouve ça ben dommage ce qui t'arrive. Comment tu te sens ?

Je n'ai pas envie de le savoir, mais elle fait pitié. Elle a maigri, il me semble, elle est cernée, a les yeux bouffis et me paraît aussi négligée qu'elle l'était la fin de semaine précédente. Les cheveux gras noués n'importe comment, elle porte toutefois des vêtements propres, quoique très loin des tenues affriolantes auxquelles elle nous a habituées. Un short ample, un t-shirt lui tombant à mi-cuisses, elle ressemble à une adolescente qui vient de faire la grasse matinée après une soirée prolongée.

— J'arrive juste pas à le croire. On s'est parlé, la semaine dernière, Pierre-Louis pis moi… en fait, il m'a appelée pour me demander d'arrêter de le texter à tout bout de champ. Je sais que j'exagérais un peu, mais il me semblait juste que ça se pouvait pas qu'il me dompe de même. J'étais sûre qu'y'avait quelque chose d'autre, que sa femme lui avait fait des menaces ou de quoi dans le genre, pis j'voulais savoir, c'est tout. Mais j'me trompais solide. C'est juste un maudit lâche !

— Comment ça ?

— J'vas te l'dire comment ça. Imagine-toi donc que sa femme, qui a eu trente-neuf ans le mois passé, a eu une crise existentielle. Madame panique à l'idée d'avoir quarante ans pis… pis…

Jessica se met à pleurer, une poignée de mauvaises herbes à la main. Elle s'essuie le visage avec ses gants de jardinage et y laisse une épaisse couche de terre. Une vraie petite fille secouée par des sanglots incontrôlables. Je me résigne à la prendre dans mes bras encore une fois, ne pouvant demeurer insensible à une telle détresse. Au moins, je ne crois pas qu'elle essaiera de me montrer ses seins refaits, cette fois. « Sont belles mes boules ! » Pfff. Me serais-je vantée de la sorte si j'avais payé un chirurgien pour rajeunir ma poitrine comme j'en ai eu envie l'an dernier ? J'en doute et je bénis le ciel de nouveau d'avoir reculé à temps. Jessica pleure de plus belle en gémissant et je la laisse faire, rien d'autre ne me venant à l'esprit. Enfin, après quelques minutes, elle me dévoile l'objet de son chagrin :

— Sa femme a jamais su, pour nous deux. Et elle, ben, elle la prenait pour vrai, la pilule. Elle a arrêté de la prendre y'a plusieurs mois pis est tombée enceinte. Elle lui a annoncé ça y'a deux semaines. C'est pour ça qu'il a *badtripé* quand je lui ai dit que j'avais le goût de la même chose. Il m'a dit que… qu'il pouvait pas la laisser maintenant, qu'il voulait se donner une chance d'être heureux avec elle… Mais y'était heureux avec moiii ! ! !

Nouveau débordement de larmes, accompagnées de geignements pathétiques. Wow. Quelle histoire de fou.

— Bon, ben ma belle, c'est assez clair, tu vas te permettre de brailler encore un peu, mais après tu vas te secouer pis voir que c'était juste pas le bon gars pour toi. Ça faisait peut-être un bout de temps qu'il savait que ça arriverait et qu'il se posait des questions, mais il savait pas comment te le dire. Là, il a pas eu le choix… ça veut peut-être juste dire que ça aurait pas marché. Moi, j'me dis tout le temps qu'y'a rien qui arrive pour rien…

Jessica se redresse et ses yeux expriment autant de colère que de désarroi :

— Bullshit ! J'y crois pas, moi. C'est sûr que c'est plus facile de rester avec quelqu'un que tu connais comme le fond de ta poche et de jouer au bon gars qui peut pas abandonner sa femme, enceinte ou pas, même s'il l'aime pus vraiment. Et ça, je trouve ça con, faut être peureux en maudit. Il pense qu'un bébé va arranger tout ça ? Qu'il va retomber amoureux d'elle ? Ayoye, il va avoir une méchante surprise ! Pis elle, peut-être qu'elle savait, au fond, pis qu'elle a fait ça pour être sûre qu'il partirait pas. Est épaisse pas à peu près ! Ça va juste empirer, leur affaire ! C'est déjà pas évident de s'occuper d'un p'tit à deux quand le couple est solide… sont vraiment dans marde ! Y'est tellement mou, pas de couilles, trop innocent pour le savoir, y'aime mieux se raconter des histoires !

Avoir un bébé dans l'espoir de réparer une union qui

tire de l'aile, je n'y croyais pas non plus, même si je n'étais pas passée par là. Pour le reste…

— Peut-être qu'ils sont dans marde, peut-être pas. *Anyway,* c'est pus ton problème. Au fond, tu l'aimais peut-être pas tant que ça. Si c't'un lâche pis un peureux, je vois pas comment tu pourrais l'aimer… T'sais, quand on aime quelqu'un, ça devrait être parce qu'on apprécie comment il est, pas juste pour son compte de banque ou de quoi y'a l'air…

Ouuuh, Docteur Jacques serait fier de moi ! Me voilà psychologue de jardin et spécialiste de l'amour. Tordant ! Janette Bertrand, sors de ce corps !

— Je sais… mais j'y peux rien, poursuit Jessica. C'est juste trop chien. Y'était pas de même avec moi, y'avait des couilles pis envie de triper…

— Oui, tant qu'il avait autre chose à la maison, sa petite sécurité.

— J'aurais pu lui donner ça, moi aussi !

Misère. Rien à faire. J'essaie de faire taire de bien vilaines pensées, telles que : « Reviens-en, l'épaisse, pis allume ! » mais en vain. Jessica pleure encore un bon coup puis, peu à peu, ses sanglots s'estompent. La tête baissée, elle se lamente, tout doucement :

— En tout cas. Ça m'apprendra. Mais c'est pas ça le pire. J'me suis fait niaiser, je l'avoue. J'ai joué un jeu dangereux pis j'ai perdu. J'pensais que j'me remettrais vite, après son départ, mais c'est pas ça qui se passe et j'sais pus quoi faire. Le laisser tranquille en sachant qu'il va se planter, ou lui donner une autre chance en essayant de lui montrer tout ce qu'il perd en restant avec elle…

— *Come on,* Jess, tu peux pas essayer de le convaincre de la domper. Elle est enceinte ! C'est clair, me semble.

Arrête, là. Il a fait son choix, faut que tu l'acceptes, que ça fasse ton affaire ou pas. Si tu continues d'insister, ça va juste le gosser encore plus. Il est temps de lâcher le morceau.

— Je peux pas, Valérie. Et je veux pas. Je suis certaine que je réussirais à lui faire comprendre qu'il fait une gaffe. Parce qu'y'a quelque chose qu'il sait pas, et toi non plus... C'est parce que... ben moi aussi, je suis enceinte.

Et merde ! Quand elle se met dedans, elle s'y met jusqu'au cou, apparemment. Pourquoi ne suis-je pas étonnée ? Parce que c'est tout à fait conforme à l'idée que j'avais de cette fille : prête à tout pour obtenir ce qu'elle veut. Même à ça ? J'ai un petit sursaut de colère envers Maryse qui aurait dû gérer ça à ma place plutôt que de se la couler douce en Italie avec son amoureux. Comment réagirait-elle ? Elle trouverait les bonnes paroles, les bons gestes, alors que moi, je me sens déstabilisée, et vraiment pas dans mon élément. Maryse a pris cette fille sous son aile, pas moi ! Pourquoi suis-je dans une telle situation ? Je n'ai aucune envie d'être là, j'ai bien assez de mes propres combats, mais Jess a clairement besoin d'une épaule amicale. Je me souviens de la journée fatidique où ma propre grossesse m'est apparue comme une réalité implacable. L'incrédulité, la terreur, l'enchantement malgré tout, sans doute une réaction primale à notre condition de femme féconde. Et re-merde.

— Jess, je sais vraiment pas quoi te dire. Je te connais presque pas, et Pierre-Louis pas pantoute. Mais ça serait peut-être sage d'attendre avant de lui parler, non ? Digère, d'abord. Tu l'as su quand ?

— Quand je t'ai appelée, avant-hier. J'aurais tant aimé que Maryse soit là...

— Je sais, moi aussi ! Elle saurait quoi te dire, elle...

— C'pas grave, ça m'a fait du bien d'en parler, Val. Merci de m'avoir écoutée, mais c'est pas ton problème, c'est le mien et je vais le régler. T'as raison, j'ai besoin de réfléchir. Elle revient quand, exactement, Maryse ?

— Mercredi, en début d'après-midi. C'est pour ça que je voulais faire une belle job ici. Je vais revenir mardi couper plein de fleurs pour lui faire des bouquets. Tu peux attendre jusque-là, hein ?

— Ben oui, t'inquiète, pis j'vais laisser arriver Maryse avant de l'achaler avec toute c't'histoire-là. Je ferai rien de niaiseux d'ici là, j'vais être correcte. Tu vas me trouver méchante, mais j'aimerais quasiment ça qu'elle fasse une fausse-couche, la salope à Pierre-Louis. À presque quarante ans, ça se peut ben, pis je lui souhaite. Je leur souhaite à tous les deux ! La maudite vieille vache… Excuse-moi, j'veux pas dire que t'es vieille, là, c'est juste que elle, ben… en tout cas, tu sais c'que j'veux dire.

Ouille. La vraie Jess sort les griffes. Oh oui, je sais ce qu'elle veut dire, et j'ai hâte qu'elle ait mon âge. Elle croit peut-être qu'elle sera toujours aussi canon ? Oh non, elle aura la joie de constater l'affaissement, la mollesse, le relâchement des chairs, elle aussi, de même que la multiplication des rides. Elle ne perd rien pour attendre. Quelle méchanceté ! Cette fille peut être dangereuse, littéralement, et je ne voudrais pas l'avoir comme ennemie. Je vais devoir la surveiller de près, et demeurer méfiante. L'ayant depuis le début considérée comme une menace, je sais dorénavant qu'il vaut mieux m'en faire une alliée, quitte à le regretter. Qui voudrait d'une telle chipie dans sa vie ? Je ne le dirais jamais à voix haute, mais je crois que Pierre-Louis vient de s'éviter bien des problèmes, ou « *Dodged that bullet !* » comme dirait Julie. *Indeed.*

Maryse rayonne. Elle est rentrée il y a tout juste trois heures et nous a invitées, Julie et moi, à venir prendre un verre et un souper léger. Le décalage horaire aura sans doute raison d'elle très tôt en soirée, je me réjouis tout de même de la voir dès son retour. Elle m'a tellement manquée !

Je m'attendais à voir François, et il me tardait de mieux connaître cet homme que je n'ai rencontré que lors du départ du couple pour l'Italie, mais avant que je l'interroge, Maryse nous explique son absence :

— François voulait aller chez lui, mais il vous dit bonjour. Ça va faire drôle de me retrouver toute seule dans mon lit...

— Ouain ? Ça fait que comme ça, toi pis le beau François, c'est cool ?

— Ben oui, Ju, ma fouine. Moi pis le beau François, c'est, comment dire...

Elle n'ajoute rien, mais son regard se perd dans le néant, vers quelque épisode méditerranéen de rêve. Son sourire est éloquent et je suis ravie pour elle. Mais plus que tout, je suis extrêmement curieuse, autant sinon davantage que Julie, qui trépigne. Maryse sort de sa bulle et nous observe, ses lèvres étirées de la plus douce manière et le regard brillant avant de nous dévoiler enfin ce qui lui brûle les lèvres :

— Les filles, je capote. J'ai fait le voyage le plus merveilleux de toute ma vie, sérieux. L'Italie, c'est fou, la croisière était un rêve, et le gars avec qui j'étais a rendu tout ça encore plus magique. J'ai jamais vécu une affaire de même...

— *Yesss !* s'exclame Julie, applaudissant comme une enfant. Je l'savais ! Ta face disait tout ça, et plus encore.

Wow ! Tellement contente pour toi, Karma-Mamma. Comme ça, il est pas juste beau pis fin, il a tout ce qui faut ailleurs aussi ?

Julie nous fait un de ses clins d'œil indiquant qu'elle pense à son sujet préféré : le sexe. Je ne la changerais pour rien au monde, notre pétillante blonde. Maryse n'est pas du genre à nous révéler les détails de sa vie privée, nous l'avons bien compris depuis le temps. Mais cette fois, elle glousse comme une gamine, rougissant jusqu'aux oreilles et répond :

— *My God,* les filles. Il est juste... parfait. J'vous ai déjà parlé de la grosse queue de Gilles, mais j'vous ai jamais dit à quel point ça avait été un problème, pour moi. François a tout ce qui faut, comme tu dis, Julie, mais dans des proportions idéales. Pas trop gros, pas trop petit, juste assez long et surtout tellement sensuel ! OK, mettons que c'est pas toujours aussi performant qu'il voudrait, c't'affaire-là, mais en masse pour qu'on tripe tous les deux. J'ai chaud rien que d'y penser. Et j'en ai profité, là-bas, croyez-moi ! J'pense que j'vais être en sevrage, je suis pas censée le revoir avant samedi. Au fait, samedi, vous venez ici, je fais un souper avec vous autres, les enfants, vos chums et... blonde, y va faire beau et j'ai hâte de retrouver ma gang !

— OK ! s'écrie Julie, Céline et Alain vont être contents, ils vous ont pas vues depuis un bout.

Maryse se tourne vers moi et s'informe :

— Val, tu vas emmener Sabrina ? Ça fait trop longtemps !

— Oui, super !

— Pis y'a du nouveau ? Julie, tu vas me faire un rapport sur ce qui s'est passé sur le site pendant que j'étais partie, hein ?

— Oui, boss. En fait, j'ai hâte... ça se passe super bien, le nombre de visites et d'abonnements continue de monter, mais y'a quelque chose qui m'agace. Je t'en reparlerai.

— Je devrais m'inquiéter ?

— Non, j'pense pas... ça dépend. C'est juste les messages. On dirait que ça commence à déraper. Vos histoires de vengeance ont fait des p'tits, et là y'a un paquet de femmes qui font pareil. J'suis pas toujours sûre que c'est justifié. C'est peut-être des idées que j'me fais, tu verras...

— OK, tu m'intrigues. On s'en parle demain, OK ? Pis toi, Val, ça se passe toujours bien avec le psy ? Avec Robert ?

— Oui, vraiment bien. J'avance, et Robert est génial. Mais là, toi, tu nous diras rien d'autre ? T'es ben plate !

Maryse sourit et nous raconte son voyage. Venise, Rome, Cinque Terre, la Sicile, tout ce qu'elle évoque comme paysages à couper le souffle, comme parfums envoûtants et comme petits plats divins me donnerait presque envie de voyager, moi aussi. La croisière, qui ne durait que cinq jours, a été une détente merveilleuse après tous les kilomètres parcourus pour admirer les splendeurs du pays. Ses yeux brillent, sa voix est exaltée, les photos qu'elle nous montre sur sa tablette sont magnifiques. En la découvrant blottie contre François dans une gondole de Venise, je sais que Maryse est amoureuse. C'est une femme heureuse que je vois là, dans sa jolie robe toute blanche, et l'homme qui l'accompagne semble l'être tout autant. À mes yeux, ils ont vingt ans, les feux d'artifice qui éclatent entre eux sont aussi visibles que s'ils étaient réels.

Maryse sort de sa rêverie et nous dévisage l'une après l'autre, presque avec gravité. Puis, elle nous déclare :

— Les filles, en fait, ce voyage-là m'a apporté beaucoup

plus que des beaux souvenirs et des étoiles dans les yeux. François est le genre de gars qui a besoin de se retrouver dans sa bulle, souvent, et je trouve ça fantastique parce que j'en profite pour faire la même chose. C'est pas lourd, y'a pas de malaise, mais il est fort sur l'introspection, et il est capable de le dire et de me parler, après, de ses réflexions assez... *deep*. Ça fait que, mettons que j'ai fait un gros bout de chemin, un bon ménage. Pis j'ai compris ben, ben des affaires.

— Comme quoi ? demande Julie, un pli soucieux entre les yeux.

— Comme... les gaffes que j'ai faites, la colère qui m'a poussée à faire des gestes qui autrefois m'auraient paru impensables, la honte, un peu.

Je vois où elle veut en venir et un immense soulagement me submerge. Pour être certaine de ce que je déduis, je lui demande, candidement :

— Tu penses à la dernière année, en particulier ?

— Oui, surtout, mais pas seulement. Toutes les années pendant lesquelles j'ai été malheureuse avec Gilles sans réagir parce que j'avais trop peur de ce qui arriverait. J'aurais dû le laisser, j'aurais pu le faire et me retrousser les manches. Mais je l'ai pas fait, j'ai été lâche.

— Lâche ? s'exclame Julie, dubitative. T'as pas été lâche, Maryse, t'as décidé d'essayer de t'accommoder d'une situation parce que tu trouvais que t'en tirais quand même quelque chose.

— C'est vrai, mais je me suis accommodée, comme tu dis, parce que l'inconnu me paralysait ; l'orgueil, aussi. Je voulais pas me dire que ma vie était un échec, ça fait que je m'obstinais à croire le contraire. En tout cas, c'est pas ça l'important. Ce qui compte, c'est que j'me suis pardonnée.

— Pardonnée de quoi ? ! Voyons donc, t'avais rien à te pardonner !

Julie est outrée. Moi, je comprends ce qu'elle veut dire parce que ses paroles font un écho à ce que j'essayais moi-même de formuler depuis quelque temps. J'essaie de voir si ma façon de l'expliquer rejoint mieux Julie :

— Moi, je comprends, parce que j'arrive pas mal à ça, petit à petit. J'y suis pas encore, mais ça s'en vient. Maryse se trouve nounoune d'avoir enduré ça, mais elle accueille sa nounounerie parce qu'elle sait que c'était pour une raison légitime. Elle a agi comme ça parce qu'elle pensait que c'était la chose à faire. Elle s'en est voulu, et là, elle décide que ça va faire, que ça sert à rien de revenir là-dessus. L'important, c'est d'être ailleurs, aujourd'hui. C'est-tu pas mal ça, Maryse ?

— En plein ça. Wow, je trouve ça cool que tu le comprennes, Val. Parce que toi aussi, en effet, j'pense que t'es rendue là. Mais ce qui est encore plus surprenant, et qui, croyez-le ou pas, fait encore plus de bien, c'est que j'ai pardonné à Gilles…

Là, Julie et moi sommes abasourdies. Est-elle vraiment sincère ? Après tant de haine, de rancœur, de hargne, est-elle réellement arrivée à autant de sérénité ? Je la crois, parce que j'en ai besoin, puisque j'aspire à peu près à la même chose. Comme je l'admire ! Julie, elle, est plus confuse que jamais et l'exprime de sa manière habituelle, c'est-à-dire sans nuances :

— Comment tu peux réussir à faire ça ? Es-tu revirée sur le top, ma belle ? T'as passé plus d'un an à vouloir faire payer la Terre entière pour ce que Gilles t'avait fait. T'as démasqué et condamné un paquet de gars au nom de c'te vengeance-là envers ton ex, t'as construit un empire, quasiment, là-dessus. Et là, tu lui as *pardonné* ? J'te crois pas. As-tu décidé de devenir bouddhiste ou quelque chose dans le genre ? Ton François est-tu un témoin de Jéhovah ou une autre affaire *weird* ? As-tu lu trop de livres de spiritualité, toi, là ? C'est quoi la prochaine affaire, t'entends des voix ou des anges t'envoient des messages ? Voyons donc !

Maryse écoute notre amie avec un doux sourire aux lèvres. À ce moment, elle a effectivement l'air d'une illuminée qui prend en pitié ceux qui n'ont pas « trouvé la voie » et il ne lui manque qu'une auréole de lumière. Je pouffe et les filles me regardent sans comprendre. Je leur explique :

— Maryse, tu devrais te voir l'air. On dirait que le Bon Dieu t'a parlé pis que tu vas te mettre à léviter ou quelque chose du genre !

Maryse s'esclaffe.

— Hey, dit-elle, j'pourrais essayer de changer l'eau de ma piscine en vin ? On serait correctes pour une couple de semaines !

Cette réplique détend l'atmosphère et même Julie rit. Je constate cependant qu'elle n'est que partiellement soulagée.

— Maryse, demande-t-elle, t'es sérieuse, là ?

— Oui. Je trouve que j'ai été d'abord faible, peureuse, je voulais juste pas admettre une vérité qui pourtant me sautait aux yeux. Après, j'ai été mesquine, calculatrice, méchante, profiteuse ; j'ai utilisé Jess pour faire ma sale job, je l'ai influencée et je me suis influencée moi-même. Mais je comprends aujourd'hui que c'est parce que j'avais mal, que mon orgueil, mon ego étaient pas juste blessés, mais écrasés, et que je pensais qu'en faisant souffrir d'autre monde, même si quelque part il le méritait, ça me soulagerait. Ben non. Sur le coup, oui, mais ça a rien réglé. Ce qui a réglé toutes mes bibittes, c'est que j'me suis rendu compte que malgré tout ce que je disais et pensais croire, j'avais envie de refaire confiance, de m'abandonner à quelque chose de beau, pis c'est ça que j'ai trouvé avec François. J'ai pensé à vous autres, aussi, beaucoup, mais je vous en parlerai une autre fois, *one on one*. J'vous aime, les filles, vous comptez plus pour moi que je pourrai jamais vous le dire. Merci d'être là.

Bon, ça y est, il ne m'en faut pas davantage pour qu'un flot de larmes m'inonde, ce qui fait rire, puis pleurer, mes amies. Trois vraies hyper émotives qui, comme il nous arrive si souvent dans de tels instants, se tombent dans les bras l'une de l'autre dans une embrassade touchante, limite ridicule. Nous devons être belles à voir ! Tant pis. Mes larmes sont libératrices et je sens, de chacune d'elles, s'échapper doucement un peu de questions laissées si longtemps sans réponse, de même qu'une bonne dose de culpabilité, de doute et de peur. Oui, même ça. Wow.

Julie semble dans le même état et, fait plutôt rare pour notre trio, aucune de nous ne ressent l'envie de parler ; plongées dans nos propres questionnements philosophiques, nous savourons ce moment d'intimité partagée et de gratitude. Vraiment, je nous verrais sur les ondes d'une émission de télé à la Oprah, quand les invités vivent une espèce de renaissance frisant l'extase religieuse dans son intensité, remerciant la Terre entière et toutes les divinités ayant créé notre monde de nous avoir permis d'atteindre une sorte de nirvana. Julie est vraisemblablement dans les mêmes méandres d'absolu que moi puisqu'elle se met à rire et s'exclame :

— Allléluuuiiia et Ammmeeen ! Regardez-nous donc : trois poules full new-age en pleine transe ! Pouhahaha !

Le fou rire est contagieux et inextinguible. À part mes amies, avec qui pourrais-je me laisser aller aussi totalement ? Personne. Ah, si ! Je crois qu'avec Robert, si toutes les circonstances s'y prêtaient, j'arriverais à m'abandonner de la sorte, et ce serait merveilleux. Des larmes fraîches arrosent mes joues à cette pensée. Tout à coup, je suis épuisée, vidée, et je me sens à la fois toute légère. Étrange.

Un bâillement soutenu de Maryse nous rappelle que le décalage la fait se sentir comme au petit matin, après une nuit blanche. Il est temps pour nous de laisser notre amie récupérer. Alors que nous nous dirigeons vers nos voitures, elle nous tend, à Julie et à moi, chacune un petit paquet joliment enveloppé et enrubanné. Nous sommes excitées et touchées qu'elle ait pensé à nous rapporter un souvenir, mais les masques vénitiens que nous découvrons, exquis et d'une délicatesse éblouissante, me coupent le souffle. C'est si beau… Je connais suffisamment Maryse pour savoir que ces objets sont de véritables œuvres d'art, pas que des masques de pacotille achetés dans la rue. D'ailleurs, c'est évident. L'ouvrage est saisissant, des paillettes et des plumes jusqu'à l'émail et aux dorures, peintes à la main. Ces masques doivent valoir une fortune. Maryse nous explique :

— Je les ai achetés d'un artiste dont la famille fabrique des masques depuis plus de trois cents ans. Vous auriez dû voir son atelier… c'était comme dans un film. Ancien, poussiéreux, mais super bien rangé. Le monsieur était vieux, courbé, d'une patience folle. C'était fascinant de le regarder travailler. Et ça m'a fait penser à nous autres, les filles, et un peu à ce que je viens de vous raconter. Comment on a porté des masques longtemps… et j'aimerais que ça nous aide à nous souvenir de qui on est vraiment, maintenant, et que les masques, c'est plus beau sur un mur que sur le visage. Tant qu'à rester full new-age...

— Maryse, c'est beau... chuchote Julie. Je sais pas trop quoi dire.

— Pas besoin de rien dire, Ju. Tant que tu l'aimes !

— Impossible de pas l'aimer, c'est comme magique, c't'affaire-là !

— Magique, oui, je suis assez d'accord, dis-je. Merci, Maryse. Mon masque, je travaille encore dessus, mais ça s'en vient bien. T'as tellement raison, plus beau sur un mur...

Julie part et je m'apprête à démarrer lorsque, voyant la maison de Jessica, je sens le besoin de mettre Maryse en garde :

— Oh, faut que tu saches... Jess va pas bien. Son Pierre-Louis l'a laissée.

— Oh boy. J'me doutais bien que ça arriverait. T'as su ça comment ?

— J'étais ici, la semaine dernière, à jouer dans tes plates-bandes, pis elle est arrivée. J'te raconterai la soirée, c'était assez pathétique, mais elle en mène pas large. Elle avait ben hâte que tu reviennes, j'ai comme l'impression qu'elle va débarquer demain.

— C'est correct, j'allais l'inviter samedi, *anyway.* Mais qu'est-ce qui s'est passé ? Sa femme l'a découvert, quoi ?

— Non, pas pantoute. Pas mal plus intense que ça...

Je lui relate les grandes lignes et je vois le visage de mon amie se durcir. Je ne sais pas ce qu'elle pense, ses traits indéchiffrables ne laissent paraître ni colère, ni pitié, ni tristesse, seulement une réflexion profonde. Je termine mon récit en lui faisant part de mon impression de préférer avoir Jess comme alliée que comme ennemie, ce à quoi Maryse réplique :

— T'as raison, Val, faut s'en méfier. En même temps, elle est fragile, c'est pas un *front*. Je vais lui parler. Merci d'avoir joué les mamans à ma place, j'imagine que tu t'en serais passée !

— Oui, c'est sûr.

Fragile. C'est sans doute le dernier mot qui me serait venu à l'esprit. L'équilibre de Jessica est bancal, ça oui ; elle m'a semblé prête à craquer lorsque je l'ai quittée, la dernière fois. Mais pas « craquer » dans le sens de s'effondrer en larmes ou en dépression. Je la verrais plutôt disjoncter, commettre des gestes impulsifs, comme une tornade destructrice. Et ça, je n'aime pas ça du tout. Un petit oiseau blessé qui souffre ? Soit, je n'ai aucun mal à gérer ça. Mais une tornade ? Tout à fait autre chose. Comme dans les histoires sordides de meurtres passionnels qu'on peut lire tous les jours dans les journaux.

« Tu charries, Val ! » me dirait Maryse.

Je n'en suis pas si certaine.

Devoirs de psy :

- *Maryse est tellement amoureuse, ça crève les yeux. Docteur Jacques m'a suggéré de m'attarder aux beaux exemples de couples que je voyais, pour essayer de me convaincre que ça existe. Mais il voulait dire les vieux couples qui durent, pas les nouveaux en lune de miel. Bien sûr que c'est beau de les voir, mais un nouveau couple, c'est tout plein de papillons, de p'tites fleurs et de violons. Ça, je peux très bien le concevoir, j'ai juste à penser à Robert et moi, ~~au début ;~~ on est encore de même (genre, comme à l'aéroport ? ? ?). Je lui souhaite tellement que ça dure, cette belle histoire-là. Pour ce qui est de sa*

« renaissance », ça me fait triper. Je savais que la vraie Maryse se cachait quelque part et je suis contente de la revoir. C'est d'elle que j'avais besoin dans ma vie, pas de ~~la bitch~~ l'autre. Ce qu'elle nous a raconté m'a vraiment ébranlée, au point où je pensais qu'elle parlait de moi, à un moment donné. Comment elle avait été lâche, faible, peureuse, et qu'elle comprenait aujourd'hui que ça avait été légitime, qu'elle se donnait le droit d'avoir été comme ça et qu'elle se pardonnait. My God ! Je devrais faire pareil ? C'est ça que Dr J. essaie de me dire quand il me confirme que j'ai raison, que j'ai réagi de manière « normale » ? Pis son histoire de pardon… Est-ce que ça veut dire que je devrais pardonner à mon père ? À ma mère ? Surtout, à moi ? ? ? Ouf. Intense.

- *Robert continue de me surprendre. On dirait qu'il est plus détendu depuis qu'on s'est parlé, et moi aussi. C'est niaiseux pareil, on aurait dû faire ça avant. Ben oui, j'ai eu peur pour rien. Moiii ? Incroyable, je sais, venant de celle qui pourrait avoir peur du chaton sur les emballages de papier de toilette. Eh ben ! Ça prouve pas tout… ça prouve rien, en fait, juste que ça m'arrive de me tromper, et ça, je le savais déjà. Pour moi le soulagement est incroyable. Comme si je m'étais libérée d'un fardeau auquel j'étais si habituée que je le sentais plus. Sauf que là, je suis légère, presque insouciante. Presque. J'analyse le comportement de Robert et j'essaie de noter tous les petits gestes qu'il fait pour me donner les preuves et les garanties que je cherche. Souvent, des petites choses de rien, comme pas oublier d'acheter du lait à l'épicerie comme je lui ai demandé le matin, ou me préparer mon lunch pour le lendemain. C'est cute, c'est rassurant, mais c'est sans éclat.*

Faudrait qu'il se passe quelque chose de plus significatif, mais je vais quand même pas courir après le trouble ! Je vais plutôt laisser aller les choses en m'assurant d'avoir les yeux toujours grands ouverts. Pis là, j'entends Maryse nous dire qu'elle a toujours eu envie de « refaire confiance », de « s'abandonner à quelque chose de beau ». Y'a un message, là-dedans ? Elle essaie de me dire que c'est ce que je devrais faire avec Robert, ou quoi ? Sûrement. Pas encore rendue là, faut croire. Mais c'est beau pareil…

- *Jess me déstabilise… vraiment, je la sens comme une bombe à retardement. J'ai un mauvais pressentiment, je sais pas si c'est juste parce que je suis vraiment incapable de la ~~sentir~~ lire, ou si elle est aussi imprévisible que je pense, mais quelque chose va se passer et ça sera pas joli. J'ai pas envie d'en faire partie. Maryse a encore tendance à vouloir materner Jess. Je pense que c'est juste parce qu'elle souffre, mais j'ai un gros, gros doute. Pas qu'elle souffre, ça, c'est assez évident, mais ce qu'elle va faire avec sa douleur me fait peur. En tout cas. La peur, pour moi, c'est rien de nouveau, hein ? Je suis quand même soulagée que Maryse soit revenue, même si ça veut pas nécessairement dire que j'aurai plus Jess dans les pattes. En fait, elle m'a téléphoné, tout à l'heure, pour me demander si j'avais envie d'aller magasiner avec elle demain soir. Elle a besoin de se faire plaisir avec une nouvelle paire de sandales, ou quelque chose d'autre, qu'elle dit, puis elle veut m'offrir un cadeau pour me remercier de l'avoir écoutée et soutenue. Sa voix sonnait mieux, presque pimpante. Ça me tente ? Pas ~~pantoute~~ vraiment. Mais pourquoi pas, au fond ? J'ai pas besoin d'elle pour m'offrir une gâterie, mais si elle insiste…*

on verra bien. Et l'idée de m'en faire une alliée, et tout le reste ? Ben oui… bonne idée, en théorie. Mais en pratique, j'me sens comme une p'tite souris nounoune qui essaie de se mettre chum avec Catwoman. Je lui ferais un bon snack, non ? Je me donne jusqu'à midi, demain, pour y penser.

Quelque chose me dit que je suis loin d'en avoir fini avec Jess.

Et en sa présence aussi, encore plus qu'avec Robert, je fais le serment de garder les yeux grands, grands ouverts.

Les oreilles, aussi.

Et d'avoir des yeux tout le tour de la tête.

J'ai déjà dit que je me méfie ?

17

Jessica m'a donné rendez-vous au centre commercial à six heures et, lorsque je la vois arriver, je suis soulagée. Elle sourit, a l'air détendu, presque normal. Toute maquillée et vêtue d'une jupe moulante et d'un chemisier décolleté, elle est telle que je l'ai toujours connue. Elle m'embrasse comme si nous étions de vieilles copines et je joue le jeu. Je me sens évidemment bien quelconque, à côté d'elle, même si je sais que le contraste n'est pas aussi flagrant que je l'imagine. Sans faire tourner autant de têtes masculines qu'elle, je sais que la fille terne que j'étais autrefois a bel et bien disparu. Nous déambulons lentement dans le large mail, nous attardant ici pour tâter un chandail, là pour fouiller dans des étalages de chemisiers, flânant dans les boutiques de chaussures. Le style qu'elle affectionne est bien différent du mien. Plus audacieux, sexy. Elle me glisse d'ailleurs cette remarque plus ou moins subtile :

— Regarde plutôt ça, Val. Me semble que ça t'irait trop bien ! T'as des belles jambes, et y'a rien qui les met mieux en valeur que des sandales à talons hauts de même !

Mouais. Même si j'arrivais à me déplacer élégamment avec ce style d'échasses, je suis loin d'être certaine que ce soit mon genre.

— Ton beau Robert te trouverait ben pitoune dans quelque chose de même, garanti !

Elle me montre une courte robe moulante, à manches en dentelle et dos ouvert presque jusqu'à la taille. Voyons donc ! Je hausse les épaules en lui lançant un regard dubitatif.

— Fais pas la même gaffe que moi, Val. J'ai cru, dur comme du fer, que Pierre-Louis était amoureux de moi sans condition. Faut toujours faire des efforts, t'sais. Se mettre à notre avantage. T'as la *shape* pour porter quelque chose de même, ça le surprendrait. Les gars aiment ça quand on les surprend !

Elle me fait un clin d'œil coquin qui semble trop forcé pour être sincère. Pour qui se prend-elle, au juste ? Elle n'est certainement pas en position de me donner quelque conseil que ce soit pour garder mon homme ! J'imagine l'air de Robert si je me pavanais devant lui avec une telle robe et les sandales casse-cou qu'elle m'a montrées plus tôt. Il serait étonné, ça, c'est certain ! Peut-être même séduit, en effet. Mais alors ? Cette conversation me hérisse au plus haut point et je me retiens tant bien que mal de faire à Jess un commentaire hautain, du genre : « C'est peut-être parce que tu t'habilles en pétasse que t'attires des épais qui te flushent quand ça fait leur affaire ! » Non, ça ne donnerait rien et, une fois de plus, je réitère mon vœu de l'avoir comme alliée plutôt que comme ennemie. Ce genre de commentaire ne serait pas bien reçu et elle pourrait sans doute me servir une réplique tout aussi cinglante, ce dont je n'ai nullement envie. Achetant la paix, je lui dis plutôt :

— Pas cette fois, Jess. Viens, y'a des soldes chez La Baie, j'ai besoin de crèmes pour le visage...

— Hein ? T'achètes tes crèmes chez La Baie ? Seigneur,

Val. Tu devrais aller voir mon esthéticienne, sa gamme de produits est ben meilleure !

Et sans doute le double du prix. Pourquoi ne suis-je pas surprise ? Comme si j'avais les moyens ou l'envie d'aller chez une esthéticienne toutes les deux semaines comme elle le fait !

— Hey, en parlant d'elle, mon esthéticienne fait un prix spécial sur les rallonges de cils. Ça te tente ? C'est juste quarante dollars, fais-toi donc plaisir ! C'est quand même moins cher que les injections que tu as eues l'an dernier... D'ailleurs, vas-tu y retourner ? Je connais une bonne place !

Cette soirée sera donc interminable ? Avec du recul, je constate que j'ai erré en ayant recours à ces artifices. Si je l'avais fait pour moi, dans le but de me faire plaisir, à la rigueur, j'aurais pu mieux justifier cette dépense somme toute exorbitante pour une incorrigible économe telle que moi. Mais non, je l'ai fait pour des raisons stupides, pour plaire à un homme qui n'avait, lui, aucun problème avec mes rides et mes autres imperfections.

Jessica s'achète des sandales et quelques vêtements avant de m'offrir une écharpe qu'elle m'a surprise à admirer un peu plus tôt. J'accepte assez facilement, puisque son plaisir est évident. À mon grand bonheur, Jessica finit par proposer de manger une bouchée. Robert n'est pas à la maison, il a profité de ma sortie pour aller prendre une bière avec des copains, aucun repas ne m'attend. J'ai une faim de loup et, même si j'ai plus que ma dose de la compagnie de Jessica, mon estomac me convainc qu'il est temps de me nourrir.

Nous choisissons un restaurant plus raffiné que ceux de la foire alimentaire et commandons chacune notre repas en sirotant un verre de sangria diluée, au goût vaguement fruité. Je cherche des sujets de conversation qui ne m'horripileront pas trop et je trouve enfin.

— As-tu eu la chance de parler à Maryse ?

— Oui, à midi, on a bavardé pas mal. Elle est tellement fine ! Je savais qu'elle était encore sur le décalage, mais elle est venue prendre un verre dans le spa chez nous. Ça a fait du bien ! Pis je suis très contente d'être en congé. Pas hâte de retourner travailler…

— Tant mieux si ça t'a fait du bien… Maryse est vraiment la meilleure personne à qui parler quand ça va pas…

— Mets-en ! J'pensais pus être capable de brailler, mais ça a encore sorti et ça allait mieux après. Je commence à être moins mélangée, même si je suis encore pas mal croche…

— Ben là, c'est normal ! As-tu déjà pris une décision pour…

— Oui. C'est sûr que je peux pas garder c't'enfant-là. J'ai pas tant que ça envie de recommencer les couches, les nuits blanches et tout le reste, pas toute seule en tout cas.

— Je peux pas te blâmer. Je regrette rien, mais…

— T'as été ben bonne, t'sais, je t'admire pas mal !

Mon Dieu. Ai-je bien entendu ? Elle m'admire, elle ? Eh bien… toute une surprise !

— Vraiment ? Pourtant, j'ai fait ce que j'avais à faire, rien de plus, rien de moins.

— En tout cas, t'as bien fait ça. Elle est super *sweet,* ta belle grande fille ! Ça devait pas être facile tout le temps !

— Non, mais toi, t'en as déjà deux autres…

— Justement. C'est à cause d'eux que je peux pas. Ça serait pas *fair.* Ils auraient une demi-sœur ou un demi-frère, mais pas le beau-père qui va avec ! Pis, ben franchement, j'avoue que je commençais juste à trouver ça plus facile, j'ai pas tellement envie de me retrouver grosse comme une baleine, avec des nouvelles vergetures, les biberons… non. Si ça avait été un trip d'amoureux, avec Pierre-Louis, ça aurait été vraiment différent. Mais là… En tout cas, j'ai rendez-vous dans deux semaines. Si j'avais pu y aller avant, j'aurais aimé mieux ça, qu'on en parle pus, mais bon.

— Tu vas le dire à Pierre-Louis ?

— Non, je pense pas. Je serais ben surprise qu'on ait le genre de conversation qui le permette, et j'me vois mal arriver au bureau et lui dire : « Oh, *by the way,* j'suis allée me faire avorter de ton bébé, hier ! » Ça ferait un beau malaise, j'pense ! Pis si je lui disais avant, j'aurais l'air d'essayer de le faire changer d'avis. Pis ça, c'est pus dans mes plans. J'me fais niaiser, mais, quand j'me réveille, je regarde pas en arrière. Et tu m'as aidée plus que tu penses à me réveiller, justement. Là, c'est ça qui est ça. Dans mon livre à moi, y'a pus rien à en tirer, faut juste que je regarde en avant. Je sais pas trop c'qui va se passer, mais on verra ben !

— Bon, j'aime mieux te voir de même que comme l'autre soir…

— Oui, je sais. T'as écopé de mon *down,* j'm'apitoyais pas mal sur mon sort, mais c'est fini, là.

— Tant mieux…

— T'sais, après l'histoire de Mathieu, j'm'étais juré de pus retomber en amour. J'voulais pus avoir mal de même, pus jamais vivre ça. Le rejet, la trahison, l'espoir qui se fracassent en millions de morceaux comme des éclats de vitre qui vont se planter dans le cœur. Pus jamais. C'est pour ça que je tripais juste avec des gars mariés ou en couple, parce que je savais que ça pourrait jamais dépasser un certain niveau, que j'aurais pas le droit de m'attacher. Ça se passait plutôt bien. C'est sûr qu'avec eux autres, j'avais pas tout ce que je voulais, loin de là. J'pense que le pire, le plus douloureux, c'est d'avoir personne avec qui partager des belles nouvelles ou des pensées ou juste un beau moment *chill,* t'sais ? Des fois, je faisais un bon coup, au travail, et j'avais encore envie, plusieurs mois plus tard, d'appeler Matt pour lui en parler, parce qu'il aurait été content pour moi pis que ça aurait été l'fun de partager ça avec quelqu'un qui savait comment j'me sentais. Fallait toujours que j'me reprenne pis que j'me dise : « Voyons, donc, Jess, il s'en fout ! » même si j'arrivais juste pas à le croire. Avec Pierre-Louis, je découvrais quelque chose de différent. Un gars que j'admirais pour plein de raisons, même si vous avez toujours pensé que c'était juste du cul. Ce gars-là a des belles valeurs, une façon de penser pis de voir la vie que j'aimais vraiment. J'me disais même que je l'aimais plus que Mathieu avec qui ça avait jamais pris c'te genre de dimension-là. Avec Pierre-Louis, on aimait ça parler, pendant des heures, de toutes sortes d'affaires ; il me donnait le goût d'apprendre plein de choses, de découvrir la vie, de me poser des questions pis d'en discuter avec lui. En fait, il me donnait le goût d'être moi, de me dépasser pis de foncer. C'est tout ça que je perds. Pis c'est ça qui me fait le plus mal. T'sais des gars qui ont de quoi à dire, une tête sur les épaules et qui sont capables d'exprimer ce qu'ils pensent et ressentent, c'est rare en tabarouette ! Pis de le regarder faire, j'apprenais à faire pareil. J'me suis jamais autant dévoilée à quelqu'un, pis là j'me rends compte que c'était pour rien…

Je n'en crois pas mes oreilles et je dois avouer qu'elle vient de me révéler une facette insoupçonnée de sa personnalité. Je découvre en plus un point commun avec elle : la souffrance qu'on ne souhaite plus revivre, au risque de se contraindre à conserver une armure. Jess serait-elle moins stupide et superficielle que je l'avais cru ? Décidément, j'ai le jugement facile. Si tel est le cas, elle n'en est que plus dangereuse.

— Pas nécessairement pour rien, Jess. T'en as appris un bout sur toi-même, non ?

— C'est sûr ! Mais je m'en fous. Je reviens à la case départ, devant rien, et ça me fait chier. J'me rends compte que j'essayais de l'impressionner, d'avoir l'air ben smatte et différente des autres femmes. Il me disait exactement ça, d'ailleurs, que j'étais différente et j'ai pris ça comme une victoire. Mais au fond, différent c'est pas nécessairement une bonne affaire, faut croire. Il m'a dit : « J'pense qu'on est juste pas à la même place, toi et moi. » Ça veut dire quoi, ça, bordel ? Pfff. Il sait pas que je me serais arrangée pour que ma « place » soit la même que la sienne s'il m'en avait juste donné la chance ?

— Ben là, tu vas quand même pas vivre en fonction des envies de quelqu'un d'autre ! Si sa place à lui, c'est d'avoir une femme à la maison et une maîtresse quand il a envie de s'envoyer en l'air, t'accepterais ça pour le reste de tes jours ?

— Non, c'est pas ça que j'veux dire ! Mais j'aurais été prête à m'adapter à ben des affaires pour être avec lui parce que j'aurais été bien moi aussi. J'vais te donner un exemple. Il aime le camping. C'est pas trop mon trip, mais j'aurais au moins trouvé le moyen d'aimer ça. Pas pour en faire tout le temps, mais au moins pour partager ça avec lui, t'sais ?

— Oui, je sais ce que tu veux dire. Les femmes, on est bonnes là-dedans. On est prêtes à essayer des nouvelles affaires, prendre le risque d'être obligées de faire des compromis, mais les gars, eux autres... faut souvent qu'on fitte dans leur vie juste à la bonne place, de la bonne manière pis au bon moment. Sinon... *next* !

Qu'est-ce qui me fait dire une telle chose ? Des images de Pierre sur sa moto et de son band d'Elvis me reviennent en mémoire. Ah, subconscient, quand tu nous tiens !

— Ouain, c'est à peu près ça. Pis c'est pareil pour les sentiments. Il pouvait me parler de plein de situations qu'il avait vécues, sa famille, sa femme. Il pouvait réfléchir tout haut sur toutes sortes de sujets, le couple, l'amour, l'amitié, la loyauté. Mais il s'exposait jamais vraiment, j'm'en rends compte. Moi, je faisais pareil, mais j'me gênais pas pour lui montrer que je le désirais, que je m'intéressais à ce qu'il vivait pis toute... t'sais, y'aiment ça, les gars, qu'on s'intéresse à eux, mais le contraire, par exemple, c'est une autre histoire. J'le sentais ben qu'il se raidissait chaque fois que j'étais sentimentale ou trop directe avec lui. Y'aurait fallu que je joue la *game* de la fille distante, indépendante et pas pantoute attachée, mais j'suis pas capable. C'est vrai que je peux être intense, mais coudonc, on est pus des *kids,* me semble qu'on peut se parler franchement, non ? Pourquoi c'est compliqué de même, donc ?

— Parce que pour ben des hommes, quand ils sentent qu'une femme est « intense » comme tu dis, ça leur fait peur. Comme s'ils se sentaient piégés, ou en danger. Ça me fait penser à Julie et son Simon, entre autres. Lui, il disait qu'il fallait que ça soit l'fun, ouvert, intense, justement, pour qu'il soit bien avec quelqu'un. Mais quand ça l'était trop, il paniquait et disparaissait dans nature. Eh qu'elle a été déçue de c'gars-là, et pas juste une fois ! Au moins, Pierre-Louis t'aura pas fait niaiser trop longtemps ou trop souvent...

— Ah, ben… justement, oui. Au début, il me disait qu'il se sentait mal de tromper sa femme, il était sur les *brakes*. Qu'il tripait fort avec moi, mais qu'il voulait pas me niaiser, justement parce qu'il sentait que le *timing* était pas bon. Donc, j'ai fait quoi, la tarte ? Je lui ai dit que j'attendrais qu'il soit prêt, que je voulais pas lui mettre de pression, mais que ça serait con de passer à côté de quelque chose de potentiellement fantastique juste pour ces raisons-là. Qu'y avait pas de rush, que je serais là s'il avait envie de voir ce que ça pourrait donner. Pis c'est ça que j'ai fait. Je lui ai donné plein de temps, d'espace, pour penser à ses patentes. Comment j'me sentais ? Ben fine, ben correcte, et, franchement, j'me disais que ça pouvait améliorer mes chances s'il voyait que je peux être patiente et intéressée en même temps. Tu te rends compte ? J'ai attendu de même quasiment un mois ! Finalement, un bon soir, il m'a demandé si j'avais rencontré quelqu'un, si j'avais mis une croix sur lui. Hey, j'étais folle comme un balai ! Ça avait marché, mon affaire ! Y'était prêt à faire un *move,* au moins pour voir si ça se confirmait, ce qu'on ressentait. Pis là, tu me croiras peut-être pas, mais ce soir-là, on a passé une soirée vraiment l'fun, à se raconter nos vies en buvant du vin pis toute, et j'ai dormi avec lui. *Juste* dormi. Ben oui, moi. J'peux-tu te dire que j'étais comme… déstabilisée ?

— Euh… moi aussi ! Vraiment ?

— Ben oui, vraiment. Ça fait que j'me disais : « Super, il veut prendre le temps d'être ben certain, y veut pas que le sexe vienne tout mêler. » Même si je comprenais pas trop, au début, j'ai fini par admettre que c'est vrai : veut, veut pas, quand t'as baisé avec quelqu'un, ça fausse le jugement pour le reste, hein ?

— Oui… c'est sûr. Mais je suis vraiment étonnée !

— Ouain, ben je l'étais moi aussi ! Je sais pas par quel miracle j'ai réussi à pas lui sauter dessus… mais faut que j'te dise que ça m'inquiétait quand même un peu.

— Pourquoi ? Tu pensais qu'il te désirait pas ?

— Ben, quand même pas. Mais ça m'était jamais arrivé d'embrasser un gars, que ce soit aussi bon, mais que ça en reste là. En fait, j'me suis demandé si tout marchait comme il faut dans ses pantalons, t'sais ?

— Ah, en effet, c'est comme normal de se poser la question…

Le sarcasme de ma réplique ne devait pas être trop apparent puisque Jessica n'a pas réagi. Mais un autre souvenir a resurgi : Denis et sa dysfonction érectile. Je dois admettre que la question était bel et bien légitime. J'ai mal retenu un petit sourire alors que Jessica a poursuivi :

— Parce que ben franchement, ça aurait tout changé. Pas que c'est juste ça qui compte, mais mettons que c'est un méchant morceau !

Je n'aurais jamais admis une telle chose, auparavant, mais je peux désormais donner entièrement raison à Jess… Maintenant que je sais comment ça peut être extraordinaire, pourrais-je m'en passer ? Certainement pas.

— En tout cas. C'est la semaine d'après que ça s'est passé, et mes inquiétudes ont pris le bord ben vite. C'était… incroyable ! Sauf que, avec du recul, j'me rends ben compte que c'était pas aussi beau pis parfait que je me le faisais accroire.

— À cause de sa femme ?

— Non. Juste un feeling, t'sais ? Mais je le tassais parce que ça faisait pas mon affaire. J'avais juste l'impression qu'il était pas vraiment « là ». Il me disait qu'il était content quand je lui parlais de mes patentes, mais au fond, j'pense que ça l'intéressait pas trop. Moi, par exemple, j'étais toujours en train de lui demander comment ça allait, comment il se sentait, s'il avait passé une bonne journée… T'sais, c'est mon patron, mais on se voit pas tant que ça, au bureau. De toute façon, fallait que ça reste super discret, ça fait que c'était seulement des « bonjour, bonsoir », ou on était dans des réunions ensemble. En dehors de ça, on se parlait pas tous les jours, ou plutôt on se textait pas ; mettons que les vraies conversations, on les avait quand on se voyait. Au début, c'était pas pareil ! Il pouvait me texter dix fois par jour pour me dire qu'il pensait à moi, qu'il avait envie de me voir, de me… en tout cas. Mais plus tard, c'est devenu pas mal moins ça. J'ai été conne, pas à peu près…

— Ben non. Tu voulais y croire, pis t'as tout fait pour que ça marche. Mais là, à la job, il va se passer quoi ?

— J'avoue que je sais pas pantoute. J'étais en vacances quand tout est arrivé, il me reste une semaine, j'vais la prendre pour penser à ce que j'vais faire. J'me vois mal travailler à la même place que lui, le voir, pis faire comme si tout était OK. Ça l'est pas, pis j'sais pas comment je vais m'arranger avec ça. En même temps, j'ai pas envie de changer de job, j'aime ce que je fais et le monde avec qui je travaille, mais il est peut-être temps que je cherche autre chose…

— Ça, c'est le bout que je trouve ben plate et con. Pourquoi il faudrait que toi tu changes ta vie pour ça ? Ça m'enrage, mais c'est comme inévitable, hein ? J'espère au moins qu'il t'aidera à te trouver quelque chose !

— J'pense bien que oui, ça ferait son affaire, à lui aussi, de plus me voir là. J'sais pas trop, ben franchement. Tu m'as déjà dit qu'il y a rien qui arrive pour rien, je commence à te croire. C'est peut-être un signe du destin, ou mon karma ! J'vais peut-être me retrouver quelque part de radicalement différent qui va m'apporter plein de belles affaires, qui sait ? Tout d'un coup que je rencontrerais un gars comme ton Robert, qui m'aime pour les bonnes raisons et qui est prêt à s'engager ? Je te l'ai jamais dit, mais je suis un peu jalouse de toi, d'avoir ce gars tellement à l'opposé de ceux que j'ai rencontrés depuis Mathieu... Ça me prouve qu'y en existe encore, t'sais ? T'es chanceuse, j'espère que tu le sais !

Jalouse de moi ? Un autre petit velours. Eh oui, je me rends compte de ma chance, même si parfois ce n'est pas aussi limpide. Depuis que je connais Robert, je veux croire, moi aussi. Plus facile à dire qu'à faire, mais bon, je vais y arriver. Les paroles de Jess m'atteignent plus que je l'aurais cru possible, et pas seulement au sujet de Robert. J'admire son optimisme. J'espère pour elle que son karma sera positif et ne tiendra pas compte des multiples vengeances qu'elle a mises à exécution avec Maryse... Vraiment, je suis sidérée. Ce n'est plus la même fille pathétique, démolie, que j'ai vue il y a quelques jours à peine qui est assise devant moi. C'est plutôt une jeune femme humble, mais déterminée, qui sait faire face en voyant le bon côté des choses. Je dois avouer que je suis impressionnée parce que je suis loin d'être certaine que je réagirais de manière aussi élégante, dans ces circonstances. Voilà sans doute ce que Maryse a vu chez Jessica et que je ne pouvais pas concevoir, auparavant, aveuglée que j'étais par son aspect volage et frivole. Je comprends mieux, maintenant. Au lieu de me méfier, je devrais peut-être l'écouter davantage et la laisser m'inspirer ? Jusqu'à un certain point... Définitivement pas en matière d'habillement, mais c'est bien secondaire. Je la devine se retrousser mentalement les manches pour affronter un virage important dans sa vie. Force est d'admettre que je trouve son attitude remarquable. Et là je me vois, hésitante, terrifiée, figée, alors que je fais face à un changement potentiel majeur dont les retombées sont nettement plus positives. Et c'est moi qui ose juger cette fille ? Pfff.

Est-ce Jessica qui, contre toute attente, finira par me donner le coup de pied aux fesses que je devrais me donner moi-même ? Ironie…

Hmmm. À suivre.

Cette semaine-là, bien calée dans le fauteuil de mon psychologue, je me sens bien. Je ne pleure pas une seule fois pendant la rencontre ! Il faut dire que les sujets que j'aborde sont plutôt réjouissants. D'abord, ma conversation avec Robert et ce qui en a découlé. Docteur Jacques me félicite avec chaleur :

— Bravo, c'est super. Qu'est-ce que ça te fait, cette réaction ?

— Ben… ça me fait dire que j'ai été vraiment nounoune de pas lui en parler avant. J'ai passé tout ce temps-là à *freaker* alors que c'était si simple…

— Ça te paraît simple maintenant, c'est ça qui compte. Avant, c'est plus important du tout. Et je trouve que ta conclusion de chercher des « garanties » tient la route. Celle qu'il t'a donnée, en proposant de prendre le temps nécessaire, est un beau début. Je suis certain qu'il va t'en donner d'autres et que, petit à petit, tu vas bâtir ta confiance en lui.

— Mettons que Maryse me donne un bel exemple, aussi ! Je suis si contente pour elle, je l'admire…

— Alors, sers-toi de son exemple. Je pense qu'elle revient de loin, elle aussi. Vous pourriez vous soutenir. Pas dépendre l'une de l'autre, faut pas que tu t'accroches à elle, faut que tu trouves ta propre façon d'arriver à faire confiance, à Robert, à toi, à la vie. Mais elle peut certainement te servir de modèle.

— Me semble que c'est ce qu'elle fait depuis genre vingt-cinq ans…

— Peut-être, mais elle est plus la même femme et toi non plus. C'est ça, la beauté de vieillir !

— Eh boy. Mettons. Mais Jess, elle ?

— D'après ce que tu m'en dis, tu fais bien de te méfier. Que tu sois aussi lucide envers elle me rassure ; tu arrives à admettre que tu l'as peut-être jugée trop sévèrement et à lui donner une chance. Je pense que tu peux trouver un équilibre dans ta façon d'être avec elle. T'es pas obligée d'être son amie, mais tu peux utiliser ce qu'elle vit pour t'aider à cheminer.

— Comment ? En me disant que si elle se fait flusher, moi aussi ça va m'arriver ? Pas très constructif, me semble !

— Au contraire, mais en reconnaissant que son choix de relation était opposé au tien et que, au final, son chum a décidé de prendre soin de sa relation avec sa femme plutôt que de chercher à la compléter ailleurs. OK, il a quand même eu Jess comme maîtresse pendant un bout de temps, mais il en reste pas moins qu'il a fait son choix, et que c'était pour la stabilité et l'amour profond.

— Ça me rassure juste à moitié…

— C'est mieux que pas du tout !

Nous concluons là-dessus. J'ai envie de voir les choses

telles que mon psy les présente : choisir le verre à moitié plein plutôt qu'à moitié vide.

— Tu sais, j'ai vu ça sur Facebook dernièrement : **«Quand un verre est à moitié plein d'eau, il est à moitié plein d'air, aussi.»** Donc, techniquement, il est plein. À réfléchir, non ?

Ah, la sagesse de Facebook. Ainsi, Docteur Jacques a ce même penchant que moi pour les dictons, proverbes, maximes et autres pensées qui encombrent ce réseau social ? Passe-t-il comme moi des dizaines d'heures chaque semaine à parcourir la vie des autres pour se consoler de la sienne ? Non, sans doute pas. J'essaie de l'imaginer en train de se pâmer sur des photos de bébés oiseaux sauvés d'une mort atroce par deux adolescents ou essayer un truc de blanchiment des dents « naturel » et ça ne colle pas. Pourtant, on ne sait jamais, hein ? Bref, son histoire de verre me soulage et me réjouit.

Plein. Pourquoi pas ?

18

En ce samedi de la longue fin de semaine de la fête du Travail, celle qui marque la fin d'un été toujours trop vite passé, la journée est éclatante. Fraîche, comme à cette époque de l'année, sans vent, avec cette lumière oblique. Les quelques feuilles prématurément jaunies se découpent dans un ciel somptueux et je me sens calme, détendue. Mon rendez-vous avec Docteur Jacques y est pour quelque chose. Robert est adorable, prévenant ; Sabrina est joyeuse, excitée de reprendre ses cours, en voiture, cette fois. La cohabitation avec mon amoureux semble avoir pris une espèce d'erre d'aller, et je constate qu'après presque un mois et demi en continu avec cet homme qui partage mon quotidien, je me détends, enfin. Ma vie me semble remplie de belles promesses. Je ne sais pas si les récentes déconvenues de Jessica y ont contribué, mais je me sens choyée. J'ai hâte d'en discuter avec mon psy, car même si je suis toujours quelque peu chancelante, pour la première fois depuis… toujours, j'entrevois l'avenir avec une certaine sérénité. Ce n'est qu'hier que Jessica s'est confiée à moi, mais je dois avouer qu'elle m'inspire, même si je reste très ambivalente à son égard. Je sais que j'ai de la chance d'avoir trouvé Robert. Malgré mes craintes peut-être démesurées et absurdes, je reconnais que c'est un être exceptionnel.

C'est peut-être à cause de ça que j'ai tant de mal à m'abandonner à mon bonheur ?

Sortant mon cahier de mon sac, je m'empresse de me réfugier dans le bureau de Maryse pour y noter quelques pensées qui me trottent dans la tête, de crainte de les oublier :

- *Je sais que R. est exceptionnel. C'est comme si j'arrivais toujours pas à croire que je mérite ce gars. C'est con, mais c'est ça. C'est ben simple, au fond. S'il était amoureux de Julie, j'aurais moins de difficulté, je serais même la première à encourager mon amie à lui faire confiance. C'est quoi l'affaire, d'abord ? Qu'est-ce qu'il peut ben me trouver ?*

- *Ça m'énerve penser de même ! C'est pas par choix, en tout cas ! Pourquoi je peux pas avoir la même attitude que celle de Jess ou de mes amies et me dire que je mérite ce qu'il y a de mieux, que j'ai tout ce qui faut pour qu'un gars comme Robert soit vraiment amoureux de moi ? Il me le prouve, chaque jour. Il a apprivoisé Sabrina, à force de douceur, d'ouverture et de persévérance. Il me dit qu'il m'aime au moins vingt fois par jour (oui, mais c'est facile, des mots...) ; il m'écoute avec attention et intérêt quand je lui raconte des détails anodins de ma journée autant que quand je lui parle de choses plus importantes. Qu'est-ce que je veux de plus ? Des gestes, des garanties, encore, des preuves. Maudite tête de cochon !!!*

Sabrina et son copain Jonathan s'amusent dans la piscine avec les enfants de Maryse. Ils sont un peu plus âgés que ma fille, mais ça ne semble pas du tout être un obstacle, ils ont l'air bien animés, tous les cinq. Je reconnais parfaitement la valeur de ce Jo, dont ma fille semble bien éprise. Il est poli, sa voix est toute douce et son regard franc. Quand il pose les yeux sur Sabrina, je n'y vois qu'une belle pâmoison postadolescente qui me fait chaud au cœur. Je ne peux m'empêcher de me demander si ma fille et lui ont… Peut-être. Sans doute. Ça me fait un drôle d'effet, moins perturbant que je l'aurais anticipé. Ma fille m'a rassurée, elle sait prendre ses précautions et connaît les retombées possibles d'un tel geste. Ce n'est pas banal, faire l'amour… Je suis censée lâcher prise, n'est-ce pas ? Facile à dire ! Quoi qu'il en soit, j'ai l'impression que ce petit couple va durer, et je suis heureuse pour Sabrina. Malgré mes relations décevantes et l'absence de son père, ma fille semble avoir échappé à mes angoisses ; je la perçois comme une jeune femme amoureuse, ouverte à l'avenir, sans peur malsaine, apparente, du moins. Quel soulagement…

Les enfants de Maryse sont beaux, ont l'air heureux et épanoui ; nulle trace de traumatisme ou de tristesse liée au décès de leur père ne subsiste dans leur regard, tant chez Fanny que chez Olivier. C'est lui, surtout, qui a eu du mal à surmonter le choc. Il avait une relation pour le moins tendue avec Gilles, et n'a pas eu l'occasion de remettre les pendules à l'heure. Maryse a craint pour son fils, d'autant plus qu'elle trouvait sa copine Josiane toxique. Cette histoire-là venait de prendre fin et mon amie était soulagée. Oli avait mis un terme lui-même à cette relation, et cela, en soi, avait rassuré Maryse. Ce beau grand jeune homme avait été la seconde principale victime de Gilles, après son épouse. Olivier, le *Fils* sur qui il avait brutalement laissé choir le poids de ses attentes, avait écopé le plus. Et avec Josiane, comme Maryse l'avait décelé, l'histoire se répétait.

Cette copine manipulatrice faisait tout ce qu'elle pouvait pour l'éloigner de sa mère et contrôler la vie d'Oli. Bref, ce dernier a retrouvé une belle insouciance; il est redevenu lui-même: taquin, curieux et, au grand plaisir de Maryse, carnivore. C'est même lui qui prépare les viandes à griller pour tout le monde, et il en éprouve un plaisir gourmand et réjouissant.

François resplendit tout autant que Maryse. Ils sont beaux à voir… Comme s'ils étaient toujours trop loin l'un de l'autre; on le voit à leurs petites attentions douces et tendres; une main posée sur la hanche, un baiser à l'oreille, suivi d'un sourire d'une douceur qui contraste admirablement avec les lèvres pincées qui durcissaient jadis les traits de Maryse. Elle semble avoir rajeuni; sa gestuelle trahit une langueur bienheureuse, ce nuage de bien-être qui ne peut venir que de l'assouvissement des corps autant que des cœurs. Je comprends que si j'arrive à reconnaître tout ça chez elle, c'est que je ressens la même chose, dans les plus infimes détails, et je sens mes propres lèvres dessiner un sourire satisfait lorsque Robert glisse une main chaude autour de ma taille. Julie me semble dans un état ressemblant au nôtre; entourée de Céline et Alain, elle rit, embrassant sans la moindre gêne l'un et l'autre de ses amoureux qui le lui rendent bien. Tout en elle respire le calme, la sérénité et… l'amour, bien sûr. J'arrive presque à comprendre ce lien particulier qui les unit. Si Julie est heureuse, c'est tout ce qui compte. Alain est tout aussi attentionné envers les deux femmes, mais de manière différente, subtile. Avec Céline, je détecte un lien plus possessif, provenant sans doute du fait qu'ils sont ensemble depuis de nombreuses années. Mais Julie n'est pas en reste, loin de là. Avec une affection bien naturelle, Céline les regarde se toucher, s'embrasser. Rien de choquant ni de déplacé. Seulement de la tendresse et du respect qui imposent l'acceptation bienveillante de tout le monde présent.

L'apparition de Jessica suscite un certain remous. Elle a mis le paquet, et on pourrait la croire tout droit sortie d'un plateau de tournage. Elle ne porte que son haut de bikini corail et de longs pantalons de dentelle qui, apparemment, font fureur sur les grandes plages du monde ; personnellement, je trouve ça hideux, mais si quelqu'un peut les porter, c'est bien elle. Douteux, mais c'est son choix. La dentelle blanche, en plus de faire ressortir son bronzage parfait, laisse entrevoir sa minuscule culotte brésilienne tandis qu'un large chapeau blanc et de grosses lunettes de soleil complètent le portrait glamour qu'elle souhaite incontestablement projeter. J'admets que c'est assez réussi. Elle ne déparerait pas sur un yacht de millionnaire quelque part dans les Caraïbes ou sur la Côte d'Azur… mais je trouve que dans ce contexte particulier, chez sa voisine d'un quartier bien coté, soit, mais tout de même loin de Beverly Hills, c'est un peu trop. *Too much,* comme dirait Julie. Ma blonde amie, d'ailleurs, me lance un regard que je n'ai aucun mal à déchiffrer, à la suite de cette entrée remarquée : un mélange d'exaspération, de mépris et d'agacement. Je lui souris à mon tour, l'invitant silencieusement à faire preuve d'un peu de cordialité, mais elle est déjà en train de murmurer à l'oreille de Céline quelque chose dont je devine la teneur.

Maryse reçoit la nouvelle venue trop chaleureusement à mon goût, mais je ne lui en tiens pas rigueur, car cet accueil m'apparaît un peu forcé. Rien d'évident, seulement une raideur subtile que de longues années d'amitié me permettent de capter. Avec cette façon de faire, toutefois, Maryse vient de nous dicter, en hôtesse irréprochable, la conduite à adopter. Je peux très bien me plier à ce petit jeu, moi aussi. C'est donc avec le sourire aux lèvres que je vais à mon tour à sa rencontre, lui permettant même un câlin un peu trop soutenu. Jess me dit sur un ton doux :

— Val, merci pour hier soir, ça m'a vraiment fait du bien de parler avec toi. Comme si tout ce que j'avais raconté à Maryse avait du sens, enfin. Je vais mieux grâce à vous deux, merci…

— Pas de quoi, Jess. Contente d'avoir pu être utile. Ça paraît que tu vas mieux, t'es redevenue toi-même !

— Oh, oui. Complètement. Et crois-moi, c'est pas un Pierre-Louis qui va m'abattre. Si quelqu'un s'écrase, ça sera pas moi, tu peux être sûre.

— Euh… tu veux dire quoi, là ?

— Oh, rien, laisse faire. T'sais, on parlait de karma, hier… ben c'est juste ça. Il va voir que quand on fait du mal, ça finit tout le temps par nous rattraper. Pis si ça arrive pas assez vite, on connaît des spécialistes qui sont parfaites pour donner un p'tit coup de pouce au destin !

Là-dessus, elle baisse un peu ses lunettes sur son nez pour m'offrir un autre de ses clins d'œil trop appuyés. Mais qu'a-t-elle derrière la tête ? Je ne serais pas étonnée qu'elle en soit à concevoir un plan machiavélique pour donner la monnaie de sa pièce à son ex-amant. Son sourire ne me dit rien qui vaille. Elle me quitte pour s'approcher de la piscine, après avoir cueilli une flûte de champagne au passage. Oli et Fanny font les présentations à leurs jeunes compagnons tandis que, d'un mouvement gracieux mais exubérant, comme si elle savait que tous les regards étaient rivés sur elle, Jessica retire son pantalon et s'applique, échine courbée et bras relevés, à se faire un chignon avant d'entrer dans l'eau tiède. Je ne peux que remarquer le visage crispé d'Olivier. Pauvre chou. Comment un jeune sans défense tel que lui pourrait-il demeurer indifférent devant tant de charmes féminins si savamment exposés ?

Tout à mon observation, je n'ai pas entendu Julie s'approcher de moi. Sa voix n'est qu'un murmure, mais contenu avec peine :

— Franchement. Elle fait exprès ou quoi ? C'est quoi, l'affaire, là, elle veut même faire bander des p'tits jeunes de vingt ans ? Seigneur. Elle a un méchant problème, cette fille-là !

Je suis d'accord… d'autant plus que le pauvre Oli s'empare soudain de sa serviette pour la mettre sur ses cuisses et que Fanny entraîne un Félix visiblement mal à l'aise vers le spa, aussitôt suivie de Sabrina et Jonathan. Comme si elle ne s'était rendu compte de rien, Jessica s'épivarde, fait des longueurs et, nous voyant, nous invite à la rejoindre. J'hésite tandis que Julie me dit, juste avant d'aller rejoindre Maryse :

— Bizarre, l'envie de me baigner vient juste de me passer !

Les bras de Robert m'enlacent. Se tenant derrière moi, il appuie son menton sur ma tête en embrassant mes cheveux et me demande :

— T'as envie de te baigner, ma belle ?

— Pas tellement, non. Je suis bien, là. Mais vas-y, si tu veux…

Robert soupire doucement et me dit :

— Si t'es pas là, y'a aucun intérêt. Peut-être plus tard, quand y'aura personne d'autre ou en tout cas, quand Jess y sera pas. Je voudrais pas gâcher son petit show…

— Ah, tu trouves qu'elle fait ça, toi aussi ?

— Faudrait être ben niaiseux pour pas s'en rendre compte ! Mais bon, j'me dis qu'avec ce qui vient de lui arriver, elle a le droit de se faire du bien, et si, pour elle, c'est si important de se donner en spectacle, ben coudonc, ça fait de mal à personne. Sauf peut-être aux jeunes, là.

— T'as remarqué ça aussi…

— J'ai déjà eu vingt ans, et il faut dire qu'elle a mis le paquet. C'est pas super gentil pour Sabrina et Fanny, mais je pense que ça lui a même pas traversé l'esprit.

— Peut-être… en tout cas, elle a l'air d'aller mieux que l'autre soir !

— Oui… et non. Je pense qu'elle camoufle, mais qu'en dedans, ça file pas fort. Pour ça qu'elle a besoin de se regonfler l'ego. J'dis ça de même, c'est juste une intuition, mais…

— Mais ça a de l'allure. T'es donc intelligent, mon chum…

Ses lèvres emprisonnent les miennes, et j'y savoure le goût du champagne tout autant que la chaleur du soleil de fin d'après-midi qui, je le sais, fera bientôt place à une fraîcheur plus mordante. Est-ce que beaucoup d'hommes sont capables d'une si fine analyse ? J'en doute. Sa perspicacité m'épate.

Nous mangeons une panoplie de délices: crevettes teriyaki, saucisses à l'érable, endives au bleu et brochettes de poulet au sésame. Comme d'habitude, chez Maryse, les flûtes de champagne sont toujours pleines et, quand tombe le crépuscule, nous sommes tous passablement joyeux.

Tandis que les jeunes s'affairent à ramasser la vaisselle et à préparer un feu de foyer, nous pataugeons dans l'immense spa, entourés de chandelles et d'une musique parfaite. Jessica est bavarde, drôle et plaisante. Sans doute un peu ivre, quoique ce ne soit en rien comparable à la dernière fois, et c'est tant mieux. Il est cependant clair qu'entre Maryse et François, Julie, Céline et Alain, ainsi que Robert et moi, elle se sent de trop. Je ne ressens aucune culpabilité, mais je ne peux m'empêcher de me dire que la situation doit être pénible pour elle; elle doit se languir de son Pierre-Louis et aurait sans doute aimé l'avoir près d'elle ce soir. Je sais que Maryse pense à peu près la même chose puisqu'elle délaisse son amoureux pour venir près de moi et de Jess, défaisant les couples et ainsi, peut-être, inclure la benjamine plus gentiment parmi nous. Nous papotons cuisine, nous extasiant sur tous les mets succulents servis plus tôt, alors que Maryse nous précise qu'il reste les fromages et le dessert à déguster. Puis, nous discutons jardinage, à quel point Maryse est heureuse de retrouver son havre de paix, combien la serre a fait son œuvre. Elle raconte à Céline, avec ce qui ressemble à un contentement mêlé d'amertume, de quelle façon elle en a fait profiter l'ex-femme de l'entrepreneur qui l'a construite. Cet homme, qui refusait de payer la pension alimentaire pour ses trois enfants, était tombé aux mains de Karmasutra.com et Maryse avait, pour le punir, versé l'argent dû au contractant directement à son ex-épouse. Il avait été enragé mais n'avait pas le moindre recours.

Amusée, Céline réclame alors d'autres exemples des heures de gloire du site et des vengeances assouvies. Comme si elle ne voulait pas le faire elle-même et après s'être assurée que les enfants ne pouvaient l'entendre, Maryse lance plutôt la balle à Jessica:

— Raconte-leur comment t'as *dealé* avec le gars fendant. Lui, c'était vraiment un épais de la pire espèce!

— Ah… c'est vrai que c'en était un bon, confirme Jess.

Et elle prend un plaisir évident à raconter comment elle a rencontré cet homme qui, selon plusieurs abonnées du site, avait été odieux. La façon dont elle lui a rendu la monnaie de sa pièce a été un simple retour des choses bien mérité. Un cas mineur, tout à fait excusable à défaut d'être glorieux.

— Il était certain qu'on s'en allait chez lui pour baiser, il en avait de la bave au coin de la bouche. Mais je lui ai dit que j'étais pas intéressée parce qu'il était trop con, ennuyeux, arrogant, prétentieux, et qu'il devait avoir une trop p'tite queue pour moi.

Céline se délecte et toute l'assistance a le sourire aux lèvres.

Jessica, presque mélancolique, conclut :

— Y'en a eu tellement des savoureux, hein, Maryse ? Stéphane, d'après moi, a été le summum. Tu te souviens de ce souper-là ? Oh, si je pouvais donc juste trouver quelque chose d'aussi flamboyant pour mon ex, j'me gênerais pas !

— Tout doux, Jess, l'interrompt Maryse. Me semblait que t'étais OK avec ça, comme tu m'as dit avant-hier, et que tu voulais regarder en avant. T'as changé d'idée ?

— Non, non. C'est que… des fois, ça me démange. On a eu du fun, avoue !

— Oui, c'est sûr. Mais pour moi, c'est fini, tout ça. J'vais continuer la mission de Karmasutra.com, j'pense bien. Je comprends que certains aspects peuvent être utiles et aider des femmes à tourner une page, mais pas de là à vouloir me venger de la Terre entière. J'en suis comme pus là… guérie, on dirait.

Quel plaisir d'entendre que ce n'étaient pas que de belles paroles ! Je m'empresse de la féliciter :

— Bravo, Maryse, je suis super contente. Ça t'allait pas bien, le rôle de la bitch, j'trouve.

— Ben moi, ajoute Jessica, j'm'ennuie. Je regrette de t'avoir laissée tomber, on aurait pu faire encore plus de dommages !

— Décroche, Jess. T'es pas dans un bon état d'esprit, ces temps-ci, c'est tout, réplique Maryse, philosophe.

— Moi ? Je suis dans un excellent état d'esprit, tu sauras. Prête à tourner la page comme tu dis et à m'ouvrir à toutes sortes de belles affaires. Justement, j'voulais vous demander, Céline pis Julie. Comment ça marche, votre patente, au juste ?

Julie lève les yeux au ciel et pousse un soupir tandis que Céline la regarde, l'air coquin. C'est elle qui répond à la question quelque peu impertinente de Jess :

— Notre patente, tu veux dire nous trois ? Ça marche comme on le sent. Et c'est ben juste parce qu'on le sent pareil que ça peut être aussi l'fun. Sinon, ça deviendrait vite inconfortable. On se parle, on est honnêtes l'un envers l'autre et on respecte nos limites. C'est pas plus compliqué que ça. Et surtout, on a tous les trois les mêmes sentiments.

Jessica demeure songeuse quelques secondes avant d'ajouter :

— OK, mais mettons que quelqu'un d'autre voudrait, genre, rejoindre votre trio. Ça se pourrait, ça ?

Je me trompe, ou elle a pris une voix plus mielleuse, presque enjôleuse, en posant sa question ? Julie s'apprête à intervenir lorsque Céline l'embrasse avec douceur avant de sourire à Jess :

— On a pas besoin ni envie d'inclure qui que ce soit d'autre, Jess. C'était pas prévu qu'on se retrouve à trois comme ça, c'était pas un plan. C'est juste arrivé, et parce que c'est Julie et qu'on s'aime vraiment, ça marche, c'est tout.

— Ça fait que tu vas me dire que c'est de l'amour, qu'y a entre vous trois ? Vraiment, là ? C'est pas juste une affaire de sexe ? Parce que ça serait plus facile à comprendre et à gérer !

— Ben non, Jessica, c'est pas juste une affaire de sexe. C'est ben sûr que ça aussi c'est important, et qu'on est capables de partager ça comme il faut...

— Donc, une quatrième personne, dans ces conditions-là, ça pourrait se faire...

Julie ne peut se retenir davantage :

— Coudonc, Jess, es-tu en train d'essayer de te faire une place avec nous, toi ? T'es juste curieuse ou intéressée ? Parce que si t'es intéressée, j'vais te dire tout de suite, oublie ça ! T'es pas notre genre, à aucun de nous trois.

— Qu'est-ce que tu veux dire par là ? demande Jess d'un ton faussement innocent. Te sens-tu menacée, Julie ? Aurais-tu peur qu'Alain ou Céline ou les deux me trouvent plus à leur goût que toi ?

Elle dit ça avec un sourire espiègle pour tenter d'adoucir ses paroles, mais ce n'est pas suffisant. Puis, elle ajoute à l'intention de Céline :

— T'sais, à l'université, j'ai eu une aventure avec ma coloc. Ça a duré presque un an. J'en ai découvert des choses avec elle, wow ! J'avais jamais pensé que je pourrais jouir aussi fort avec une femme, c'était ma-la-de !

Ces paroles tombent à un instant où les hommes sont silencieux et le moment se suspend. Faisant mine de ne s'être rendu compte de rien, Jess poursuit :

— Même que je suis pas sûre d'avoir tripé autant avec un homme, depuis. Des fois, je m'ennuie de ça... mais je sais pas trop comment m'y prendre, t'sais. Peut-être que tu pourrais me présenter quelqu'un, ou alors toi, Alain ?

Son regard est maintenant plongé dans celui d'Alain qui semble tout aussi amusé que Céline. Tombera-t-il dans le panneau ? Sera-t-il un de ces nombreux hommes qu'une telle confidence exciterait au point qu'il pourrait faire une gaffe monumentale ? Julie fulmine, je la sens sur le point d'éclater, même si elle ne dit pas un mot. Sa mâchoire est crispée, ses yeux lancent des éclairs que Jess ignore, tout à son petit jeu. Alain enlace Céline d'abord, puis attire Julie contre lui et regarde Jess dans les yeux :

— T'sais, Jess, ça concerne juste toi, mais y'a plein de bars gais à Montréal, va faire un tour. Nous autres, on est pas mal complets, et il nous manque absolument rien, désolé... Si j'entends parler de quelque chose, j'te dirai !

Sur ce, il enlace ses deux copines encore plus étroitement en un geste empreint de possessivité et Julie se détend enfin, d'un seul coup. Tout aussi rapidement, les couples se reforment, les bras de Robert se serrant autour de moi, et les mains de François et Maryse se joignant aussi. Jessica reste là, sans dire un mot, feignant l'indifférence. Seul un petit pli au bord des lèvres trahit sa déception. Et moi, je souris.

Oli a installé un écran devant le spa et Maryse nous fait découvrir ses photos de voyage. Agréable diversion. Nous plongeons tous avec délices dans les spectaculaires paysages d'Italie, encore plus époustouflants ainsi projetés. À une extrémité du spa, Julie, Alain et Céline. Puis, vers le centre, Maryse et François, Robert à mes côtés et, enfin, Jessica.

Les commentaires fusent, les anecdotes savoureuses sont partagées pour notre plus grand plaisir et les coupes se remplissent pour se vider aussitôt. Quelquefois, Robert se rapproche encore plus de moi, frottant son corps contre le mien, et j'en frémis de désir. Pourtant, je le sens tendu, mal à l'aise. Une fois la projection terminée, il se relève aussitôt et offre d'aider Maryse avec les fromages. On croirait qu'il n'attendait que ce moment et je suis perplexe ; tout le monde est détendu, Julie et ses amants nous ignorent presque, Jessica est de plus en plus ivre, mais heureusement calme et placide. Pourquoi autant d'empressement à sortir de ce bassin si agréable ?

Moi, je ne me hâte pas. Je suis si bien… et l'idée de quitter cette eau merveilleuse pour exposer mon corps mouillé à la fraîcheur du soir ne me sourit pas. Je préférerais que Robert vienne me rejoindre et… que tout le monde s'en aille ! Il serait fantastique de flotter tout contre lui, nous effleurant au rythme des remous. J'aime mon corps, lorsqu'il est ainsi submergé. Je me sens légère, mes seins en apesanteur sont bien ronds, l'effet de la gravité n'a plus d'emprise sur eux et ils me semblent presque impertinents. Je me demande s'il est vrai qu'en faisant l'amour dans l'eau il est possible de se retrouver en fâcheuse position… S'agit-il de légendes urbaines, ces histoires d'amants qui, à cause de l'effet de succion, se retrouvent coincés l'un dans l'autre, incapables de se dégager ? Ça me semble bien peu probable. Pourtant, l'image de nous deux qui s'impose à mon esprit, chevillés l'un à l'autre, me fait pouffer. Comme ce serait embarrassant ! En ce moment précis, par contre, je ferais bien cette expérience, ne serait-ce que pour en prouver le ridicule. Discrètement, j'écarte doucement les jambes et, me déplaçant légèrement, je laisse le jet masser mon sexe offert. Aussitôt, mon corps entier se trouve en alerte : mes mamelons se dressent, mon ventre se serre, ma bouche s'assèche... Qu'est-ce qui m'arrive ? Tout simplement le souvenir du corps de Robert, pas si lointain depuis nos ardents ébats matinaux, qui s'impose facilement à mon esprit. Je voudrais que Robert soit là, à mes côtés, caressant, comme il sait si bien le faire, chaque parcelle de moi ; j'aimerais m'asseoir sur lui et savourer la plénitude, osciller juste ce qu'il faut pour que la pression s'accentue, basculer mon bassin doucement, lentement pour l'agacer, le sentir appuyé tout au fond de mon ventre. Il s'avancerait au bord du siège en me maintenant solidement puis m'imposerait son rythme contenu. Seuls dans le spa, nous nous aimerions tandis qu'à l'extérieur, personne ne se douterait de rien... sauf peut-être Julie, qui a l'œil pour ce genre de choses. Elle les a sans doute toutes échantillonnées, qui sait ? Je ne serais pas étonnée le moins du monde. Cependant, je ne suis pas du tout certaine que je saurais contenir mes cris et gémissements... De nature discrète, je me vois mal proclamer haut et fort ma jouissance, ce n'est pas mon genre. Mais je retiens difficilement ma surprise lorsque, telle une décharge électrique, l'incomparable douleur à la fois insoutenable et délicieuse me transperce, ou que la vague qui, juste avant de me submerger, me transporte. Eh non. Peut-être qu'avec le temps, j'y arriverai... mais j'en doute. Il me semble que ce qu'il reste de ma vie ne sera pas suffisant pour me rassasier. Je lève mon verre à la nuit, comme pour faire un pied de nez à mon père, à ma mère et à tous les hommes qui n'ont pas su éveiller ça en moi. S'ils savaient !

Il me tarde de retourner à la maison. J'ai envie d'être seule avec Robert, au lit, dans ce qui est désormais notre chambre. J'allumerai toutes les chandelles, mettrai notre musique préférée et je me repaîtrai de lui tout en lui offrant mon corps, mon cœur et tout le reste. Je goûte déjà la peau de son cou, lèche la veine qui y palpite, sens sa virilité se tendre et l'anticipation me fait saliver. Mais d'abord, je dois m'extraire de mon cocon de chaleur tourbillonnante et le trouver, puisqu'il ne semble pas être dehors.

Le feu crépite et sa chaleur ne fait qu'attiser mon envie pour mon homme. Bien emmitouflée dans le moelleux peignoir de Maryse, je parcours le terrain du regard sans pouvoir repérer l'objet de mon désir. Presque tout le monde est là, pourtant, l'hôtesse placote avec Julie et ses acolytes, François bavarde avec les jeunes et, tout à coup, voyant Sabrina dans les bras de son Jonathan, je me sens merveilleusement bien. Ils forment un joli couple, tous les deux. J'imagine qu'ils ont déjà fait l'amour, sinon ça ne saurait tarder… Sabrina n'a jamais passé la nuit avec lui, mais n'empêche. Ils doivent en avoir envie et je leur souhaite… j'y suis prête, et sans doute ma fille l'est-elle aussi. Je me rends enfin à la cuisine, et là, j'assiste à une scène qui me glace instantanément.

Robert est au comptoir, les mains posées à plat dans une pose de… réflexion ? Attente ? Je ne sais trop. Jessica, derrière lui, l'enlace, ses mains se mouvant sur les hanches et les côtes de MON homme. Et là, tout à coup, il se retourne tandis que moi, pétrifiée, je demeure invisible à leurs regards. Robert éloigne Jessica et la tient au bout de ses bras à une distance plus respectable. Il la regarde avec une drôle de mine et lui dit :

— Jess, je ne sais pas à quoi tu joues, mais arrête, s'il te plaît.

— Quoi, tu vas me dire que je te laisse indifférent ?

La salope. Je vais la tuer. Mais avant, il me faut connaître la suite. Si Robert a le culot de céder, je devrai le tuer aussi. Ou mourir avant, c'est selon. Je tends l'oreille, faisant de mon mieux pour demeurer silencieuse. Robert poursuit :

— Jess, je suis amoureux de Val. Eh oui, tu me laisses tout à fait indifférent. T'es une belle femme, mais tu m'attires pas. Y'a juste une femme qui m'attire, et c'est elle.

— Vraiment ? Tu vas me faire accroire que tu dirais non si je te proposais une baise comme t'en as jamais eu et que je te garantissais que Val le saurait jamais ?

— T'as tout compris. J'ai pas besoin de ça, et je pourrais pas vivre avec moi-même si je trompais Val, ça fait que arrête, OK ? De toute manière, tu serais déçue parce que j'en ai tellement pas envie que rien pourrait arriver. À part ça, j'pensais que t'étais amie avec Val, toi ?

— Amie, amie, c'est un grand mot. J'pense qu'elle te mérite pas et qu'elle sait pas comment te faire vraiment triper, c'est tout. Ben tant pis. C'est toi qui manques quelque chose !

— Je manque rien pantoute, Jess, j'ai tout ce qui me faut à la maison, et plus encore.

— Me semble, oui ! T'as jamais été avec moi, tu peux pas savoir.

— Non, j'ai jamais été avec toi, mais avec des filles comme toi, oui. Et, à choisir entre toi pis Val, j'ai même pas besoin d'y penser. Tu me déçois en maudit, ben franchement...

— Ouais, ben toi aussi, tu me déçois ! J'te pensais pas mal plus allumé que ça, étant donné que ça avait pas l'air de te déranger tant que ça dans le spa...

— T'as un sérieux problème, Jess. Si j'ai rien dit dans le spa, c'est pour pas que t'aies l'air fou devant tout le monde.

Finalement, j'aurais peut-être dû ! J'me disais que t'avais un peu trop bu pis que tu vis quelque chose de pas évident, j'voulais te donner un *break*. Tu viens de me montrer que j'étais dans l'champ pas à peu près !

— Oui, tu l'es ! Et je sais qu'un moment donné tu vas repenser à ça et te trouver con de pas avoir sauté sur l'occasion. Ha ha, sauté ! Je suis drôle !

C'en est trop et plus rien ne peut m'arrêter. J'avance dans la cuisine en lançant :

— Ouais, t'es VRAIMENT drôle, Jess. Hilarante.

Tant qu'à jouer sur le verbe sauter, j'ai la ferme intention de lui sauter à la gorge et ça doit être clair puisque Robert s'interpose et me prend dans ses bras. Il essaie de me calmer :

— Val, c'est bon, c'est réglé. T'es là depuis quand ? T'as tout entendu ?

— Oui, j'ai tout entendu et je vais la tuer, j'te jure, Robert.

— Laisse faire, elle en vaut pas la peine. Regarde-moi…

Il m'embrasse avec une telle ardeur que j'en ai le souffle coupé. Dans ce baiser, dont le but premier était de me faire taire et me calmer, je reçois tout l'amour du monde, tout le respect qu'il a envers moi et toute la douceur qu'un homme peut transmettre. Malgré ce baume, je ne peux m'empêcher de jeter un regard haineux et méprisant à Jess avant d'ajouter :

— T'as raison, elle mérite même pas que je dise quelque chose. T'as été assez clair, si elle a pas compris, c'est qu'elle est encore plus épaisse que je pensais. Viens, on va y aller.

Je sors embrasser tout le monde en prétextant la fatigue. Maryse est perplexe mais ne s'objecte pas. Elle nous raccompagne à la voiture de Robert et, au moment de me glisser sur le siège du passager, je ne peux m'empêcher de lui dire :

— Maryse, je t'adore, tu le sais. Mais Jess a exagéré, tantôt, et excuse-moi, mais ça passe pas pantoute. Demande-moi pas de l'inclure dans notre gang ou même d'être juste fine avec elle, je peux pas, OK ? Je t'expliquerai, mais pas ce soir. Merci pour tout, c'était une super soirée… jusqu'à tout à l'heure, en tout cas.

— Ben voyons ? Qu'est-ce qui s'est passé, veux-tu ben m'dire ?

J'hésite. Si je lui raconte, essaiera-t-elle d'excuser le comportement de sa voisine comme elle l'a fait jusqu'à maintenant ? Si c'est le cas, je crains de ne pouvoir l'accepter et mon amitié avec Maryse en souffrira. Il faut pourtant qu'elle sache… Alors, pour prendre Robert à témoin, je lui demande de venir nous rejoindre et, bien en sécurité dans ses bras, je me lance :

— Tu veux vraiment le savoir ?

— Ben là ! On se cache pas grand-chose, me semble !

— OK, mais tu l'auras voulu.

Au fur et à mesure que je relate ce que j'ai surpris entre Robert et elle, les traits de mon amie se durcissent et je vois la Maryse vengeresse reprendre le dessus. Je n'aime pas ça.

— Maryse, je t'ai pas raconté ça pour que tu pètes les plombs et que tu fasses une Karma-Mamma de toi-même. Je pense qu'elle est ben mêlée, ta chum. Je lui en veux, c'est sûr, et sur le coup, une chance que Robert m'a retenue, parce que t'aurais eu une vraie bataille de chattes déchaînées sur les bras. Mais là, j'ai plutôt pitié… et la façon dont Robert a *dealé* avec ça, c'était juste… wow.

Je serre mon amoureux dans mes bras. Pourrai-je

jamais lui dire à quel point sa réaction m'a réconfortée ? Impossible ; je devrai le lui montrer, plutôt, et c'est ce que j'ai besoin de faire, le plus rapidement possible.

— Mêlée ou pas, Val, j'accepte pas ça. Là, je suis tellement enragée que je la ferais traverser chez elle à coups de pied au cul, je te le jure ! Mais je vais pas faire de scène, je vais respirer par le nez en attendant de me calmer et de trouver la meilleure façon de gérer ça. Merci de m'en avoir parlé. Et merci, Robert, d'être le gars que tu es. T'es correct, je le savais, mais tu viens de me le prouver une fois de plus.

Maryse nous embrasse. J'aimerais être une petite mouche pour être témoin de la suite des choses entre mon amie et sa voisine. Mais j'ai mieux à faire.

Cette nuit-là, j'ai fait exactement ce que j'avais prévu : chandelles, musique, caresses et tout le reste. Quand Sabrina rentre, plusieurs heures plus tard, c'est avec un sourire entendu que je lui permets d'inviter Jonathan à dormir à la maison. Ma grande fille m'embrasse et je retourne me blottir dans les bras de Robert, le cœur joyeux. Ma belle Sabrina a le regard éperdu de celle qui aime. Son jeune amoureux le lui rend bien. Une bouffée de bonheur me submerge à l'idée que cette belle jeune femme, chair de ma chair, ne vivra pas ses amours de la même façon que j'ai vécu les miennes. Je suis fière d'avoir pu rétablir assez de confiance entre nous pour savoir qu'elle ne risque pas une grossesse imprévue, et qu'elle accueille avec joie et toute la déférence voulue l'éclosion d'une sexualité saine, douce et empreinte de beaux sentiments. Dans notre lit, sans vouloir me rendre trop loin, je visualise Sabrina avec Jonathan, un peu comme je le suis, abandonnée et amoureuse, et me permets de croire qu'une douce complicité s'installera entre nous tous. Ma merveilleuse fille. Juste au moment où je songe à cela, Robert me demande:

— T'étais prête, hein, à ce que Jo vienne dormir ici? Je trouve qu'ils sont vraiment *cute,* ensemble. Il m'a l'air d'un bon p'tit gars.

— Oui, c'en est un, je serais surprise du contraire. Chaque fois que je le vois et qu'on parle, c'est de plus en plus clair. Je trouve ça vraiment l'fun que Sabrina ait attendu que je sois prête, qu'elle m'ait pas achalée avec ça avant. Elle m'a parlé de lui quand elle l'a rencontré, on a partagé plein de choses, je me sens rassurée. Je lui souhaite que ce soit doux, que ce soit bon. J'aurais ben voulu qu'elle attende d'avoir genre quarante ans, mais j'y peux rien. Et le fait qu'elle m'a respectée là-dedans, tu peux pas savoir ce que ça me fait!

— Elle est pas folle, Val. Au contraire. Et tu sais quoi? Je pense qu'elle avait besoin de ton approbation avant de penser à ça. Elle a la tête sur les épaules, et elle m'a dit l'autre fois, quand on est allés acheter les accessoires pour son auto, qu'elle était vraiment contente pour nous deux et qu'elle s'était jamais sentie aussi proche de toi. C'est cool, je trouve…

— Cool, tu dis? C'est extraordinaire. Et tu y es pour beaucoup. À moi, elle a dit que t'aurais été un père parfait, que c'est dommage qu'on puisse pas choisir nos parents parce qu'elle t'aurait choisi sans hésiter. C'est quelque chose, non?

Robert ne dit rien et j'ai peur que cette dernière remarque le trouble ou l'attriste. Après quelques minutes, alors que je croyais qu'il s'était assoupi, je constate qu'il a les yeux grands ouverts et que des larmes coulent doucement le long de son beau visage. Il me dit alors:

— Si elle avait été plus jeune, je t'aurais demandé si je pouvais le devenir, son père. À son âge, c'est plus pertinent, mais je l'aurais fait. Pas juste pour toi, ni pour elle, mais pour moi. J'aurais été fier de l'avoir comme fille, t'as fait vraiment une bonne job, Valérie. Je sais que ça a pas toujours été facile, mais regarde le chemin que vous avez fait, toutes les deux, juste en deux ans.

— Ben, elle a vieilli, elle aussi, elle est plus mature…

— Oui, mais tu lui as quand même transmis tes valeurs, tes principes et, aujourd'hui, elle les applique dans sa vie.

— Ouain, peut-être. Mais t'étais là aussi…

— Bon. On va pas s'obstiner là-dessus toute la nuit, hein ? Me semble qu'on pourrait faire autre chose de pas mal plus palpitant…

Sa langue autour de la mienne, son souffle dans mon cou et ses mains… ses mains partout. S'obstiner ? Pas question.

19

Le téléphone me réveille à neuf heures. Normalement, je suis déjà debout, à cette heure, même un dimanche, mais la nuit a été longue et douce avec Robert. Au bout du fil, Maryse est tendue et me donne presque un ordre:

— Val, j'ai fait des crêpes pis ben du café. Julie s'en vient, on t'attend. Réunion au sommet.

— Euh, j'me lève, là.

— Je sais, j'm'excuse, mais ça presse.

— OK... personne de blessé ou malade, j'espère ?

— Malade, non. Blessé ? Ça viendra peut-être si je me calme pas. T'arrives quand ?

— Donne-moi... une heure ?

— OK. Grouille tes fesses.

Le temps de sauter dans la douche, d'expliquer succinctement à Robert que quelque chose se passe sans que je sache quoi, et je saute dans ma voiture. En arrivant chez Maryse, je ne vois aucune trace de la fête de la veille. Elle surprend mon regard qui parcourt la maison d'abord, puis la terrasse et m'explique:

— J'ai à peu près pas dormi, ça fait que j'ai rangé. D'habitude ça me détend, mais là, même si c'était le bordel, ça a pas marché.

J'interroge Julie du regard. Avec une moue de dégoût,

elle m'indique que je saurai tout d'ici quelques instants. Maryse nous sert le café et le déjeuner avant de s'asseoir à son tour. Elle attaque ses crêpes comme si elle voulait les déchiqueter, les transperçant à coups de fourchette frénétiques avant de les découper avec férocité. Puis, elle avale quatre ou cinq morceaux en une seule bouchée, boit une grande gorgée de café et pose enfin sa fourchette. Fermant les yeux un moment, elle respire lentement. Cela semble lui demander un effort considérable. Enfin, n'y tenant plus, elle lance :

— Julie en a eu juste des bouts, là j'vais tout vous raconter. La petite garce. T'sais mon beau *speech* sur le pardon, là ? Ben c'était d'la marde ! Non, c'est pas vrai. Je le pense encore, je veux plus revenir en arrière, mais mettons qu'elle me fait douter de ma capacité à tout pardonner.

Oh là. Jess ? Je regrette de lui avoir raconté ce qui s'était passé entre Robert et sa jeune voisine. Est-ce que je viens de détruire la belle sérénité si difficilement construite par Maryse ? Je comprends cependant bien vite que mon histoire n'était qu'un déclencheur parmi d'autres. Maryse explose :

— Elle a commencé, comme vous le savez, avec son show de guidoune dans la piscine devant les jeunes. Je trouvais ça ordinaire, mais je me disais qu'elle se rendait juste pas compte, pis qu'elle était trop habituée à agir de même pour y penser. Après, y'a eu la passe dans le spa avec Julie, Céline pis Alain. Je voyais ben, Julie, que tu te retenais à deux mains pour pas l'égorger, mais encore une fois, je l'ai laissée faire parce qu'Alain et Céline ont super bien joué ça. Là, Val, tu m'as raconté l'épisode avec Robert…

— Hein ? Qu'est-ce qui s'est passé ? demande Julie, mi-curieuse, mi-fâchée.

— Oh, elle a juste fait des avances à Robert dans le spa

pis dans la cuisine. MA cuisine. Quand Val m'a raconté ça, je l'aurais étripée. Je suis revenue dans la maison. J'étais sûre que Jess était partie chez elle et que c'était une bonne affaire pour elle. J'ai repensé à vous deux, à tout ce que je vous ai dit depuis que je suis revenue et j'ai essayé de me calmer, pendant que François me serrait fort. Après, quand j'ai enfin respiré normalement, j'ai raconté ça à François et on a commencé à nettoyer la maison. Il trouvait que Jess avait un sérieux problème. On en parlait assez froidement, je m'étonnais moi-même, pendant que Julie ramassait ses affaires. Sabrina partait, elle aussi, pis Fanny s'en allait se coucher avec Félix. J'ai dit bye à tout le monde qui partait, pis en repassant par la cour, j'ai vu Olivier dans le spa. Avec Jess. Y'est grand, mon spa, hein ? Ben elle était assise juste à côté de lui. J'arrêtais pas de me dire : « Non, c'est pas c'que tu penses. Capote pas, elle est juste trop niaiseuse pour comprendre toutes ses gaffes. Aie pitié d'elle, plutôt. » Madame Pardon, *remember* ? Ben imaginez-vous donc que, comme j'allais lui dire qu'il se faisait tard pis que j'voulais aller me coucher, calmement pour pas faire de chicane, elle s'est tournée un peu et a demandé à Oli de l'aider à enlever son haut de maillot en disant : « C'est tellement plus l'fun tout nu ! Tu devrais faire pareil, mon beau Oli ! On est entre adultes, là ! » Pis elle restait là à sourire en se laissant flotter, les seins à l'air. Mon pauvre gars était comme pétrifié. J'voyais bien qu'il savait pas quoi faire ni quoi dire. Salooope !

Julie et moi sursautons en même temps. Il est évident que Maryse n'avait pas confié ce dernier « détail » à mon amie avant mon arrivée. Maryse est déchaînée :

— Parce que ça avait marché avec personne d'autre, elle voulait séduire mon gars ! ! ! Y'est ben fin pis ben *cute,* mon Oli, mais y'est pas de taille, pis c'est juste un p'tit gars avec les hormones dans l'plafond. C'est dégueulasse ! Elle voulait quoi, l'allumer pis le niaiser ? Qu'elle s'en prenne à nous, ça me fait chier, mais on peut se défendre et voir sa *game* de loin. Mais lui ?

Mon Dieu. J'essaie juste d'imaginer la colère de Maryse... pourtant encore bien évidente. Oui, j'aurais bien aimé être une mouche ! Je voulais savoir :

— *Oh my God !!!* Qu'est-ce que t'as fait ?

— J'me possédais pus. Je l'ai pognée par le bras et je l'ai fait sortir. J'aurais demandé la même chose à Oli, mais j'voulais pas le rendre encore plus mal à l'aise, pis y'avait rien fait de mal...

— Le pauvre, il devait être bandé, en plus. Tu l'aurais humilié solide ! ajoute Julie qui semble s'amuser.

— J'm'en fous, pis j'veux pas le savoir ! Ju, franchement, y'a des images que j'aime mieux pas avoir dans tête, OK ? Ça fait que, en tout cas, elle me regardait, l'innocente, en ayant pas l'air de comprendre pourquoi j'étais aussi fâchée. Elle m'a même demandé c'était quoi le problème, qu'elle faisait rien de mal, que mon gars est pus un ado ; y'avait rien là.

— Rien là ! Vraiment ?

Je suis stupéfaite et ces trois mots ne traduisent pas le moins du monde mon effarement. Jessica venait d'atteindre le fond question bassesse, et c'est exactement comme ça que Maryse percevait les choses, elle aussi. Elle poursuit :

— J'peux pas croire que je l'ai aidée, protégée, que j'ai tout fait pour l'inclure parce que je pensais qu'elle était fragile. Pis elle me remercie de même ! J'me suis encore fait avoir !

Je suis plus ou moins d'accord :

— Ben là, Maryse, t'as agi en toute bonne foi, t'as rien à te reprocher. C'est toi, ça : tu fais confiance au monde et tu refuses de voir leur mauvais côté. Tu viens juste de le comprendre, t'as dit toi-même que t'avais envie de croire, de refaire confiance. Tu t'es trompée, c'est tout. Tu t'es pardonné pour le reste, pardonne-toi pour ça aussi ! Mais après, il s'est passé quoi ?

— Il s'est passé que je lui ai pitché sa sacoche pis son linge pis que je l'ai renvoyée chez elle. Elle s'est excusée, m'a dit qu'elle se rendait pas compte que ça me dérangeait, qu'elle comprenait pas. Mais au fond, je suis sûre qu'elle savait très bien ce qu'elle faisait pis que ça me ferait chier.

— Peut-être pas, au fond, avance Julie, pensive. T'sais, c'est pas une cent watts, ta voisine. Peut-être qu'elle s'est juste dit qu'Olivier est un homme, qu'il a déjà eu une blonde, pis que ça l'amusait. C'est pas comme si elle avait l'habitude de réfléchir ben ben longtemps…

— Ça, j'avoue. Au début, j'me disais qu'elle jouait les tartes pour se donner un style, mais j'me rends compte qu'elle l'est peut-être pour vrai. Elle est brillante à sa job, mais ça veut pas dire qu'elle l'est partout… Quand même ! Après tout le reste ? Presque tous les gars qui étaient ici hier soir y sont passés !

— Oui, mais j'me demande si elle est pas juste *down* d'avoir été flushée. Pour une fille comme elle, c'était peut-être juste pour se rassurer qu'elle pogne encore ?

Mon hypothèse fait réfléchir les filles. J'y crois à moitié, ça pourrait être plausible. Je poursuis sur ma lancée :

— T'sais, elle doit pas être habituée à se faire dire non. Peut-être que c'était une plus grosse claque qu'elle le laisse paraître, ce qui est arrivé avec son Pierre-Louis, et qu'après ça, avec Alain et Céline pis Robert, c'était comme d'autres claques… Elle s'est peut-être dit qu'avec Oli, elle pouvait pas se planter.

— Si c'est ça, c'est vraiment pas fort. Tant qu'à ça, le fait d'être enceinte, ça joue peut-être ?

— *Whatever,* les filles, ajoute Julie. Enceinte ou pas, elle est fuckée et aurait besoin d'une pilule ou deux, j'pense. T'as eu d'autres nouvelles ?

— Ben non, elle a essayé de me téléphoner un peu plus tard, mais je lui ai dit que je voulais pas lui parler pour le moment. J'ai eu une discussion avec Oli, aussi. Il comprenait pas trop. Pauvre chou. Il pensait qu'elle tripait sur lui et voyait pas le problème. Il m'a dit que plein de couples avaient des différences d'âge de même, pis qu'y avait rien là, mais il a fini par saisir que Jess avait pas pantoute l'intention de former un couple avec lui, qu'elle avait juste voulu s'amuser. Il était fâché que je dise ça, mais il a avoué que ça avait de l'allure… Je suis pas sûre qu'il est convaincu, mais on a parlé longtemps, et je peux pas faire grand-chose de plus.

Julie adresse à Maryse un petit sourire en coin dont je me méfie :

— Alors, c'est quoi le plan ? Tu vas quand même pas la laisser s'en sauver de même ? Tu dois avoir une petite idée de vengeance à la Karma-Mamma qui mijote, non ?

— Non, je vous l'ai dit, c'est fini tout ça, même si c'est pas l'envie qui manque. J'me donne quelques jours pour décanter, le reste va dépendre d'elle.

— Wow, quelle sagesse de la part de notre aînée. Je suis béate d'admiration !

Maryse sourit à ma réplique, mais je ne suis pas rassurée. Je connais assez mon amie pour savoir que lorsque quiconque s'en prend à un de ses enfants, elle devient une louve. Jessica, aussi mal en point soit-elle, n'y échappera pas, d'une manière ou d'une autre. Peut-être que Maryse choisira de couper les ponts ? Je le souhaite ; un châtiment bien suffisant et conforme à ses récentes conclusions. Sauf que je n'y crois pas trop. On parle d'Olivier, là… Et même si je ne veux pas le voir, elle a ce petit éclat dans le regard…

Ouille.

— Seigneur, soupire Maryse. C'était comme ça avant que je parte en voyage pis je voyais rien ou c'est pire depuis ?

— Euh… j'veux pas te faire de peine, mais ça avait commencé, répond Julie. Là, j'avoue que c'est rendu assez fou !

Maryse et Julie m'ont convoquée encore une fois parce qu'elles veulent faire le point sur Karmasutra.com et les récents développements. Une semaine s'est écoulée depuis la fameuse soirée chez Maryse et, n'ayant pas eu de nouvelles fraîches à ce sujet, je brûle de savoir s'il y a du nouveau dans le dossier Jessica. Maryse se contente de me dire qu'elle a continué d'ignorer sa voisine et que cette dernière semble avoir cessé de tenter de lui parler. Je n'ai pas pu raconter toute l'histoire à Docteur Jacques encore ; je trouve difficile de m'adapter à la fréquence plus espacée de nos rencontres – une décision de ma part, entérinée par lui, à la suggestion de Robert de nous donner du temps –, mais en même temps, ce délai me permet de mieux analyser la situation de mon côté.

Karmasutra.com, donc. Toujours aussi prisé des internautes, le site continue de croître, attirant de plus en plus de membres et générant des profits exceptionnels. Ça ne m'étonne pas ! Maryse en a fait une tribune de choix pour toutes les frustrées de ce monde, et Dieu sait qu'il y en a… Cependant, l'équivalent masculin a enfin vu le jour, fruit d'une entente conclue avec un site pour hommes déjà existant, dans lequel sont recensées les hystériques, profiteuses, mal baisées et autres tricheuses fréquentant les mêmes sites de rencontre visés par « notre » entreprise. Je me réjouis surtout que Maryse admette enfin que le genre de conduite dénoncé sur notre site n'est pas que l'apanage des hommes. C'est bien d'être féministe, mais force est d'admettre que certaines de nos consœurs s'acharnent à entacher notre blason ! De toute façon, Karmamonsieur.com est beaucoup moins populaire que son pendant féminin, et ça me semble logique. Plus rancunières, les femmes ? Sans doute. Plus promptes à réagir et, comme le soutient Maryse, plus « écœurées de se faire niaiser ». Sauf qu'il apparaît évident que l'aspect vengeance quelque peu improvisé dérape. Je suis bouche bée, alors que Maryse relate certains faits récents :

— Y'a une Micheline qui, tannée d'être rejetée après chaque rencontre, a décidé de faire la même chose avec des p'tits messieurs qui l'intéressent même pas. Elle se fait inviter à souper et à plein de sorties en sachant d'avance que c'est pas son genre de gars et après elle le flushe. Ordinaire, me semble. Pis une autre, qui a décidé de pousser un peu loin l'exploration du fantasme de la femme expérimentée en couchant avec plein de p'tits jeunes juste pour montrer les photos à son mari après…

— Ouain, celles-là sont pas si pires, poursuit Julie. Moi, c'est la fille qui s'est filmée en train de coucher avec le meilleur ami de son mari juste pour le faire chier que je trouve fuckée, et l'autre qui a demandé une garde partagée juste parce que son ex payait pas et qu'elle voulait s'envoyer en l'air deux semaines par mois avec n'importe qui… Me semble qu'on s'éloigne du but, là !

— Le pire, c'est qu'elles nous envoient des photos et elles veulent qu'on les publie, ajoute Maryse. Là, je suis pas sûre. Je regrette quasiment d'avoir donné l'exemple ! Je sais pas trop quoi faire avec ça.

Comment les choses ont-elles pu en arriver là ? Curieuse, je lui demande :

— Me semblait que les photos que vous aviez prises, toi et Jessica, étaient juste envoyées aux femmes concernées ? Tu les as pas affichées sur le site, j'espère ?

— Ben non, même pas ! J'étais pas dans mon état normal, mais quand même ! Une fille a mis la photo d'un de nos « cas » dans un de ses commentaires sur la page Facebook du site. Je l'ai supprimée, mais j'imagine que l'image a eu le temps de circuler et ça a donné l'idée à d'autres…

— Ça en prend pas gros, hein ? fulmine Julie. J'espère que Jessica se mettra pas dans l'idée de faire la même chose, genre mettre toutes les photos qu'elle a prises sur sa page Facebook…

— Franchement, donne-moi un peu de crédit. Je lui ai fait signer une entente de confidentialité, elle ferait pas ça. D'ailleurs, Val, merci de m'avoir suggéré ça et de l'avoir préparée, au moins je suis tranquille de ce côté-là !

— De rien, j'étais contente de lui montrer que, même en étant « juste une secrétaire », j'avais quand même des compétences !

— Tin toé ! rigole Julie.

Il est vrai que j'avais pris un plaisir orgueilleux à faire ce petit travail, même si la belle n'avait pas été impressionnée. Tant pis. L'important, c'est que c'était un souci de moins. Je m'enquiers auprès de Maryse de la suite de toute cette affaire :

— Tu vas en parler dans ton prochain billet, Karma-Mamma ?

— Oui, il faut. Je me rends compte que j'y ai été un peu fort sur le *male-bashing*. C'est ben beau fesser sur les hommes, mais c'est pas toujours de leur faute…

Julie sursaute :

— Ah ben, j'aurais jamais cru entendre ça de toi ! Avant, oui, mais plus maintenant ! Faut que j'te dise que je suis assez d'accord. Je lis tout ça, je regarde Jess aller, pis j'me dis que ça serait logique que pour chaque épais y'ait une épaisse…

— Exagère pas, quand même ! réplique notre aînée. Mettons que je dirais plus du dix pour un… ou peut-être moins. Y'a quand même plus de cons que de connes !

— C'est peut-être juste parce qu'on les voit plus. Je suis sûre que sur Karma Monsieur, ils diraient le contraire. C'est pas important, au fond.

Je réfléchis avant de poursuivre :

— Tu veux changer un peu la *twist* de Karma sutra, hein, Maryse ?

— Oui. Me semble que j'ai compris ben des affaires dernièrement. T'sais les imbéciles, on pourrait juste apprendre à les éviter ou les ignorer. Comme ça, on se ferait pus pogner. Et faut admettre que, quelque part, on les changera pas. C'est peut-être à nous de devenir plus prudentes et lucides, t'sais ?

— C'est pas fou, c'que tu dis là, acquiesce Julie. On est bonnes pour se conter des histoires, se faire croire que tel ou tel gars est pas comme les autres, qu'il est correct. Mais y'a des signes, hein ?

— Oui, ou en tout cas, avant de rencontrer quelqu'un, on pourrait pousser un peu plus loin, précise Maryse. Et quand on le rencontre, on pourrait poser les bonnes questions, avant, pendant et après. Ça fait que j'ai envie de continuer à donner aux femmes des pistes, des indices, des « avertissements », genre prévenir plutôt que guérir.

— Pis tu ferais ça comment ? On donne déjà plein d'exemples de gars à éviter et de comportements imbéciles. Qu'est-ce qu'on peut faire de plus ?

Julie semble découragée, en prononçant ces mots. Elle se souvient sans doute de ses mésaventures, de ses nombreux échecs. Un pli d'amertume se creuse aux coins de sa bouche. Maryse persiste :

— T'sais, j'avais déjà pensé à des ateliers, des conférences. Je pense que c'est le temps que ça se fasse. J'ai rencontré plein de femmes extraordinaires, des psychologues, des sexologues, des *coachs,* qui pourraient nous aider et donner des trucs, tant sur le site que dans différentes villes. Ça pourrait être cool, on pourrait même écrire des livres… Faut être bien et solide toute seule avant de l'être avec quelqu'un d'autre. Trop de filles s'embarquent dans des relations qui ont pas d'allure sans trop réfléchir ou se retrouvent dans des situations qui, après un bout de temps, finissent par les démolir. Ça va faire !

Je sais pertinemment que Maryse ne me visait pas en parlant de tout ça, mais je me sens tout de même concernée. Aurais-je pu changer plus tôt dans ma vie, avec l'aide appropriée ? Je ne le saurai jamais et, pour la première fois, cette pensée me réconforte plutôt que l'inverse. À quoi bon me lamenter ? Je ne peux rien changer à mon passé. Mais pour d'autres femmes, il n'est peut-être pas trop tard, et je trouve l'entreprise et ses intentions plus que louables.

— T'as tellement raison, j'en sais quelque chose. T'es brillante, Maryse, et partie pour la gloire, toi, là ! applaudit Julie, toute trace de contrariété disparue.

— On arrête pas de dire qu'on est plus smattes qu'eux autres, que si les femmes dirigeaient les pays y'aurait pas de guerre pis toute. Ben là, on va leur montrer et régler ça intelligemment, en apprenant à *dealer* avec eux plutôt qu'en leur tapant dessus. C'est en devenant plus fortes qu'on va arrêter de se faire avoir, pas en essayant de les changer ou en les dressant contre nous. Ça donne rien, y'apprennent pas, pis les célibataires sont pas plus avancées.

Je suis ébahie, fière de mon amie. Une fois de plus, ce qu'elle énonce me rejoint tout à fait. Être plus fortes, hein ? Ne plus avoir peur de souffrir, d'être seule, de se tromper. Ne serait-ce pas fantastique ? Le rêve ! Le seul ennemi auquel je fais face, en ce moment, est moi-même ; c'est pourtant le plus redoutable qu'il m'ait été donné de combattre. Maryse continue de discourir sur la beauté du lâcher-prise, de la confiance à retrouver, du pardon à s'accorder, et je la vois très bien devenir elle-même une des conférencières à parler aux femmes. Elle est charismatique, Karma-Mamma, et convaincante. La voir transformée à nouveau en une super Maryse m'enchante au plus haut point. Elle n'est plus la méchante cherchant à se venger du monde entier, mais elle n'est pas redevenue telle qu'elle était non plus, naïve, trop indulgente, peureuse à sa façon. Non, c'est une version améliorée de cette femme authentique que j'ai devant moi : lucide, généreuse, indulgente et résolue à redonner aux femmes le pouvoir qu'elles devraient détenir sur leur destinée. N'est-ce pas merveilleux ? Toutefois, Julie ne partage pas ma jubilation :

— OK, Maryse, c'est ben beau tout ça. Je suis contente que tu flottes sur ton beau nuage de Madame Gentille pis toute, mais Jess, là-dedans ? Moi, j'ai pas atteint ta zénitude et j'ai juste envie de l'étriper. Avec toute la marde qu'elle a brassée en une seule soirée, j'ai une bonne idée de ce qu'elle pourrait faire comme dégâts en une semaine. Et j'vais pas rester là, les bras croisés, à la regarder faire. À qui elle va s'en prendre, maintenant ? J'me fous un peu qu'elle vire la vie de son Pierre-Louis à l'envers, ça me regarde pas, mais je digère juste pas qu'elle ait essayé de tout *fucker* avec nous autres. Faut qu'elle comprenne !

— Qu'elle comprenne quoi, Julie ? demande Maryse, sincèrement curieuse. Qu'on est pus son amie ? J'pense qu'elle va le comprendre pis qu'elle va s'en mordre les doigts parce qu'elle va voir qu'elle est toute seule. Me semble que c'est assez comme punition. Elle va se retrouver avec sa propre conscience, pis ça, ma belle, j'trouve que c'est pire que ben des affaires.

— OK, tu commences à m'énerver, conclut Julie, t'es juste... trop fine. J'vais m'arranger avec c'que j'pense et te laisser faire comme tu veux de ton bord. Là, Céline m'attend, c'est la fête d'Alain et on lui prépare une surprise.

— Hooon. *Cute !* Quelle sorte de surprise ? demande Maryse, les yeux brillants.

— Ben là... j'pense pas que Val tient à le savoir...

— Depuis quand tu t'empêches de raconter tes histoires cochonnes, toi ? Vas-y, je suis capable d'en prendre, grâce à toi ! Pis si j'veux finir par le comprendre, votre trip à trois, faudrait peut-être que j'en sache un peu plus...

— OK... tu l'auras voulu ! Pour commencer, on va faire comme dans un resto où on est déjà allés. On va servir le souper, des sushis et des tapas froids, sur... ben sur Alain. C'était assez malade, ça. On avait mangé de la bonne bouffe sur la peau d'une super belle femme... mais là, c'est nous qui allons le dévorer.

— Euh... avec des sauces pis toute ? Ouf, pas sûre...

— Justement, c'est encore plus cool ! Sers-toi de ton imagination, Val. Fais-toi une image de Robert qui te liche partout, sur les jambes, les bras, sans qu'il se passe rien d'autre, full relax... c'est ben spécial !

Contrairement à ce que semble croire Julie, je m'imagine assez bien allongée sur une table, le corps en partie enduit de porto et de chocolat, de fraises et autres délices que Robert s'amuserait à grignoter à même mon ventre, mes seins, mes cuisses. Ouf ! Pas difficile de me figurer les frissons qu'il ferait naître sur mon épiderme avec sa langue si chaude ! Un peu de crème fouettée avec ça ? Pourquoi pas ? Si mes amies savaient les rêveries qui envahissent mon esprit, elles seraient aussi renversées que je le suis moi-même. Robert s'amuserait à verser du porto sur ma poitrine puis, comme un petit chat lapant son lait, il lécherait, téterait et mordillerait jusqu'à ce que je sente mon sexe éclore et appeler le sien. Il ferait pareil entre mes cuisses et, de mes entrailles, mon plaisir perlerait, tiède et onctueux. Je le goûterais sur les lèvres de mon amant, ce parfum singulier auquel je n'ai jamais eu la chance de m'habituer et duquel lui ne semble jamais se rassasier. Son ventre sur le mien ondoierait, comme du satin sur ma peau, et il m'agacerait comme il sait si bien le faire, son gland chatouillant mes lèvres béantes sans plonger, titillant ma chair gonflée jusqu'à ce que je l'implore de me soulager enfin. Oui, j'en rêve, comme je rêve de toutes sortes de positions, de contextes, de façons de faire l'amour. Je constate que j'ai du temps et des expériences à rattraper, et chacune me paraît vraisemblable et pas du tout grotesque avec Robert. Comme quoi tout est possible... J'ai même cessé d'écouter Julie et, alors que je reprends le fil de notre conversation, elle en est justement à décrire le dessert:

— Des petits morceaux de fruits, de la crème, plein d'affaires. On a même acheté une housse pour le lit. Après on va prendre une longue douche avec de la mousse spéciale... et on a magasiné des p'tits jouets, Céline et moi. On va lui faire tout un show!

Et là, d'un seul coup, je les vois tous les trois et ça me semble beau, sain, normal. La façon dont Alain a enlacé Julie et Céline dans le spa, au terme de l'échange douteux avec Jessica, me revient en mémoire et j'y décèle enfin ce qui m'échappait auparavant: ces trois-là sont désormais indissociables, partagent un respect mutuel puissant et un désir équivalent l'un pour l'autre. J'ai toujours considéré Julie comme l'intruse, l'invitée occasionnelle de ce trio; c'était peut-être le cas au début de leur relation, mais ça ne l'est plus. J'adresse un sourire de complicité à ma blonde amie en affirmant:

— Pour la première fois, Ju, j'pense que je catche enfin c'est quoi, l'affaire, avec vous trois. Je te l'ai jamais dit parce que j'arrivais juste pas à saisir, mais je suis très contente pour toi. Tu les as encore, tes papillons, hein? Et autant pour Alain que pour Céline, c'est ça?

— Oui, ma belle, c'est en plein ça. Mes papillons, ceux que je voulais ressentir pour une personne, je les ressens pour deux, c'est comme le double du fun sans culpabilité parce que je sais que c'est pareil pour Céline et Alain. J'aurais jamais pensé ça, mais je suis vraiment, vraiment bien.

— Ça paraît et c'est cool, t'es d'accord, Maryse?

— Mets-en que je suis d'accord, mais je l'ai été ben avant toi !

Bon, j'avais bien mérité cette dernière remarque et je n'en tenais pas rigueur à Maryse. Elle m'avait cernée depuis le début, avant même que je le fasse moi-même. Du progrès ? « Mets-en » !

Il me tarde de parler de tout ça à Docteur Jacques. J'ai l'impression que j'en ai tant à lui raconter que le moment prévu avec lui à la fin de la semaine sera insuffisant, c'est certain.

En arrivant à la maison, malgré l'heure tardive, je m'empresse de noter ce que je tiens à ne pas oublier :

Devoirs de psy :

- *Faut que je commence par les confidences de Jess sur sa situation avec Pierre-Louis. J'vais établir les faits dans l'ordre chronologique. Après, le party et les conneries de Jess. Finalement, la réaction de Robert.*

- *Maryse qui persiste dans son trip de gentillesse et de pardon. Le fait qu'elle veut pas infliger de punition à Jess et qu'elle a plus envie de chicanes et de vengeance, mais plutôt d'aider les femmes à avoir plus de pouvoir et de contrôle sur leur vie. Cette nouvelle vision, pour le site, je la trouve trop cool !*

- *Julie et comment je comprends mieux sa relation avec Céline et Alain… est-ce que je suis en train de m'ouvrir à des possibilités, moi, là ? Des affaires que je trouvais pas « normales » qui tout d'un coup ont ben de l'allure à cause des motivations du monde engagé ? Pis peut-être que ça me fait voir que ça se peut que les motivations de Robert soient sincères et vraies ?*

- *Enfin... ma libido et toutes les pensées qui me passent par la tête, n'importe quand. Je peux lui en parler sans avoir l'air d'une cochonne assoiffée ou d'une ado attardée qui découvre les joies du sexe, hein ? Pis j'ai pas besoin de donner les détails, juste ce que ça me fait. Me semble...*

C'est vraiment étrange. J'écris tout ça comme si je m'examinais de l'extérieur, sous une loupe ou à travers la lentille d'un microscope. Détachée et, surtout, indulgente. La nouvelle philosophie de Maryse déteint sur moi ? J'aime.

J'ai envie de trouver une petite citation fleur bleue de circonstance pour mettre un statut mielleux sur Facebook. Avec une belle photo de fleurs ou de chats. Quétaine, soit, mais *cute,* du genre : **«La vie est faite de petits bonheurs.»** Je me donne plutôt un petit air philosophique avec une belle image de coucher de soleil sur la mer. Légende : **«L'important, pour être heureux, c'est posséder ce qui ne s'achète pas: l'amour, l'amitié, la gratitude, le pardon, la sérénité, la conscience.»**

Bon, le dalaï-lama serait fier de moi et Julie laisserait échapper un soupir découragé en levant les yeux au ciel. Cette dernière image finit de me réjouir.

Et j'ajoute, au-dessus de la citation : **«Juste pour toi, ma belle Julie!»**

Hi ! Hi !

20

Moi qui avais cru qu'il s'était passé bien des choses à la fin de l'été, je constate avec effarement que les semaines qui suivent ma dernière discussion avec Maryse et Julie sont encore plus riches en rebondissements.

Dès le lundi matin, une première surprise m'attend. Monsieur Simoneau, avec un petit air mystérieux, me demande de venir dans son bureau. Je suis étonnée lorsqu'il me précise que je n'ai pas besoin de prendre de notes. Anormal. Après m'avoir invitée à m'asseoir, il me regarde dans les yeux et me dit :

— Valérie, j'apprécie beaucoup ton travail, ton professionnalisme et ton attitude. Tu es discrète, efficace, compétente, bref, une employée précieuse pour notre cabinet.

Je me sens rougir jusqu'aux oreilles. Va-t-il m'offrir une augmentation de salaire ? Un nouveau poste ? Je n'ai pourtant rien demandé et nous ne sommes pas encore en période d'évaluation du personnel. Je suis à la fois intriguée et inquiète. Plus que tout, cependant, je suis frappée par mon niveau de confiance. L'inquiétude est bien différente de la peur, n'est-ce pas ? Un tel début d'entretien m'aurait, autrefois, plongée dans une angoisse profonde, pour ne pas dire une panique paralysante. Or, bien que déstabilisée, j'ai plutôt hâte d'entendre la suite. Après tout, ce préambule positif ne laisse en rien présager une catastrophe. J'attends que monsieur Simoneau poursuive, en souriant timidement.

— Je dois t'annoncer que je déménage à Québec. Ma femme a obtenu un poste important là-bas, et il y a un bon moment que je prépare tout ça. Je ne pouvais pas en parler plus tôt, pour des raisons que tu comprends sans doute, mais maintenant, mes associés sont au courant et j'ai l'intention d'intégrer le plus gros cabinet de la capitale d'ici le début de novembre.

J'ai du mal à le croire et mon dépit doit être évident. Mon patron est charmant, prévenant et, bien que très exigeant, me traite avec respect et courtoisie. Qui va le remplacer ? Je n'ai pas vraiment envie de travailler pour un autre associé, et surtout pas de déloger une autre adjointe. Est-il en train de m'annoncer que je vais perdre mon emploi ? La panique que je croyais bien enfouie remonte à la surface. Monsieur Simoneau doit le sentir puisqu'il enchaîne :

— Ton emploi n'est pas en péril, Valérie, rassure-toi. Tu vas continuer comme d'habitude. Par contre, tu vas devoir faire un choix : Claudette, l'adjointe de Gilbert, prend sa retraite dans quelques mois, et il serait ravi que tu la remplaces. Le travail est semblable, tu n'aurais pas de mal à t'adapter. D'ici là, Claudette pourrait petit à petit te transférer ses dossiers. Sinon, l'avocat qui me remplacera sera heureux de pouvoir compter sur toi. Je ne sais pas encore de qui il s'agit, mais ce serait un atout pour lui que tu l'aides à s'établir ici. Ou encore…

Monsieur Simoneau fait une pause et son effet est réussi. Je suis tout ouïe.

— Ou encore ?

— Eh bien, j'aurai besoin de quelqu'un à Québec. Nous travaillons ensemble depuis plus de huit ans, toi et moi, et vraiment, tu es irréprochable. Je te le répète, j'apprécie beaucoup ton travail. À tel point que je pourrais t'offrir une augmentation de salaire substantielle, plus de vacances et tous les avantages dont tu profites en ce moment, en plus de payer tes frais de déménagement. Je me rends très bien compte que c'est important, comme décision. Je ne connais pas beaucoup ta vie personnelle, mais comme ta fille est adulte, peut-être que c'est envisageable ? Je ne te demande pas de me répondre tout de suite, mais d'y réfléchir. D'accord ? J'aurais besoin d'une réponse d'ici deux semaines. Qu'en penses-tu ?

Je suis trop éberluée pour répondre. Toutes sortes de pensées se bousculent dans ma tête et s'emmêlent. Partir vivre à Québec ? Impensable, avec Robert qui vient de changer de poste pour être ici, justement. Sabrina pourrait très bien se débrouiller ; à son âge, et avec son amoureux. Ce serait une rupture difficile entre nous, mais elle est déjà entamée et inévitable. Vivre loin de Maryse et Julie ? Ouf, ça, c'est pire. D'accord, on ne parle pas de l'Afrique, Québec n'étant qu'à quelques petites heures de Montréal, mais quand même… Cette belle reconnaissance m'émeut à un point tel que je sens les larmes menacer. Non ! Surtout ne pas pleurer. Parle, Valérie, dis quelque chose. À grand-peine, je parviens à balbutier :

— Monsieur Simoneau, vraiment… vous me touchez beaucoup, là… je sais pas trop quoi dire !

— C'est normal, je m'y attendais. C'est pour ça que je te laisse le temps d'y penser. Si deux semaines ne suffisent pas, dis-le, on va s'organiser.

— Merci, je vous suis reconnaissante. Je vais faire de

mon mieux pour vous répondre rapidement.

Je sors de son bureau, bouleversée, et je trouve refuge dans les toilettes à l'étage pour laisser couler quelques larmes. Je nage en pleine confusion. Je me demande à qui je devrais parler d'abord. La réponse s'impose d'elle-même et, bien que je me sente quelque peu coupable de ne pas me diriger tout droit vers Robert, je téléphone à Maryse pour lui demander si elle a envie de venir luncher au centre-ville. Elle accepte avec joie et, comme toujours, m'aide à remettre certaines choses en perspective :

— Franchement, Val, c'est une super belle opportunité. Je sais combien t'aimes ton monsieur Simoneau. Mais c'est vrai que, même si Québec est juste à deux heures et demie de route, c'est pas évident. Ce qui est clair, c'est que tu dois en parler à Robert. Pis ça presse.

— Je suis pas obligée, Maryse. Si je refuse, il a pas besoin de savoir.

— Il fait partie de ta vie, Val. Et dis-moi pas qu'il t'a pas consultée pour faire son *move* à lui, ça a pas rapport. Comme je le connais, il t'aime assez qu'il va peut-être penser à quelque chose, une solution qui ferait l'affaire de tout le monde. Ça paraît que ça te tente. Laisse juste pas passer ça sans avoir fait le tour de la question, c'est tout ce que j'te demande, OK ?

— Ouain, OK.

Cette fois, je ne tergiverse pas et j'en parle à Robert le soir même. Je n'ai pas le choix ; je suis la pire des cachottières et il voit trop bien que quelque chose me tracasse, dès son retour à la maison. Quand je lui raconte ma conversation avec mon patron, il prend un moment avant de me répondre. Comme il fallait s'y attendre, cet intermède me permet de regretter de lui avoir tout raconté, de me dire que j'aurais dû me taire, tout en me félicitant de ma franchise. J'ai amplement le temps d'être déçue à l'avance et presque fâchée envers mon supérieur de me placer dans une telle situation. Il me semble tout à coup clair que je devrai refuser ce poste, à moins que Robert me trouve une solution toute faite ! Enfin, mon amoureux me sourit avant de me servir notre phrase fétiche :

— T'sais, Val, y'a rien qui arrive pour rien.

Je croirais entendre Maryse. Mais qu'est-ce que ça veut dire, au juste ? Un signe que nous ne sommes pas faits pour vivre ensemble ? Que je devrai choisir entre ma carrière et l'homme que j'aime ? Cette pensée me confirme sur-le-champ qu'il n'est pas question pour moi de faire ce genre de choix. Autant cette opportunité me séduit, autant le changement inhérent et surtout l'angoisse de perdre Robert m'affolent. Lisant l'appréhension sur mon visage, mon amoureux poursuit sa pensée :

— J'veux dire par là que ça pourrait être l'occasion d'un nouveau début pour nous deux. Pas d'une fin, au contraire. C'est sûr que j'aime mon emploi, et que, comme je viens de changer, ça serait un peu délicat, mais y'a rien d'impossible, t'sais. Si c'est vraiment ce que tu veux, je suis certain que je pourrais m'organiser. J'aime ça faire de la route, et on pourrait voir comment ça se passe. Au pire, si c'est trop compliqué, j'essaie de me trouver quelque chose là-bas. C'que je veux, c'est te rendre heureuse. À Québec ou ici, c'est pas si important…

Que dire à ça ? Je laisse parler les larmes, comme j'en ai l'habitude. Je suis trop stupéfaite pour prononcer un seul mot. Robert, cet homme incroyable, n'a pas la moindre objection à s'exiler pour mon bien à moi. Moi. Il m'aime à ce point, alors qu'il vient tout juste de chambouler sa vie entière pour être à mes côtés. *My God*. Pour le reste de mes jours, je ressentirai encore l'effet magique de cette révélation. Je voulais des preuves, des garanties ? Je viens d'être servie comme une reine. Il en rajoute, même :

— Il faudrait se trouver une assez grande maison avec une chambre pour Sabrina quand elle viendrait nous voir. Je suis certain qu'elle pourrait se débrouiller. Elle parlait déjà de s'en aller en appartement... au pire, on l'aidera jusqu'à ce qu'elle finisse son cours. Son déménagement, ses dépenses... Faudra des chambres pour Maryse et Julie, aussi. Elles pourraient venir nous voir n'importe quand, je sais à quel point elles comptent pour toi et je les apprécie beaucoup, moi aussi.

Décidément, cet homme sait comment me mettre dans tous mes états. Comment peut-il formuler ses pensées alors que, à peine ébauchées, les miennes nagent dans ma petite tête confuse ? « Parce qu'il t'aime, et c'est ça que ça devrait être, aimer quelqu'un. Deviner comment te rendre heureuse et tout faire pour cette raison-là, juste pour ça », dirait Maryse. Oui. Mais si nous effectuons un changement aussi majeur, me reprochera-t-il, dans quelques années, de l'avoir déraciné de cette ville qui lui plaît ? De l'avoir fait renoncer à un travail stimulant ? Impossible à dire avec certitude, bien que j'en doute.

Il y a déjà une semaine que monsieur Simoneau m'a fait sa proposition. Je réfléchis sans trêve, discute avec Robert, Sabrina, Maryse et Julie. J'ai même abordé le sujet avec mon psy, mettant momentanément de côté ma relation avec Robert. Ma fille est excitée et voit là l'occasion parfaite de voler de ses propres ailes, tout en ayant un filet de sécurité confortable. Docteur Jacques me donne quelques outils pour me permettre d'envisager ce changement sous tous les angles pertinents ; il insiste sur le fait que ceci ne devrait en rien précipiter mon autre décision, celle d'unir ou non ma destinée à celle de Robert par les liens sacrés du mariage.

— Si Robert accepte tout ça, c'est qu'il en a envie. Tu ne lui tords pas un bras, tu le forces pas. Tu as bien fait de l'engager dans ta décision dès le départ, tu lui as montré à quel point tu considères qu'il fait partie de ta vie. Comment te sentirais-tu si tu devais renoncer à ça parce qu'il refuse de te suivre ?

— Mal, c'est sûr. Mais j'hésiterais pas une seconde. Robert est plus important que ma job, c'est clair.

— Et tu trouves pas que c'est révélateur, ce que tu dis là ?

— Oui, pas mal. On dirait que tout se place dans mon cœur et dans ma tête, de ce côté-là, au moins. Sauf que s'il avait refusé, comme tu dis, ça aurait été plus facile de décider !

— Oui, mais t'aurais pas décidé en fonction de ce que tu veux, toi. Et c'est un peu pour ça que t'es ici, non ? Décider selon tes désirs et tes besoins, pas ceux de ta fille ou de ton chum ?

— Oui, absolument.

— T'as beaucoup progressé en très peu de mois, Valérie. Il reste du travail à faire, mais t'en as déjà fait un bon bout !

Oui, je suis d'accord, avec ça et avec le fait que Robert vient de m'offrir une autre « garantie » sur un plateau d'argent en proposant de me suivre sans hésitation, simplement pour assurer mon bonheur. Cependant, je dois dire que la pensée de ne plus revoir mon thérapeute, qui m'a tant aidée, pèse aussi dans la balance. Je le lui avoue, quelque peu embarrassée :

— Rien t'empêche de venir me voir. Je pourrais te recevoir le samedi matin, toutes les deux ou trois semaines. Sinon, je pourrais te recommander des collègues là-bas. C'est pas pareil, je sais, mais t'es déjà plus la femme que tu étais quand tu m'as vu pour la première fois !

Je pourrais croire que tout le monde s'est passé le mot pour faire taire mes objections les unes après les autres ! Ce n'est pas le cas, mais je constate que tout est possible. À moi de trancher, juste moi. Autrefois, j'aurais été paralysée devant un tel choix, surtout qu'il s'ajoute à un autre dilemme tout aussi déchirant. J'aurais souhaité disparaître sur une île déserte plutôt que d'affronter ça. Aujourd'hui, tout est différent. Je me sens épaulée, soutenue, respectée dans mes options ce qui, manifestement, a un effet des plus positifs sur mon attitude envers elles. Wow.

Autre fait éloquent : j'ai consulté les gens qui comptent le plus pour moi… mais pas ma mère. Je sais qu'il me faut amorcer un rapprochement avec elle, ce que je repousse depuis trop longtemps. Toutefois, je ne souhaite pas le faire par petites bribes ; il nous faut, à toutes les deux, crever un gros abcès, et ça ne se produira pas le temps d'une tasse de thé. Ses soixante-dix ans approchent à grands pas, ce serait peut-être l'occasion, non ? Lorsque je lui ai téléphoné la semaine dernière, comme je me l'impose une fois par mois, elle m'avait semblé déprimée. Rien de nouveau ! Mais il y avait une nouvelle lassitude dans sa voix, surtout lorsqu'elle m'a annoncé le déménagement de Janine, plus tard à l'automne. Ouf. Ce sera un dur coup…

Devrais-je en profiter pour me rapprocher d'elle, ou au moins essayer ? Sans doute. C'est un mal nécessaire, non ?

Une chose à la fois.

Parce que comme si tout ceci ne suffisait pas, Jess se met de la partie. Oh, pas en faisant des conneries, cette fois, non.

Jessica est considérée comme *persona non grata* depuis ses bêtises chez Maryse et elle ne me manque pas le moins du monde. Je me demande bien, parfois, ce qu'il advient d'elle. Qu'elle ait affronté un avortement toute seule m'attriste. Je sais pourtant qu'elle l'a bien cherché. Maryse est implacable. Elle n'a pas cédé, sauf pour expliquer à sa voisine que son comportement était inexcusable et qu'elle n'avait plus aucune intention de la côtoyer. Jessica s'est une fois de plus confondue en excuses, a tenté de se faire pardonner, ce à quoi Maryse a répondu, laconique :

— Oh, j'te pardonne, Jess. Mais j'oublie pas. Et j'ai aucun intérêt à ce que tu fasses partie de ma vie, même de loin.

Sauf que Maryse étant Maryse, elle s'est radoucie et son côté généreux a refait surface à la suite d'un message téléphonique déchirant laissé par sa voisine, la semaine précédente. Pendant que je jonglais en plein dilemme Québec-Montréal, Jessica, en sanglotant, a demandé à Maryse (l'a suppliée, en fait) de lui parler, insistant sur le fait que c'était important, qu'elle souhaitait juste un peu d'écoute. Maryse a alors cru qu'elle voudrait s'excuser une fois de plus et a fléchi devant son insistance. « La poussière est retombée, je peux bien voir ce qu'elle a tant à me dire ! » s'est justifiée notre aînée.

Ainsi, lorsque Jessica lui a raconté qu'elle arrivait de chez son médecin, Maryse a conclu à des nouvelles sur l'avortement. Mais c'était autre chose.

— Pauvre petite. Je ne l'ai pas rappelée avant plusieurs jours, je pensais qu'elle voulait juste de l'attention et essayait de faire pitié pour que je lui pardonne. Ça aurait pu être son genre, me semble, mais c'était pas ça pantoute. Elle voulait voir son médecin pour subir l'avortement le plus vite possible. Mais elle a passé des tests y'a un bout de temps et, justement, son médecin lui a demandé de venir la voir dès qu'elle le pourrait puisque les résultats étaient pas rassurants. Jessica se sentait pas bien depuis un bout de temps, mais elle mettait ça sur le dos de tout ce qui s'était passé, ça fait qu'elle était contente. Elle saurait c'était quoi le problème et elle pourrait régler deux affaires en même temps. Sauf que…

— Oui, elle m'a parlé d'endométriose ou quelque chose, y'a pas longtemps, dis-je, me souvenant de notre conversation sur la pilule alors que Pierre-Louis venait de la quitter.

Maryse affiche un air triste et poursuit, la voix tremblante :

— Ben finalement, c'est pas ça le problème. Le médecin lui a fait passer d'autres tests parce que le col de son utérus était pas normal, et, après une biopsie, y'ont trouvé un cancer.

Malgré mon aversion pour Jess, j'étais aussi chamboulée que Maryse.

— *Oh my God !* Pauvre elle ! Sais-tu si c'est avancé, traitable, grave ? Paraît que ça se soigne assez bien, la plupart du temps, non ?

— Oui, la plupart se soignent bien, mais c'est pas le cancer le plus courant, c'en est un pas mal agressif, faut qu'elle soit opérée le plus vite possible. Il y a d'autres tests à faire, c'est sûr, mais pour le moment, ses options sont l'hystérectomie radicale ou des traitements de radiothérapie. Elle s'est dit que l'opération réglerait en effet son autre problème, elle a essayé d'être courageuse et rationnelle, mais l'intervention a lieu la semaine prochaine et elle capote…

— Mon Dieu ! Je comprends ! Mais si elle est opérée, elle aura pas besoin des traitements ?

— Peut-être pas, mais faut quand même que les médecins voient si ça s'est pas propagé. On lui a dit que l'opération était un mauvais moment à passer, mais qu'après sa convalescence, elle serait correcte. Avec les traitements, c'est moins évident à cause des effets secondaires, pis ça dure plus longtemps. Je pense que le fait qu'elle est enceinte a sûrement influencé sa décision, mais ses enfants, aussi… Vraiment, pauvre p'tite. Je sais pas comment elle va se débrouiller. C'est pas une petite opération, va falloir qu'elle se repose après, elle va être maganée. Le pire, c'est qu'elle veut pas dire à Mathieu ce qui se passe, elle veut inventer une histoire de fibrome ou quelque chose dans le genre. Elle a peur qu'il se sente obligé d'être là pour elle, après qu'elle l'a envoyé promener quand il voulait revenir. J'la comprends même si je trouve ça con. C'est ses enfants à lui aussi ! En tout cas, j'peux juste pas rester fâchée contre elle avec ce qui lui arrive !

L'absence de réaction de Julie m'inquiète. Cette dernière se prononce enfin :

— C'est vraiment poche. Je souhaite pas ça à personne… même pas à elle. Mais quelque part, je peux pas faire autrement que me dire que le karma fait sa job, vous pensez pas ? C'est pas ben fin, je sais, mais…

Curieusement, Maryse n'est pas aussi étonnée que moi, et beaucoup plus conciliante que je l'aurais cru :

— C'est pas fin, mais étrange que tu dises ça, vu qu'elle m'a dit exactement la même chose, répond-elle. Parce qu'imaginez-vous donc qu'elle m'a déballé plein d'autres confidences. J'ai passé une grande partie de la journée et de la soirée avec elle, elle a eu le temps de m'en sortir des vertes pis des pas mûres ! Des affaires qu'elle a jamais avouées à personne. Elle m'a même dit que je pouvais vous en parler, que ça changeait plus rien parce que vous devez l'haïr de toute manière...

— Ah bon ? Elle est pas aussi niaiseuse que je pensais, d'abord !

Je suis choquée de la réplique de Julie. Je peux concevoir que Jess ne soit pas son idole, mais dans les circonstances, son sarcasme est excessif et je ne me gêne pas pour le lui dire :

— Franchement, Julie ! C'est chien, c'que tu dis ! Donne-lui un *break*, quand même ! T'es pas obligée de l'aimer, mais me semble qu'elle mérite pas ça... Pis c'est drôle, à moi aussi elle a parlé de karma... Coudonc. Bizarre, hein ?

— Quasiment assez pour y croire, hein ? Je suis d'accord avec toi, Val, a ajouté Maryse. Elle m'a avoué qu'elle a trompé son Mathieu avant que lui l'ait fait ; après, elle a fait exprès pour cruiser tous les gars chez nous l'autre soir pour se prouver qu'elle pognait encore et plein d'autres charmantes niaiseries du genre. Elle a dit à Pierre-Louis qu'elle était enceinte et raconterait tout à sa femme. Elle le harcelait vraiment, je pense qu'il serait allé voir la police si elle avait continué. Disjonctée ! Elle téléphonait chez lui en pleine nuit, le suivait après le travail, elle a même laissé un message au rouge à lèvres sur l'auto de sa femme. Je sais pas jusqu'où elle serait allée sans ce que le médecin lui a dit. C'est pas fort, je sais, mais elle l'admet aussi, pis franchement, je pense qu'elle est sincère quand elle me dit qu'elle regrette tout ça, qu'elle a honte, qu'elle est juste super malheureuse, qu'elle a peur et qu'elle sait pas comment réagir à tout ça en même temps.

Julie est furieuse :

— Moi, j'y crois pas une miette. Elle veut juste faire pitié ! Vous voyez pas qu'elle vous manipule parce qu'elle a plus personne de son bord ? *Come on, wake up !* Oui, elle a peur, moi aussi j'aurais peur à sa place. Mais tu peux pas agir comme une pute, démolir tout ce que t'as pis chialer que t'as fait ça parce que t'étais malheureuse, voyons ! Pis elle savait pas encore qu'elle avait le cancer, me semble, ça fait que la peur peut pas faire partie de ses excuses. Ça serait trop facile. *Anyway,* vous faites comme vous voulez. Moi, c'est réglé. Je cherchais une façon de lui remettre le nez dans sa marde, la vie s'en est super bien occupée toute seule.

Maryse et moi sommes consternées. Sans dire que Julie a tout à fait tort, je n'arrive pas à être d'accord avec elle. Tout le monde mérite une seconde chance, surtout ceux qui se repentent, peu importe le motif, et même si, dans mon cas, il s'agit plutôt d'une troisième chance. Si j'en crois Maryse et son expression peinée, elle ne partage pas l'opinion de Julie et le confirme en quelques mots prononcés sans doute plus sèchement qu'elle en a l'intention :

— C'est ça, Julie. On va faire comme on veut. Moi, j'ai pus le goût de me méfier et de voir juste le mauvais côté du monde. C'te p'tite fille-là est mal prise et, oui, elle est toute seule. Par sa faute, sûrement. Mais c'est pas humain de la laisser faire face à ça toute seule de même, à devoir s'occuper de ses enfants et d'elle sans le soutien de personne. Si toi t'es capable de vivre avec ça, ben coudonc. Moi, non. Peut-être que j'vais le regretter, mais j'pense pas. Et au pire, j'vais rien avoir sur la conscience, au contraire. J'saurai que j'ai agi selon mon instinct pour bien faire, pis c'est tout.

Je n'aurais pas pu mieux dire. J'adhère tout à fait à ce que mon aînée a affirmé ; je prête même serment devant ma propre conscience que Jess ne sera pas seule, ni seulement avec Maryse. Je serai là aussi, quitte à le regretter ou à me faire avoir.

Une petite voix choisit ce moment pour me sermonner : « Ah bon ? Tout le monde mérite une deuxième pis une troisième chance ? Ton père serait content d'entendre ça ! » Oui, mon père. On dirait bien que le temps du grand ménage est venu et, étrangement, cette idée m'exalte alors que j'aurais cru qu'elle aurait plutôt semé l'angoisse. Comme si je me retrouvais devant un grand casse-tête dont je connais le résultat spectaculaire sans même avoir vu l'image. Il me tarde de m'y attaquer... Qui aurait cru une telle chose possible ? Certainement pas moi, mais je l'accueille avec une anticipation étrange. Car entre ma réflexion au sujet de mon avenir professionnel, la maladie de Jess, mon lien à rétablir avec mes parents et mon évaluation de ma relation avec Robert, disons que j'ai l'esprit assez occupé. Ça doit être un signe du destin. Avec tout ça, je me sens enfin prête à donner ma réponse à monsieur Simoneau.

Rien n'arrive pour rien, n'est-ce pas ?

Je n'ai rien dit à Robert, ni à Sabrina, ni à mes amies. Tout au plus ai-je griffonné dans le cahier réservé à mes « devoirs de psy », pas dans le but de me justifier ou de me convaincre, mais d'éclaircir mes pensées. Ma dernière rencontre avec Docteur Jacques m'a procuré un sentiment de satisfaction intense :

- *Je ne me trouve pas chicken, cette fois. Pantoute. Pour une des premières fois de ma vie, je me sens au contraire courageuse. Ben, aussi courageuse que je peux l'être. J'ai pas peur de regarder les défis en pleine face, et je prends les moyens pour les relever comme ~~je peux~~ il faut. Ma décision s'est prise toute seule et ça aussi, pour la première fois, c'est par choix et non par dépit. OK, y'a des circonstances qui m'ont pointé la direction qu'il fallait emprunter, mais contrairement à toutes les autres grandes décisions de ma vie, je m'accroche pas à ces circonstances-là, je les utilise pas pour me complaire dans une non-décision.*

- *Docteur Jacques m'a déjà dit qu'en temps de crise, par exemple avec Sabrina, j'avais souvent laissé mon instinct me guider sans m'en rendre compte. Là, je le laisse faire et je trouve ça ~~stressant~~ excitant. J'me trouve pas conne, ni niaiseuse. J'ai plutôt l'impression de me respecter, de me donner le droit à l'erreur et à l'indulgence. Me donner le droit de choisir ce que je veux faire en fonction de MES besoins, MES désirs et c'est vraiment cool. AHHH ! J'capote !*

- *Oui, c'est apparu comme une évidence, ce choix, mais pas pour éviter une alternative trop complexe ou paniquante,*

au contraire. Évident parce que c'est ce que moi j'ai envie d'accomplir, de me prouver à moi-même, pour moi.
My God, ça fait même une semaine que j'me suis pas rongé les ongles ! OK, Julie dirait que j'ai VRAIMENT besoin d'une manucure, mais c'est un progrès incroyable. Whoa ! ! !

Je termine des procès-verbaux en attendant que mon patron se libère. Plus que quelques minutes avec ses clients, sans doute, et je pourrai enfin lui faire part de cette décision plus qu'importante. Je me sens plus calme que je l'ai été depuis longtemps.

La porte de son bureau s'ouvre enfin, monsieur Simoneau m'invite à entrer et me sourit, ayant l'air aussi impatient que moi. Lorsque je prends la parole, ma voix est assurée, ne contient pas le moindre tremblement, ce qui achève de m'encourager :

— Monsieur Simoneau, je tiens à vous remercier de votre confiance, de votre offre et de votre belle reconnaissance. Mais je vais passer mon tour. Je serais heureuse de remplacer Claudette et, si je peux faciliter la transition avec le nouvel associé et son éventuelle assistante, je vais faire de mon mieux pour me montrer à la hauteur. J'aurais beaucoup aimé relever ce beau défi de vous suivre à Québec, mais j'ai trop de choses à régler dans ma vie personnelle et le moment ne se prête pas à un départ.

Mon patron a l'air déçu et je dois dire que ça me fait un petit velours tout en m'attristant. Cet homme va me manquer ; je ne sais pas trop ce qui m'attend avec un autre avocat comme supérieur immédiat, mais Gilbert Lacombe me semble compétent, gentil et professionnel. Je préfère travailler pour lui plutôt que pour une personne que je ne connais pas, le changement sera moins brutal et me permettra de mieux me consacrer à mes tâches connexes, c'est-à-dire régler les litiges avec ma mère et mon père, consolider mon union avec Robert, assurer le déploiement des ailes de ma fille et soutenir la cause de Jessica. C'est ça qui me tient à cœur, en ce moment, et je préfère consacrer mon temps et mon énergie à réparer ce qui ne fonctionne pas bien dans ma vie plutôt que d'en bâtir une autre ailleurs. Je n'ai jamais été aussi certaine de quelque chose et je suis galvanisée. Il me tarde de mettre l'épaule à la roue même si je sais plus ou moins comment, ni dans quel ordre, j'effectuerai les tâches qui m'attendent.

Et que vois-je sur Facebook, ce soir-là, comme un signe supplémentaire soutenant mon choix? Une autre photo générique de ciel multicolore sur un lac tranquille avec une prière. Prier ne me ressemble pas, je n'ai pas la fibre religieuse développée, mais là, c'est incontournable: **«Mon Dieu, donne-moi le courage de changer les choses que je peux changer, la sérénité d'accepter celles que je ne peux changer et la sagesse de distinguer entre les deux.»** Je partage cette pensée qui tombe à point. Je m'attends bien sûr à voir les commentaires de Maryse et Julie apparaître d'un instant à l'autre. Quelque chose comme: **«Eh boy, Val, mêle pas le Bon Dieu à ça, fais juste c'que t'as à faire!»** de la part de Maryse, et d'une Julie nettement moins diplomate: **«Val, viens pas folle. *What's next?* Tu vas rentrer au couvent? Une prière astheure... Pfff! *Come on!!!*»** Tant pis. Promis, les amies, si je vois des stigmates apparaître sur mon corps ou des visions de Jésus dans ma cuisine, je vous fais signe. En attendant, « Go, Val, Go ! » prise quatorze mille vingt-sept.

21

Les troupes se mobilisent autour de Jessica. Tout d'abord, après de longues discussions avec Robert et François qui ont insisté avec véhémence, Maryse téléphone à Mathieu et lui raconte les récents événements. Mon amoureux se montre implacable, alléguant qu'il serait inacceptable de garder Mathieu dans l'ignorance. Il m'attendrit lorsqu'il affirme qu'à sa place, il mettrait tout en œuvre pour soutenir la femme qu'il aime, qu'elle le veuille ou non. Or, Mathieu est toujours amoureux de la mère de ses enfants, c'est évident. Maryse sait bien que Jessica lui en voudra, mais la réaction de l'ex de sa voisine lui donne entièrement raison et je suis fière d'elle. Il veut tout savoir avant d'affronter Jessica, et souhaite s'investir au maximum avec les enfants, bien sûr, mais aussi avec la malade. C'est un Mathieu dépité qui se présente chez Maryse, alors que nous terminons notre souper, Robert, François, mon amie et moi. Mal rasé, le regard ahuri, il a l'air dépassé par les événements, mais bien décidé à se déclarer présent, peu importe que Jessica soit d'accord.

— Je vais pas lui donner le choix. Vous savez à quel point elle a la tête dure. Et je fais pas ça dans l'espoir qu'elle accepte qu'on reprenne notre vie ensemble. Juste parce que je l'aime, que nos enfants ont besoin de nous, pis elle aussi.

Dites-moi tout ce que vous savez. J'me suis arrangé pour prendre mes vacances, j'ai un mois à partir du moment où elle sera opérée.

Je suis sans voix devant une telle manifestation d'amour. Moi qui ai cru Mathieu aussi superficiel que Jessica, aussi vaniteux et peu enclin à faire face à une telle situation, je suis une fois de plus confondue. Maryse lui raconte alors tout ce qui s'est passé, sans évidemment mentionner les détails de sa rupture avec Pierre-Louis, sa grossesse ni les confidences peu reluisantes de Jessica. Ça ne viendra que d'elle, si elle choisit de s'ouvrir à son ex-mari. Puis, il nous quitte pour frapper à la porte de son ancienne demeure. Il reste là à attendre suffisamment longtemps pour que nous nous demandions si Jessica se donnera la peine de lui ouvrir puis, enfin, il entre. La suite n'est plus entre nos mains.

Jessica téléphone dès le lendemain. Je suis surprise, croyant que ce serait plutôt Maryse qui se transformerait en intermédiaire ; elle précise qu'elle tient à me parler :

— Valérie, je veux juste te remercier. Avec la marde que j'ai faite, t'aurais eu raison de te foutre de moi et même d'être contente de c'qui m'arrive. Au lieu de ça, avec Maryse, tu m'as fait le plus beau cadeau. J'aurais jamais même pu espérer…

— Mathieu ?

— Oui, Mathieu. Je voulais pas qu'il sache, mais c'est un si grand soulagement… Je sais pas c'qui va se passer, j'ai l'impression que de me voir maganée comme je vais l'être va être assez *turn-off,* que ça va lui enlever le goût qu'on revienne ensemble d'aplomb, mais en attendant, savoir qu'il va être là pour les enfants pis pour moi, t'as pas idée comme ça me donne du courage. Valérie, faut que tu saches que je suis vraiment désolée. Je sais que c'est con, que tu me croiras sans doute pas, mais je m'excuse et je regrette sincèrement ce que j'ai fait…

— Je te crois, Jess. Et je te remercie de t'excuser. Mais Robert a insisté pour que Mathieu sache, même si, en général, il se mêle pas de ces affaires-là. Sa mère est passée par là et son père a été présent du début à la fin. Ça les a rendus plus forts, t'sais.

— Il est spécial, ton Robert. Tu le mérites, t'es spéciale toi aussi. Merci. Et remercie Robert pour moi, OK ?

— OK. C'est la semaine prochaine, hein ? Lundi, c'est ça ?

— Oui, lundi. J'ai…

Silence. Sa respiration hachurée m'indique qu'elle pleure.

— T'as quoi, Jess ?

— J'ai peur, Val.

— C'est normal. Mais on est avec toi, OK ? On va t'envoyer tout ce qui faut d'ondes positives pour que ça se passe bien.

— Merci. Mais t'sais, j'ai tout raconté à Mathieu. Ça fait du bien. Je lui ai parlé de Pierre-Louis, du bébé, de toutes mes conneries après qu'il a été parti de la maison. Je lui ai même avoué que je l'avais trompé, il y a deux ans. Il a pas été fâché, au contraire, il était content que je lui dise. C'est pas croyable. Pourquoi j'ai fait tout ça, Val ? Tu le sais, toi ?

Hmmm. Elle pose cette question à la mauvaise personne.

— Je sais pas, Jess, je peux pas savoir. On vit toutes à un moment donné une situation paniquante qui nous fait faire des choses dont on est pas fières. Faut apprendre à vivre avec et nous pardonner, autant que possible, ça sert à rien de nous morfondre sur ce qu'on peut pus changer…

Ça y est, je pourrais me mettre à composer moi-même de jolies pensées positives, des morceaux de sagesse que je vendrais à Google.

— Me pardonner. Ouf. Je sais pas si j'vais y arriver un jour. La liste de mes gaffes est pas mal longue… En tout cas. J'vais y aller, j'ai pas mal de choses à régler avant lundi. Pierre-Louis a su, évidemment, qu'il fallait que je prenne un congé de maladie. Il a essayé de savoir ce qui se passait, il avait presque l'air inquiet alors qu'il devrait être soulagé que je lui foute la paix… Mais je lui ai rien dit. Qu'il s'inquiète, moi, c'est pus mon problème.

— Hmmm. Il a pas besoin de savoir, même si, vu que c'est ton patron, il peut facilement l'apprendre autrement que par toi… Je t'ai préparé des plats congelés, j'vais te les apporter. Rien de compliqué, de la soupe, des pâtes, ça pourra être pratique au moins au début…

— Vraiment ? T'as fait ça ?

Elle pleure franchement et arrive à peine à conclure :

— C'est sûr que ça va être pratique. T'as pas idée combien ça me touche.

— Ça me fait plaisir, Jess. Va faire tes affaires, on se reparle bientôt.

Oui, bientôt, parce que moi, j'ai un rendez-vous avec quelqu'un que je n'ai pas vu depuis presque trente ans et je suis terrorisée, tout autant qu'excitée.

Je m'attendais à ce que mon père ait changé, inévitablement. Dans mes souvenirs, c'était un homme grand, corpulent, à l'épaisse chevelure brune et à la barbe forte.

On dit souvent que tous nos souvenirs d'enfance, lieux, bâtiments, personnes, nous paraissent plus petits une fois adultes. Dans ce cas, le choc est violent. Mon père serait toujours grand s'il n'était pas aussi voûté; il est maigre bien qu'il soit facile de deviner que ça n'a pas toujours été le cas. Sa peau semble trop grande pour son corps, comme si ce n'était pas la sienne. Ses cheveux sont plus clairsemés, mais tout de même abondants pour un homme de son âge, et le blanc domine, de même que dans sa barbe. Mon père est un vieillard au regard triste, à la démarche mal assurée. Le bleu de ses yeux me semble délavé; son sourire, lorsqu'il me voit, jauni et flasque. Mon père, ça? Moi qui ai tant craint les représailles de cet homme ne peux qu'avoir pitié de cette version de lui-même, fragile, abattue.

Le moment est émouvant. J'attends mon père depuis une dizaine de minutes au parc où nous nous sommes donné rendez-vous. À son arrivée, je me lève spontanément pour l'accueillir et, tout à coup, je ne sais plus que dire ni quelle attitude adopter. Intimidée malgré les années, malgré tout. Nous nous dévisageons pendant ce qui me semble de longs instants, sans rien dire, prolongeant le moment. Je lis tant de souffrance dans ce regard et dans les larmes qui s'y forment, que j'ai envie de prendre mon père dans mes bras. Jusqu'à ce qu'un vieux relent de colère me submerge. Je détourne le regard tandis que sur mes joues coulent les larmes de mon dépit, de mon angoisse. Une marée de douleur refoulée.

Mon père me prend par le bras et m'invite à m'asseoir. Puis, regardant droit devant lui, il commence à parler d'une voix chevrotante:

— Val, ma p'tite fille, je savais que ça serait pas évident. Merci d'avoir accepté de me voir. Avant même qu'on fasse ou qu'on dise quoi que ce soit, et même si je te l'ai déjà dit au téléphone, je voudrais que tu me laisses m'excuser une autre fois, en te regardant dans les yeux, c'te fois-ci.

Je pleure de plus belle, mais ne tente rien pour retenir mes larmes ni pour les éponger. Elles coulent sur mon visage, comme si elles essayaient de nettoyer les mauvais souvenirs, chasser tout ce qui s'est passé. Puis, je me tourne vers lui, incertaine. Ses mains jadis si larges me prennent les épaules et, d'une voix plus assurée, cette fois, il prononce les mots que j'ai attendus pendant trois décennies :

— Val, je m'excuse. Je t'ai fait souffrir comme un père devrait jamais faire souffrir ses enfants. De tous les regrets que j'ai, c'est ça qui me ronge le plus. Des gaffes, j'en ai fait en masse, mais si je pouvais changer juste une chose, c'est la façon dont je t'ai traitée. J'étais trop con pour réaliser, j'me doute ben que ça t'a fait mal, pis que t'as peut-être eu de la misère pendant longtemps après que j'ai été parti. Évidemment, si je pouvais revenir en arrière, je changerais ben plus que ça, à commencer par les vacheries que j'ai faites à ta mère. Mais je peux pas. Je pense qu'elle pourra jamais me pardonner et je peux pas la blâmer. Toi non plus, sûrement, mais que tu me permettes de te voir et de te dire tout ça, c'est déjà beaucoup. J'vais pouvoir mourir un peu plus en paix.

— Tu parles de mourir. Pourquoi ? Es-tu malade ?

— J'suis vieux pis magané, ma belle fille. J'ai pas rien de grave, en tout cas j'pense pas, mais avec la vie que j'ai menée et comment j'me sens, j'm'en vais pas du bon bord, ça c'est sûr.

— Personne s'en va du bon bord. J'ai une amie de trente-cinq ans qui a un cancer. Y'a rien de sûr, excepté qu'on va tous mourir un jour.

J'ai dit ça un peu sèchement, pour le prévenir sans doute que s'il essaie d'attirer ma sympathie en évoquant sa mort prochaine, je ne tomberai pas dans le panneau. Il le saisit très bien.

— Je sais, je m'excuse, je voulais pas essayer de faire pitié, crois-moi.

— OK, ben alors, explique-moi. Parce que je comprends pas, pis qu'à cause de toi, j'suis pas capable de faire confiance à personne. Pis après c'que t'as fait à maman et comment elle est devenue, j'ai peur d'aimer quelqu'un pour vrai parce que j'veux pas avoir aussi mal qu'elle, ni devenir comme elle. C'est sans compter tout le reste. Oui, j'ai eu d'la misère, comme tu dis, pis j'en ai encore. Mais je travaille là-dessus et pas grâce à toi, mais grâce à un homme extraordinaire qui, malgré toutes mes bibittes, m'aime pareil et veut qu'on se marie. J'veux guérir, j'ai envie de dire oui, mais je *catche* pas. Ça fait que aide-moi, OK ? Si tu veux vraiment faire quelque chose, fais ça, si t'es capable.

— Capable, je sais pas. Mais j'vais essayer, ça, c'est sûr. Es-tu pressée ?

— Non, pantoute.

Et il me parle. De la façon qu'il est tombé amoureux de ma mère et de leurs années de bonheur ensemble, de leur joie de m'avoir fabriquée, moi, de leurs espoirs et de leurs rêves d'alors. Puis de son insatisfaction au travail, de son souhait de devenir ingénieur qui ne s'est jamais réalisé, de la routine qui s'est installée très vite. Finalement, de l'alcool.

— T'sais, dans ce temps-là, tout le monde buvait. Le midi, l'après-midi, le soir. Les alcooliques, c'était les vieux soûlons de la taverne, pas du monde ordinaire comme nous autres qui « pouvaient arrêter n'importe quand ». Un moment donné, ta mère, qui est pas mal plus intelligente que moi, s'est rendu compte qu'on y allait un peu fort, et elle a *slaqué*. Moi, je la trouvais *loser,* et je buvais sa portion en plus de la mienne, juste pour lui prouver qu'elle savait pas de quoi elle parlait. J'aurais dû l'écouter, mais j'me pensais trop smatte pour ça.

Et ça a continué, la tension augmentant au fur et à mesure que ma mère s'objectait aux abus de mon père, il voyait là un signal pour faire pire. Jusqu'à ce qu'il perde son emploi.

— Pis là, en plus de perdre un travail que j'aimais pas mais qui m'aidait à faire vivre ma famille, j'me faisais vivre par ma femme. C'est là que ça a dérapé. Fallait que j'me prouve que j'étais encore un homme, ça fait que j'ai choisi la pire façon, en couchant avec d'autres femmes. Maudit réflexe de macho con. Mais une fois que j'ai commencé ça, j'ai pus été capable d'arrêter. C'est tellement épais !

Son humilité ne peut que m'atteindre. Tout ce qu'il me dit n'excuse rien, c'est le comportement typique de bien des hommes qu'on dirait en crise de la quarantaine aujourd'hui. Mais il me faut l'écouter jusqu'au bout.

— Quand tu m'as pogné la première fois, j'étais vraiment soûl. J'avais passé presque toute la journée à la taverne et cette fille-là me faisait de l'œil depuis un bout. Elle me disait des affaires comme « Paye-toi la traite, y'a personne qui devrait te dire quoi faire de TA vie ! » pis moi, l'épais, j'étais d'accord. Mais après, quand j'ai commencé à dégriser et que j'me souvenais de bouts de ce qui s'était passé, j'avais tellement honte que j'pouvais pas te regarder en face, encore moins te parler ou parler à ta mère. Ça fait que j'buvais encore plus, pour pus y penser.

Pis quand j'essayais d'arrêter pendant un jour ou deux, j'devenais tellement agressif que j'me défoulais sur toi pis sur ta mère au lieu d'en profiter pour essayer de réparer ma gaffe. C'était plus facile de boire, pis j'pense que j'ai pas dessoûlé jusqu'à ce que j'me retrouve dans la rue. D'une pseudo-blonde à une autre, j'ai jamais recommencé à travailler et j'm'en foutais. Tout ce qui comptait c'était de me paqueter la face le plus tôt possible le matin pour penser à rien d'autre. Un jour, j'ai frappé la fille chez qui j'habitais. Je lui ai fait un œil au beurre noir pis j'm'en souvenais même pus. Elle m'a mis dehors et j'me suis retrouvé sur un banc de parc. J'ai dormi là sans m'en rendre compte et j'me suis réveillé le lendemain, gelé, engourdi et vraiment perdu. Encore chanceux qu'on ait pas été en plein hiver parce que j'y passais. Ou peut-être pas chanceux, justement… En tout cas.

Je ne sais pas comment réagir à tout ça. Ce douloureux récit explique au moins le si long silence de mon père, toutes ces années pendant lesquelles j'ai espéré un signe qui n'est jamais venu. Mais ça n'excuse toujours rien… et mes larmes en sont de dépit et de colère bien plus que de quelque autre sentiment. Je laisse mon interlocuteur poursuivre, car il a manifestement besoin d'exorciser ses démons :

— Après ça, j'ai bu encore plus, je m'écœurais moi-même. J'avais à peu près pus d'argent, pas d'appartement, j'dormais dehors ou dans un refuge quand y'avait de la place pis qu'il faisait froid ou qu'il pleuvait, j'avoue que c'est pas mal flou, c'te période-là. Finalement, un matin, un gars de mon ancienne job m'a reconnu pis c'est lui qui m'a comme réveillé. Je lui dois tellement… Il était dans les AA depuis cinq ans, pis il voulait « donner au suivant ». Le suivant, ça a été moi, et si c'était pas de lui, je serais mort. Mais je suis là, et même si je regrette toutes mes conneries, je veux passer le reste de ma vie à essayer de les réparer.

Je pleure de plus belle devant ce gaspillage ; une fois de plus, j'apprécie ma chance. C'est au tour de mon père de ne plus trop savoir que faire ou dire, et nous restons là, deux étrangers à la fois si proches et si éloignés, de longs instants. Puis, il se lève et m'entraîne doucement vers le parc ; nous marchons pendant presque une heure. Il veut tout savoir de Sabrina et je lui raconte. Il veut m'entendre lui décrire comment ma mère a mal surmonté son absence et je le fais sans rien édulcorer. Pas pour aiguiser sa culpabilité, mais parce que je dois être honnête envers lui. Puis, nous nous quittons sur la promesse de nous revoir, sans que je puisse pourtant lui assurer que ce sera bientôt.

C'est tout de même une très grosse bouchée à avaler, et je suis vidée.

Je me sens à la fois comme une toute petite fille et comme une adulte solide, presque sereine. Presque.

Il est tard lorsque j'arrive à la maison, mélancolique, nageant entre la colère qui s'étiole et l'espoir qui fleurit. Espoir de quoi, je ne le sais pas au juste, mais espoir tout de même. Sans prononcer une seule parole, je me glisse sous les draps ; Robert sommeille, son corps est chaud. La soirée passée avec mon père a fait naître en moi un besoin impératif et urgent de mon homme, comme s'il me fallait m'y accrocher, me fondre en lui, et le laisser me protéger, me prémunir contre le chagrin et la douleur. Il est d'abord surpris de ma fougue, alors que je m'impose à lui, mes bras l'enlaçant étroitement, mes jambes s'enroulant autour de ses hanches et mes lèvres s'emparant des muscles de son cou comme si je pouvais le dévorer et ainsi m'emparer de sa force.

L'étonnement fait place à une étreinte magique. Il est excité, je sens bien son désir contre mon ventre, mais il s'agit d'autre chose. Ses bras se referment sur moi à leur tour et la fusion de nos deux corps est telle que j'en oublie de respirer. Les poumons de Robert le feront à ma place, et ce sera suffisant puisque nous ne sommes qu'un. Aucune urgence ne teinte cet enlacement, c'est la proximité qui domine, qui dicte les emmêlements de nos membres. Comme si Robert ressentait mon tumulte intérieur et souhaitait m'apaiser en m'offrant un ancrage indestructible. Ses mains parcourent mon corps entier en un geste possessif, comme s'il s'agissait d'affirmer que je lui appartiens, et vice versa. Nous roulons doucement, bercés par des vagues invisibles qui nous rapprochent plutôt que de nous séparer, et c'est avec un naturel lénifiant que sa rigidité s'engouffre, que je l'invite à pénétrer au plus profond de moi. Non, en fait, je ne l'invite pas, je le somme de m'envahir, et jamais je n'ai ressenti une telle exigence.

C'est moi qui, nous faisant basculer, l'emprisonne de mes cuisses autour de sa taille, lui interdisant un va-et-vient pourtant engageant. J'enfouis sa verge gonflée dans ma bouche, lui infligeant mon haleine chaude et mes lèvres immobiles avec le seul mouvement de ma langue qui s'enroule autour du gland, le sentant tressauter et goûtant la sève qui y perle. Je n'ai jamais fait preuve de ce genre de domination, et ça m'enivre. Chevauchant le corps de mon homme, je fais l'égoïste et use de sa rigidité comme d'un instrument de plaisir, glissant mon sexe humide sur toute sa longueur sans toutefois l'engouffrer. Je le palpe, le frotte contre mon sexe en un battement délicieux jusqu'à ce que je sente poindre l'orgasme, et ce n'est qu'alors que je lui permets de réintégrer son antre, mon ventre. Je veux sentir les soubresauts dans mon corps entier, le volcan se répandre pour envahir chacune de mes veines et séquestrer chaque frisson dans mon âme pour y recourir plus tard, au besoin. Tandis que mon bassin danse sur celui de Robert, je m'approprie enfin ce plaisir si longtemps refusé, il revêt une dimension presque sacrée que je souhaite déguster à l'infini. Oui, enfin. Comme une explosion de sensations inouïes, la jouissance se déverse et s'écoule entre mes cuisses, comme l'ont fait sur mon visage toutes les larmes impuissantes qui m'ont si longtemps étouffée.

La vie de mon père comme un gaspillage.

La mienne comme un naufrage.

Ça suffit. Là, l'instant magique qui se produit, l'incroyable proximité de mon amoureux, sa force, sa conviction, son soutien, ses baisers, son corps mêlé au mien : c'est ça, le bonheur, non ?

Alors, j'en veux encore et encore.

22

L'opération de Jessica s'est déroulée avec succès. Dans un cas comme le sien, il s'agissait d'une intervention majeure ; sa cavité abdominale entière a été explorée, analysée, scrutée au microscope. Les résultats sont encourageants, le cancer ne semble pas avoir attaqué d'autres organes. Cela ne signifie en rien qu'elle est hors de danger ; elle devra faire examiner ses poumons tous les trois mois, car il s'agit là de l'évolution potentielle de l'odieuse maladie. On lui a dit qu'elle avait été très chanceuse – autant qu'il est possible de l'être dans les circonstances –, puisque si le diagnostic n'avait pas été aussi rapide, ses chances de survie auraient été radicalement diminuées. « Adénocarcinome ». L'horrible mot me donne froid dans le dos. Durant son séjour à l'hôpital, drains, tubes et autres appareils de surveillance de ses fonctions vitales ont encombré son corps. Jessica est devenue une autre femme. Lors de ma visite, j'ai été choquée de la voir ainsi, vulnérable, affaiblie et fragile, émotivement et physiquement. La terreur au fond des yeux, la compréhension que plus rien ne sera jamais comme avant.

Enfin revenue à la maison, elle peut entreprendre sa reconstruction, et son deuil. Car pour une jeune femme comme elle, amputée de ses organes intimes, brutalement ménopausée et donc désormais incapable de concevoir et porter un autre enfant, le coup est dur. Sans compter évidemment le spectre de la récidive, l'impression que tout peut arriver et que l'« avenir » peut se révéler n'être qu'un sursis indéterminé. Enfin, le simple fait que l'innommable maladie – celle qui n'attaque que les autres –, l'a choisie, elle, et ne la lâchera peut-être pas de sitôt vient couronner le tout. Je me doute bien que cette déprime est on ne peut plus normale, mais je souhaite à Jess de retrouver sa fougue, la flamme qui l'animait autrefois. Le temps, j'imagine, comme pour toute chose, devra faire son œuvre.

La mère de Jessica est venue d'Abitibi passer quelques semaines au chevet de sa fille, cuisiner et la soigner ; Mathieu s'occupe des enfants avec un dévouement attendrissant et, lorsque Thierry et Clara sont à l'école, il s'empresse d'aller faire des courses, d'apporter à Jessica des tonnes de romans, de magazines, et de la combler d'une foule de délicates attentions. Peu habituée à être ainsi invalide, mais abattue par la douleur de sa plaie autant que par celle de son âme, Jess n'en mène pas large. Maryse et moi lui rendons visite régulièrement et en revenons chaque fois bouleversées. Mon amie résume bien ma pensée :

— Elle a l'air d'un petit oiseau avec une aile cassée. J'ai pas toujours été sa plus grande fan, mais j'haïs ça la voir de même. Maudite maladie…

— Je sais. Et j'imagine que chaque fois qu'elle va aller passer ses radiographies des poumons, elle va angoisser comme c'est pas possible…

— Ouais… elle en a pour deux ans, de même, à se demander si tout va être OK. Ça doit pas être évident, hein ? J'me demande si t'arrives à faire abstraction de c'te menace-là, à te projeter dans l'avenir, à faire des plans.

Me semble que tu dois te sentir sur le *stand-by,* comme si ta vie était sur « pause », mais que tu sais pas si, après, ça va revenir sur « play » ou s'arrêter à « stop ». Comment tu peux vivre de même ?

— Une journée à la fois, j'imagine !

C'est exactement ce que dit Jessica. D'abord guérir le corps du traumatisme qu'il vient de subir, ensuite reprendre des forces, et, enfin, regarder en avant. Je l'admire. Mais cette belle lucidité me semble feinte, comme si Jess tentait de se convaincre elle-même. Peu importe. Ce qui compte, c'est qu'elle procède par étapes sans rien escamoter. Elle en a pour plusieurs mois de convalescence, de quoi réfléchir et passer par toute une gamme d'émotions. Il est d'ailleurs facile de le constater puisque d'une journée à la suivante, son attitude peut passer d'un extrême à l'autre. Par exemple, lundi dernier :

— J'ai réussi à dormir pendant quatre heures sans que la douleur me réveille, t'imagines ? Je sens qu'à partir de maintenant, ça va aller de mieux en mieux !

Mardi, en larmes :

— Je pourrai plus jamais sentir un bébé dans mon ventre… pis j'aurais jamais pensé que ça m'aurait fait autant de peine…

Mercredi, hargneuse :

— Pourquoi moi, hein ? J'ai jamais fumé, toujours pris soin de moi, c'est pas juste, ça me fait tellement chier !

Jeudi et vendredi, pitoyable :

— On dirait que j'suis pus une femme… Mathieu est incroyable, il dit qu'il m'aime. Mais pourquoi ? Je suis un tas de viande incapable de rien faire, je fais dur, je vois pas comment il peut m'aimer. Je le mérite pas, en plus, avec tout ce que je lui ai fait ! J'aurais pas dû me faire soigner, pis mourir. Au moins, ça serait réglé... Je peux même pas être une mère pour mes enfants, ils vont ben finir par arrêter de m'aimer eux autres aussi...

Samedi et dimanche, affolée :

— Faut que je fasse mon testament, que je le mette à jour. Mathieu devrait tout avoir, pour que les enfants en profitent. J'peux retomber malade ben vite pis pus pouvoir m'en occuper. Pis dès que je vais être remise de l'opération, faut que je fasse toutes les choses que j'ai toujours voulu faire, mais que je remettais à plus tard. Je sais pas combien de temps j'ai devant moi, c'est trop chien de gaspiller des semaines à me traîner de mon lit au divan de même !

J'ai du mal à la suivre, mais je dois reconnaître que ses paroles me font réfléchir à ma propre vie, et à l'urgence de la vivre puisqu'on ne sait jamais ce qui nous attend. Ma rencontre avec mon père a bien entamé ce processus, je ne veux plus perdre de temps, moi non plus, et je n'ai pas une importante plaie comme excuse pour procrastiner.

Il me reste des choses à régler.

Ma mère semble presque méfiante de mon offre. Elle me dévisage, de biais, comme si elle était incapable de soutenir mon regard, plus franc et direct qu'il l'a été depuis mon adolescence. Ses questions sont détournées, indiquant son doute :

— Tu veux m'emmener dans une auberge pour ma fête ? En quel honneur ?

Reproche ? Peut-être. Il est bien vrai que je n'ai jamais souligné son anniversaire de façon aussi spectaculaire.

— Ben oui, maman. Je sais que ça peut avoir l'air

bizarre, mais j'ai envie de passer un peu de temps avec toi.

— Si t'as quelque chose à me demander, me dire ou m'annoncer, t'es pas obligée de dépenser plein d'argent ni de partir quelque part.

— Ben non, c'est pas ça. C'est juste qu'on a jamais fait ça, pis je trouve qu'il est temps.

— Avec Sabrina pis Robert ?

— Juste nous deux.

Silence, incompréhension. Puis :

— Coudonc, j'ai soixante-dix ans, mais je suis pas sur mon lit de mort, là !

— Je l'sais ben ! Justement, j'veux pas attendre que tu le sois !

Elle me donne envie d'abandonner. J'avais espéré un peu plus d'enthousiasme de sa part ! Mon agacement est sans doute visible puisqu'elle rétorque :

— Excuse-moi d'avoir l'air aussi surprise, mais je sais pas trop quoi penser de ça.

— Je comprends. Mais cherche pas trop loin. C'est juste qu'on est pas vraiment proches depuis un bon bout de temps, pis j'ai envie de te faire plaisir, de te sortir de ton appartement un peu, de jaser entre femmes. C'est peut-être à cause de la maladie de Jess, je sais pas. C'est pas important… On se connaît pas, pis je trouve ça dommage.

À ma grande surprise, les yeux de ma mère s'embuent et c'est d'une voix tremblante qu'elle ajoute :

— Ça… ça me ferait vraiment plaisir, ma grande. Je sais pas trop comment ça va se passer, mais ça me tente ben gros.

Ce n'était pas si difficile, après tout ! Reste, bien entendu, à voir si j'aurai le courage d'aller jusqu'au bout de mon intention. La réservation se fait facilement, les auberges de

Charlevoix sont presque désertes en cette mi-octobre ; ça nous permet d'obtenir une chambre magnifique avec vue sur le fleuve pour un prix très avantageux.

Le trajet s'effectue dans une bonne humeur rafraîchissante. Ce n'est que là que je me rends compte que ma mère n'est pas sortie de la métropole depuis de nombreuses années, à l'exception de deux ou trois excursions avec sa sœur dans les Laurentides ou en Estrie. À l'époque où elle travaillait encore, il lui arrivait de se divertir, à l'occasion, avec quelques collègues ; un souper au restaurant pour l'anniversaire de l'une, ou un cocktail en fin de journée pour souligner le départ d'une autre. Mais depuis sa retraite, plus rien. Nous bavardons presque avec gaieté dans la voiture, admirant le fleuve, parlant de Sabrina, et, au fur et à mesure que nous nous éloignons de la ville, ma mère semble se détendre. J'évite tout sujet potentiellement épineux, et je me surprends à constater à quel point je la connais peu. Ses goûts musicaux, sa passion des sudokus, à quel point elle aimait la photographie, jadis, tout ça m'était inconnu, et c'est avec une curiosité sincère que je la laisse se dévoiler.

Même si les arbres ont presque perdu leurs couleurs flamboyantes, le paysage est magnifique et nous sommes toutes les deux conquises par l'atmosphère chaleureuse de l'auberge ainsi que par l'accueil qu'on nous réserve. La chambre est spacieuse, confortable, et munie d'un balcon avec vue imprenable sur L'Isle-aux-Coudres et le Saint-Laurent. Un peu fatiguées du trajet, nous nous permettons une petite sieste avant de nous rendre à la salle à manger ; un repas somptueux constitué de produits du terroir nous est servi. Durant ce souper intime, encouragée par la bonne bouteille que nous partageons et dont ma mère n'a visiblement pas autant l'habitude que moi, je tente une première avancée :

— Maman, je suis contente que tu aies accepté de venir. J'aimerais ça qu'on se voie plus souvent, qu'on fasse des sorties ensemble...

— Je t'ai jamais empêchée, au contraire. Pourquoi maintenant ? Depuis que t'es partie de la maison que j'espère ça... Euh, c'est pas ça que j'veux dire, mais... en tout cas.

— Je sais, pis j'aurais aimé ça, moi aussi. Mais j'trouve ça dur de te voir malheureuse et me semble que tu l'es depuis... ben, depuis trop longtemps. Et ça me fait mal de voir que t'as passé ta vie malheureuse après que papa a été parti...

Elle ne répond pas tout de suite. J'ai fait de mon mieux pour ne pas avoir l'air de l'accuser, mais il est possible qu'elle l'ait perçu ainsi malgré tout. Je la vois même se retirer dans ses souvenirs et je m'en veux presque d'avoir évoqué ce sujet douloureux. Sauf que j'ai besoin d'en parler, de savoir. Le temps est venu.

— Malheureuse ? Oui, t'as raison. Je me suis souvent posé la question. Janine a ben essayé de me faire sortir, elle a même essayé, y'a longtemps, de me matcher avec un ami de son mari. Je sais pas quoi te dire. J'avais peur d'être blessée encore, je voulais rien savoir de m'attacher à quelqu'un en qui je ne pourrais pas avoir confiance ou qui me domperait un moment donné sans que je sache pourquoi. Je suis pas folle, Val, je sais que je t'ai pas tellement donné envie de rester avec moi. Janine arrête pas de me dire que j'ai l'air bête, que j'aime pas le monde, que je chiale tout le temps. Je voulais pas devenir de même, mais c'est arrivé. Pis là, ben, c'est devenu ça avec toi aussi, j'pense ben. Je t'ai éloignée de moi de peur que tu me laisses, pis c'est justement ça qui s'est passé...

Que devrais-je répondre à ça ? Jamais ma mère ne m'a parlé de manière aussi franche et ouverte. J'ai des sentiments conflictuels envers tout ça. Elle craignait d'être blessée encore... ça me rappelle quelqu'un ! Se rendait-elle au moins compte à quel point son attitude avait déteint sur moi ? Petit élan d'humeur :

— Maman, t'aurais pu faire autrement que jouer la victime tout ce temps-là. T'aurais pu décider que le problème c'était pas toi, mais bien papa, pis que toi tu méritais pas de t'enfermer et de blâmer la Terre entière ! Te rends-tu compte des répercussions sur moi ? À cause de ça, moi non plus j'ai pas pu avoir confiance, être bien.

Suis-je allée un peu fort ? J'ai pourtant fait un effort pour employer un ton sans reproches, d'une douceur bien supérieure aux remous que je ressens. Mais l'accusation, claire, l'a percutée. Après avoir fixé son assiette quelques instants, elle me regarde et réplique :

— Penses-tu que je le sais pas ? Ça aussi, Janine me l'a fait comprendre. Chaque fois que tu te faisais laisser par un de tes chums, moi j'me disais : « Je savais ben que ça pouvait pas durer ! » Pis elle me répondait tout le temps : « Ben non, j'comprends ben, t'as pas arrêté de lui dire depuis qu'elle est petite que ça pouvait pas marcher ! » Elle avait raison, mais moi je voulais juste te protéger... je sais pas comment t'expliquer.

— J'pense que j'comprends, maman. J'ai une fille, moi aussi, et à force de la protéger, elle s'est sentie étouffée. Mais, contrairement à toi et moi, Sabrina, elle, s'est fait sa propre idée, et je la trouve cool, ma fille.

— T'as fait une job extraordinaire avec elle, Val.

C'est la première fois qu'elle me dit une telle chose. Décidément, je n'en demandais pas tant, mais le compliment me fait très plaisir. Plus le repas avance, plus ma mère se confie. Des regrets, mais sa peine aussi. Pour la toute première fois, elle ose m'avouer que lorsque mon père est parti, elle ne savait pas comment elle surmonterait sa douleur. Elle l'avait tant aimé… D'imaginer mes parents amoureux l'un de l'autre comme je le suis de Robert me fait tout drôle. Pourtant, je me souviens bien de quelques moments de bonheur à la maison, de vacances au chalet de ma grand-mère, de mes parents qui dansaient dans le salon. Il a été l'amour de sa vie et elle ne s'en est jamais remise. C'est d'une tristesse…

— Le pire, dans tout ça, c'était de savoir que ton père avait un problème de boisson et que c'est ça qui a tout gâché. Je pense qu'il m'aimait encore, mais quand c'est arrivé, moi je comprenais pas comment il avait pu me faire ça. La trahison… On était si proches, avant, comme des meilleurs amis qui se disent tout, qui ont des projets d'avenir, de vie. Et lui a jeté tout ça à la poubelle et m'a fait comprendre que c'était pas assez important pour lui. J'étais pas assez importante. Je te souhaite de jamais vivre ça, Val, mais je te vois avec Robert et je suis contente que tu goûtes à l'amour aussi. Tu peux pas aimer sans avoir peur de perdre, mais t'empêcher d'aimer pour ça, c'est vraiment un beau gaspillage. Ça m'a pris trente ans à le comprendre, et là, y'est trop tard. Pour moi, mais pas pour toi.

— Trop tard ? J'aime pas t'entendre dire ça… Y'est jamais trop tard pour être heureux, maman. Tu peux encore l'être et moi aussi, j'en ai envie, en tout cas.

Je lui raconte alors le psy, la demande en mariage de Robert, mes craintes, ma panique. Puis, je lui parle de

Maryse, de son nouveau bonheur, et je n'arrive plus à m'arrêter. Comme si j'avais envie de lui raconter les trente dernières années de ma vie, ces moments dont elle ne connaissait que les contours, car je n'ai jamais partagé avec elle les peines, les joies, les déceptions et les bonheurs de cette époque. Cette femme qui m'écoute, tantôt souriante, tantôt songeuse, parfois triste ou attendrie, c'est ma mère. Pas celle que je croyais connaître et qui m'a fait fuir, mais celle qu'elle voulait devenir. La mienne.

Nous passons le reste de la soirée, le lendemain et le trajet du retour à rattraper le temps perdu ; elle me raconte son angoisse liée au déménagement de Janine ; combien elle a envie de passer ses journées à faire autre chose que des courses, du ménage ou lire un roman après l'autre. « J'ai toujours aimé ça, lire, tu le sais ; j'pense que j'avais l'impression de vivre à travers les histoires que je lisais. Mais là, j'ai envie de vivre pour vrai, t'sais ? La retraite, c'est supposé être pour ça, non ? »

Puis, nous parlons de mon père. En apprenant que je l'ai vu, elle s'assombrit mais me laisse lui raconter notre soirée. Lorsqu'elle est certaine que j'ai terminé, elle me relate à son tour :

— Quand il a téléphoné, y'a cinq ans, j'étais pas capable de faire face à ça. Il réapparaissait après tant d'années, du jour au lendemain… J'ai pleuré ma vie pendant des jours après ça. Je lui en voulais de tout remuer, je pensais que j'avais oublié et que j'étais passée à autre chose, mais non. J'étais tellement fâchée qu'il me remette tout ça sous le nez ! On a passé plus de temps séparés qu'ensemble, mais les affaires qu'il m'a dites au téléphone, Valérie, c'est fou. Il se souvenait de tous nos beaux moments, de ce qu'on aimait faire ensemble, de phrases qu'on s'était dites, de ta naissance, combien on était heureux. J'étais tellement à l'envers que j'ai même pas pensé à raccrocher. Je l'ai plutôt laissé parler, me dire ce qu'il avait à me dire. Il voulait s'excuser, comme il a fait avec toi, m'expliquer. Il s'attendait pas à ce que je lui pardonne, mais il voulait que je sache qu'il regrettait. Tout ce que j'ai trouvé à dire, c'est: « Vraiment, Bernard ? J'ai attendu ça pendant vingt-cinq ans, là y'est trop tard. Tes excuses, tu sais c'que tu peux faire avec ! » J'avais même pas compris que j'étais aussi fâchée parce que j'avais mal; c'était juste une autre raison de lui en vouloir. Ça m'a pris presque un an à reconnaître ça, après avoir repassé cette conversation-là dans ma tête chaque nuit, chaque jour, tout le temps. Après, j'ai peu à peu cessé d'y penser et, sérieusement, j'ai l'impression que sans que j'm'en rende compte, ça m'a fait du bien pareil, ces excuses-là, même si elles arrivaient un peu tard.

— Tu l'as jamais rappelé ?

— Non. J'y ai pensé, mais chaque fois que je voulais le faire, j'me disais: « Arrête, souviens-toi de ce qu'il t'a fait ! » L'envie me passait. C'est comme si je voulais juste pas oublier comment il m'avait fait souffrir, parce qu'au fond, je suis tellement habituée à être fâchée que je sais plus quoi faire d'autre...

— Si tu veux, maman, on peut essayer de changer ça. J'vais t'aider à sourire et à trouver des activités qui te feraient du bien, pis toi tu vas m'aider à réparer les dégâts. Qu'est-ce que t'en penses ?

— J'en pense que j'aimerais pas mal ça, ma grande.

Ma grande. Elle a employé cette formule deux fois en deux jours, plus qu'au cours des trente dernières années. M'est-il permis de croire que nous pourrons développer des liens constructifs, elle et moi ? Renouer, apprendre à nous connaître et réellement nous respecter ? Je le crois, et je le souhaite de tout mon cœur. J'ai entrevu une femme intelligente, perspicace, ouverte à la possibilité d'être heureuse ou, du moins, sereine. Ah, la fameuse sérénité, encore.

Lorsque je la raccompagne chez elle, au terme de cette escapade mémorable, ma mère me serre dans ses bras. Il subsiste une belle vigueur chez cette femme qui mérite que les années à venir soient plus douces que les précédentes. Plongeant son regard dans le mien, elle scelle notre complicité retrouvée avec des paroles qui me vont droit au cœur :

— Ma belle Val, merci. Merci d'avoir pris la peine de faire ce geste-là pour qu'on se retrouve. T'as pas idée de ce que ça me fait. J'étais nerveuse, avant-hier, parce que je me doutais bien que tu voulais régler des choses et je me demandais comment t'allais t'y prendre. T'as été fine avec moi, ben plus fine que je pensais. Et je t'admire. T'es une femme pas mal exceptionnelle, ma fille. Je suis fière de toi.

Je verse des larmes de joie, de bonheur, de surprise, de soulagement, tout ça mélangé. Et lorsque Robert me voit rentrer, c'est dans ses bras si accueillants que je me réfugie en tentant de lui raconter. Mais c'est inutile, il devine, comprend, savoure, me félicite.

Statut Facebook de ce dimanche soir :

« Le bonheur est un voyage, pas une destination », sur fond de vallée et de montagnes enneigées, un paysage joli comme tout et lumineux comme mon humeur.

Ouf… quel voyage !

23

Décembre s'est installé avec sa grisaille froide et sombre. Avec ma mère, le rapprochement se poursuit en douceur. Je lui parle au téléphone régulièrement et nous passons de plus en plus de temps ensemble, parfois avec Sabrina, Jonathan et Robert, parfois en tête-à-tête. J'apprends à connaître cette femme qui s'épanouit petit à petit au contact d'une chaleur inespérée. Le déménagement de Janine est imminent. Ma mère est triste et inquiète. Robert me fait alors une proposition inattendue. Pourquoi ne viendrait-elle pas vivre avec nous ? Il m'avoue qu'il regrette avoir dû placer sa mère qui requiert pourtant des soins quotidiens et m'assure qu'il accueillerait la mienne avec joie. Sabrina vit dans un appartement avec Jonathan depuis septembre et adore sa nouvelle vie ; j'ai eu un peu de mal à me remettre de ce bouleversement, mais je m'y habitue. J'apprécie beaucoup Jonathan, ce qui a sans doute adouci le choc… Même les chiens ont passé les premières semaines à chercher Sabrina partout et à devenir presque hystériques lorsqu'elle venait souper à la maison. Bref. Le sous-sol est donc libre et serait tout à fait approprié pour recevoir ma mère. Je réfléchis longuement… ce n'est pas une mince affaire. Suis-je prête à assumer une telle proximité avec celle qui, jusqu'à tout récemment, était une étrangère ? Finalement, la question de l'hébergement se règle d'elle-même lorsque Janine propose à sa sœur d'emménager avec elle. Ma mère est enchantée et, même si le loyer représente une somme importante, elle choisit, pour une fois, de s'offrir ce luxe. Je m'en réjouis d'autant plus que cette histoire est une preuve indiscutable de l'incroyable souplesse et de la générosité de mon amoureux, ainsi qu'un acte de bravoure de ma mère devant sa volonté d'améliorer son sort. Robert, mon chéri, m'a donc offert une autre garantie éloquente de son amour pour moi et je suis touchée jusqu'à l'âme.

J'ai revu mon père et, à cet égard aussi, les rapports se font de plus en plus intimes. Sabrina l'a rencontré juste avant son déménagement lorsqu'il est venu souper à la maison. Les voir ensemble m'a terriblement émue. Ma mère a également accepté de le rencontrer. Chez nous, d'abord, puis dans un café. La tension était palpable, mais mon père – et c'est tout à son honneur – a manifesté une gentillesse et une sincérité que ma mère a accueillies avec élégance. En partant, ce soir-là, elle m'a avoué : « C'était moins dur que je pensais. Dire que j'ai stressé pour rien pendant des semaines ! C'est pus le même homme, c'est un étranger… enfin presque. Et je prends exemple sur toi ; si tu as réussi à lui pardonner, à nous pardonner, je devrais y arriver… ça va peut-être être long, mais je pense qu'il est temps que je mette le passé et la colère derrière moi, tu penses pas ? J'te dis pas qu'on va devenir des amis, lui et moi, mais si au moins on arrive à se voir, pour vous autres, ça serait déjà ça… »

Quel courage ! Saurais-je faire preuve d'autant de magnanimité, moi, si par un hasard incroyable, Steeve venait à réapparaître ? De toute façon, je ne souhaite pas m'attarder à ces questionnements inutiles. J'en ai parlé à Sabrina en toute simplicité, peu après cette mémorable soirée, me demandant si elle avait établi des parallèles entre mon histoire et la sienne. Elle a cogité avant de me répondre : « T'as été la meilleure maman qu'une fille pourrait avoir, et là, j'ai le meilleur beau-père du monde. Si jamais j'ai besoin d'un papa, un jour, c'est Robert que je vais vouloir, personne d'autre. » *Oh my God!* Quelle douceur à mes oreilles !

En évoquant le pardon, ma mère me fait comprendre que je leur ai en effet pardonné, à tous les deux. De quoi ? D'avoir été des humains, avec leurs imperfections et leurs défauts. Oui, ça et tout le reste. Comment l'ai-je su ? Quand j'ai constaté que je leur souhaitais sincèrement du bonheur et de la sérénité. L'apaisement que j'ai alors ressenti m'a étonnée moi-même.

J'ai parlé de tous ces développements avec Docteur Jacques et, bien que son écoute me soit tout aussi précieuse qu'elle était, je réussis désormais à faire face à mes décisions sans en avoir des palpitations ni craindre pour mon équilibre mental. Wouhou, quel progrès ! Nos rencontres, maintenant mensuelles, me rassurent tout en me permettant de cheminer de manière de plus en plus autonome. Mon psy me manque, mais comme s'il s'agissait d'un sevrage, le savoir disponible si le besoin s'en fait sentir me rassure. Cet homme a tellement changé ma vie ! « Non, c'est toi qui étais prête à la changer, moi je n'étais là que pour te guider », prétend-il, mais je ne le crois qu'à moitié. Selon lui, la vitesse à laquelle j'ai cheminé s'explique par le fait que j'étais « mûre, prête à faire le travail ». Il précise : « Tu ne t'attendais pas à ce que je te sauve ou que je te répare, c'est toi qui as fait le saut, plongé dans tous les problèmes que tu voulais régler. Bravo à toi ! » C'était à notre dernière rencontre, au début du mois… Le temps file si vite !

Comme prévu, j'ai changé de patron. Monsieur Simoneau nous a fait ses adieux il y a deux semaines et j'étais bouleversée. Mais encore une fois, j'ai traversé ce changement important sans panique, avec une belle détermination, et surtout sans larmes. Enfin presque ! Je n'ai pas pu m'empêcher de sangloter lorsque mon désormais ex-supérieur m'a offert une magnifique écharpe de soie… Gilbert Lacombe, mon nouveau patron, est très professionnel et gentil. La transition s'est effectuée en douceur. Je me rends au travail tous les matins le pas léger, avec un sincère sourire aux lèvres. Que demander de mieux ?

Jessica, quant à elle, a poursuivi sa convalescence avec le soutien indéfectible de Mathieu maintenant que sa mère est repartie en Abitibi. Cette dernière prévoit revenir à Montréal pour les fêtes de fin d'année avec toute sa famille pour éviter le voyage à la malade. Mathieu m'impressionne ; il est d'une patience exemplaire avec les enfants, s'occupe de Jess avec un dévouement attendrissant. Il est clair qu'il est plus amoureux que jamais. Robert est prêt à parier que ce genre d'épreuve rapprochera le couple plus qu'aurait pu le faire n'importe quelle autre circonstance. Il a sans doute raison… Alors que je combattais une vilaine grippe qui a vite dégénéré en bronchite aiguë, mon amoureux s'est montré tellement attentionné qu'il a pris une semaine entière de congé pour être à mon chevet. Cette situation est bien bénigne en comparaison de celle de Jess, mais j'ai découvert une nouvelle facette de cet homme que j'aime tant ; je sais que s'il fallait qu'il m'arrive un tel malheur, je pourrais compter sur lui.

Au fil de l'automne, Jessica s'est littéralement transformée. Pas de la même façon que je l'ai fait il y a plus de deux ans, mais de manière plus fondamentale encore. Elle témoigne désormais d'une humilité inattendue, touchante et admirable… De nombreuses fois, lors de nos visites à Maryse et moi, elle nous a avoué :

— Vous savez, j'ai eu peur de mourir, et je continuerai à avoir peur pendant au moins les deux prochaines années, jusqu'à ce que mes médecins m'assurent que c'te cochonnerie de cancer-là a pas décidé de se cacher quelque part dans mes poumons ou ailleurs. Je vois plus les choses de la même façon, ça, c'est sûr. Je trouve ça dur… j'ai l'impression que j'ai pas le droit de faire de projets, d'imaginer ma vie dans trois, cinq ou dix ans… mais ça fait que j'accorde pas mal plus d'importance à toutes les petites choses qui me rendent heureuse aujourd'hui. Les enfants, juste le fait de me réveiller le matin pis être capable de marcher même si la cicatrice tire encore. Mathieu… Je tiens plus rien pour acquis… J'arrive pas à croire que vous soyez là, et lui aussi. Je pourrai jamais vous dire à quel point je l'apprécie. La vie me donnera peut-être une deuxième chance, j'vais pas la scrapper, celle-là. J'ai pas envie de redevenir la poupoune épaisse et égoïste que j'étais avant, ça m'intéresse pus, y'a d'autre chose de pas mal plus important…

Un peu avant Noël, Julie a même fini par rendre visite à Jessica. Humble, elle aussi… décidément ! Je ne sais pas trop ce qui s'est passé dans sa vie pour qu'elle se réveille enfin, mais un déclic s'est produit (je soupçonne Céline ou Alain ou les deux de lui avoir fait reconnaître son intransigeance et sa méchanceté) et elle s'est excusée de son comportement. Jess a fait de même et ça s'est terminé par une orgie de mouchoirs et de câlins. Nous sommes enfin redevenues solidaires, notre trio poussant dans la même direction une Jessica trop heureuse de se trouver parmi nous. Elle n'a pas tout à fait le même statut que nous trois, notre noyau étant particulier, mais c'est avec joie que nous lui avons fait une place somme toute appréciable.

Mathieu et Robert se sont liés d'amitié au fil des semaines, François demeurant un peu en retrait, comme s'il attendait son tour. Mon amoureux est peut-être une inspiration pour le jeune homme qui a, lui aussi, échangé sa vanité et sa superficialité d'autrefois pour une dévotion exemplaire. Robert m'a d'ailleurs confié que de belles choses se préparaient, qu'il y avait de bons sentiments dans l'air. Nous aurons peut-être une surprise sous peu, qui sait ?

C'est la veille de Noël que le dénouement heureux s'est produit. Maryse a organisé un souper gargantuesque auquel tous ceux qui n'avaient pas de projets ont été conviés. C'est donc avec Jessica, Mathieu, leurs enfants, les parents de Jess, sa jeune sœur et son frère (puisqu'ils sont de passage en ville), Robert, Sabrina, ma mère, Julie, Céline, Alain, François, les parents et les enfants de Maryse que j'ai passé la soirée, témoin de merveilleux moments. Maryse démarre le bal en demandant le silence, alors que nous dégustons le champagne.

— J'aimerais porter un premier toast à l'amitié, déclare-t-elle. La dernière année nous a montré à quel point c'est précieux, hein ? Julie, Valérie, merci de faire partie de ma vie depuis aussi longtemps. Jessica, ta présence parmi nous a fait en sorte qu'on a grandi, qu'on a évolué et pour ça on te remercie. À François qui, en plus d'être mon amoureux, est un ami exceptionnel, et à vous tous qui êtes ici, merci d'être là. Maintenant, j'aimerais vous annoncer une nouvelle. Viens, François…

Son amoureux s'approche et mon cœur fait un bond. Se pourrait-il que… Mes lèvres s'étirent en un immense sourire alors que François s'agenouille devant mon amie de manière solennelle avant de prendre la parole :

— Maryse, une chance que je sais d'avance ce que tu vas répondre, parce que sinon je serais mort de peur. Je t'aime, tu m'aimes, tu me rends plus heureux que j'aurais jamais pensé pouvoir l'être.

Il tend alors une petite boîte semblable à celle que Robert m'a présentée quelque six mois plus tôt et ajoute :

— Ma belle, je ne sais pas trop quand ni comment on va faire ça, mais merci d'avoir accepté de devenir ma femme.

Maryse tend la main, François y glisse la bague sous les cris de joie et les applaudissements des invités. Moi ? Je pleure à chaudes larmes dans les bras de Robert. Quel beau moment ! Quelle fantastique conclusion à tous les tourments de ma chère amie…

Tout le monde en profite pour embrasser et féliciter les nouveaux fiancés. Une fois le calme revenu, Mathieu demande la parole à son tour. Puis, la voix pleine d'émotion, il déclare :

— Merci de ton accueil, Maryse, et merci à tout le monde pour votre aide. Jessica a traversé un sale moment, mais j'ai confiance qu'elle va être guérie très bientôt grâce à votre soutien. Elle m'a dit plusieurs fois qu'elle voulait mordre dans la vie plus que jamais, et ce qu'on a vécu ensemble nous a rapprochés comme je ne l'espérais plus. Et là, eh bien… On est heureux de vous annoncer qu'on est redevenus le couple qu'on aurait jamais dû arrêter d'être, et que, comme on est déjà mariés, dès que Jess va être assez en forme, on a l'intention d'officialiser ça en faisant une grosse fête. On espère bien que vous serez des nôtres. Merci, tout le monde…

Nouveau déversement de larmes sur mes joues, mais également sur celles de la plupart des femmes. Et de celles de quelques hommes aussi. Robert a le regard humide, tout comme le père de Jess, et Mathieu n'essaie même pas de retenir son émotion. Quelle soirée !

Une soudaine inspiration s'empare de moi avec cette deuxième belle déclaration : j'ai envie de surprendre Robert. J'ai pris ma décision à un moment donné cet automne, après avoir renoué avec mon père – timidement, mais réellement –, et avoir développé une relation chaleureuse et amicale avec ma mère. À la suite, aussi, des multiples preuves d'amour de Robert (beaucoup plus tangibles que de simples paroles), je sais que j'ai envie de prendre le risque. La crainte de l'échec est toujours là, mais je réussis de mieux en mieux à la maîtriser et même à m'en moquer. La maladie de Jessica de même que l'attitude de Maryse ont pesé dans la balance ; leur façon d'apprécier la vie et ceux qui en font partie m'a inspirée, au point où j'ai besoin, moi aussi, d'accomplir des choses dont je ne me croyais pas capable, de saisir des bonheurs que j'avais crus inaccessibles ou éphémères. C'est ainsi que j'entraîne discrètement Robert dans la cuisine et que je l'embrasse avec une passion que je ressens jusqu'au plus profond de mon être. Et là, en le regardant droit dans les yeux, je lui dis avec douceur :

— Maryse a raison, l'année qui vient de passer nous a changés. Mon regard sur plein de choses s'est transformé. Il y a six mois, tu m'as demandé de t'épouser. À l'époque, contrairement à ce qu'aurait fait une personne normale, j'ai paniqué. Pas par manque d'amour, mais parce que plein de fantômes dans mon placard m'empêchaient d'être objective et m'empoisonnaient l'existence. Grâce à toi, à mes amies et à mon psy, j'ai réussi à faire le ménage ; je vois plus clair. Et ce soir, après toutes ces belles nouvelles, j'voudrais te dire que j'accepte de me marier avec toi, et que ça me rend vraiment heureuse. Quand tu voudras, mon chéri…

— Val, t'es sérieuse ? Écoute, y as-tu assez pensé ? Je voudrais pas que ce soit juste à cause de l'émotion et tout ce qui se passe ce soir… faudrait pas que tu le regrettes demain matin…

— Non, ça fait un bout que je le sais, j'attendais juste le bon moment. Je trouve que c'en est un, tu penses pas ?

Robert m'embrasse et je me sens transportée dans un gros nuage de tendresse, d'espoir, de douceur et d'amour. « Quétaine au max, ton affaire, mais tellement *cuuute* ! » dirait Julie, et je suis d'accord. Mon amoureux me relâche et, me prenant la main, m'entraîne presque en courant dans la salle à manger où tout le monde placote avec entrain. Puis, il fait doucement tinter sa fourchette contre sa flûte de champagne et annonce, dès que le silence le permet :

— Bon, eh bien, j'ai aussi une merveilleuse nouvelle. En cette veille de Noël extraordinaire dont je vais me souvenir longtemps, la femme de ma vie et de mes rêves, Valérie, a aussi accepté de m'épouser et je suis fou de joie !

Tout le monde pousse de petits cris et applaudit à cette troisième annonce. Puis, Julie et Maryse, en chœur et pour que tout le monde les entende :

— Y'était temps ! ! !

Ma mère pleure aussi fort que moi, ma fille me saute dans les bras, mes amies m'étouffent et Jessica m'envoie un bisou de la main de l'autre bout de la table. Heureuse ? Oh que oui.

Ça aussi, il était temps.

24

Exprimez-vous!
Qui aurait cru que c'était possible d'être aussi heureuse? Des fois, ça me picote partout, j'ai un grand sourire niaiseux, et je chante tout le temps, ce qui énerve tout le monde, d'autant que je chante vraiment mal. Ça fait que j'écoute ma musique très fort dans l'auto et je beugle à tue-tête des chansons d'amour. Ben oui, j'me fais regarder bizarrement aux lumières rouges, mais coudonc. Est-ce que c'est possible d'être trop heureuse? Des fois, j'pense que ça peut pas durer, que j'vais tomber de haut et tomber en pleine face, mais j'me reprends et j'me dis que j'ai le droit, que j'le mérite pis que c'est ça qui est ça. Des fois même j'me dis... Ah, vous êtes pas aussi heureux, vous autres, amis Facebook? C'est ben dommage, mais tant pis! Ayoye. Méchante fille, Hi! Hi!
Supprimer.

Nous passons les mois suivants à tergiverser sur le genre de cérémonie dont nous avons envie. Je ne veux pas d'un mariage formel et traditionnel; c'est un symbole et je souhaite une fête simple et conviviale. Robert est d'accord, mais les idées qu'il propose me semblent plutôt convenues. J'use de tact pour le lui signifier, mais je sens qu'il se rembrunit au fil des semaines. Maryse et François sont dans la même situation ; ayant déjà été mariés tous les deux, ils n'ont pas envie de quelque chose qui leur rappellerait leurs précédentes unions. Nous évoquons plusieurs scénarios et même l'idée d'un double mariage. Aucun d'entre nous n'a besoin que ces unions soient célébrées à l'église. En fait, je cherche une formule originale sans trouver la bonne. Julie trouve brillante l'idée de faire d'une pierre deux coups. Je constate d'ailleurs qu'elle semble encore plus pétillante que d'habitude ; depuis le souper de Noël, elle a même une mine de petite fille qui tente tant bien que mal de garder une surprise.

Puis, Maryse a son idée de fou. C'est Karmasutra.com qui la lui donne, d'ailleurs. Selon elle, le site a joué un rôle important dans sa rencontre avec François et dans la mienne avec Robert. Notre couple a été le premier formé par Julie, la grande initiatrice de ce projet inusité. Maryse statue donc, formellement : nos bonheurs actuels font partie de notre karma et le site, ou plutôt la somme importante d'argent qu'il a générée depuis son existence, contribuera à nous offrir une fête éclatée, sans prêtre ni robe blanche, mais tout aussi riche d'un point de vue symbolique, sinon davantage.

— D'ailleurs, nous explique-t-elle, le mariage bouddhiste fitte avec ce qu'on veut tous en faire. Le karma, ça vient de cette religion-là. Mais un mariage bouddhiste religieux, ça existe pas. Y'a pas de cérémonie traditionnelle non plus. Pour eux, c'est pas un sacrement ni un contrat légal, mais l'engagement d'un couple à respecter les enseignements de Bouddha. OK, on est pas bouddhistes personne, mais on croit qu'on est responsables de nos actions, donc au karma. Ça dit aussi qu'il faut utiliser son intelligence et son bon sens pour arriver à la vérité, et ça donne les moyens de vivre le bonheur tout de suite, pas juste au paradis une fois qu'on est morts. Ça fait mon affaire, moi, pas vous autres ? En tout cas, leur cérémonie de mariage peut être ben simple, on en fait ce qu'on veut, au fond.

Lorsqu'elle consulte sa coactionnaire chez Karmasutra.com pour avoir son accord, Julie lui annonce que Céline, Alain et elle aimeraient bien, dans ces circonstances, participer à des noces leur permettant à tous les trois de sceller une union non traditionnelle, mais devenue fusionnelle. À ma grande surprise, Julie propose à Jessica et Mathieu de profiter de cette magnifique occasion pour donner cette fête que Mathieu lui-même avait évoquée à Noël. Ils sont aussi enthousiastes que nous et en profiteront pour renouveler leurs vœux de mariage. « Avoue qu'ils sont *cute* ! Pis leurs p'tits vont tellement triper… Vraiment, plus *cute* que ça tu meurs ! » s'exclame Julie avec cet air de petite fille qui lui va si bien.

Fous de joie, nous convenons d'une date au mois de juin. Cela laisse le temps de prévoir les différents arrangements et de permettre à Jessica de reprendre toutes les forces dont elle aura besoin. Maryse a trouvé un célébrant à l'esprit particulièrement ouvert et au sourire complice pour nous accommoder et tient à planifier le voyage elle-même. Car il est bien question d'un voyage… elle me met au défi, je le sais très bien, et je l'accepte volontiers. Quitte à me soûler avant de partir et à me droguer pendant le vol, je fais le serment que je ne laisserai plus ma peur de voyager m'empêcher de voir le monde. Un petit morceau à la fois, du moins. Maryse tient à nous offrir ce déplacement mystérieux en guise de « cadeau de noces ». Son ton ne nous permet pas de protester :

— J'ai fait de bons placements avec Karmasutra.com, et ce qu'ils me rapportent va en payer une partie. Le reste, mettons que ça viendra de Gilles. C'est juste normal que mon ex-mari paie pour me rendre heureuse, non ?

Mon amie, que je soupçonne valoir plusieurs millions en divers investissements, est trop heureuse. Je ne peux lui refuser ce plaisir même si j'ai toujours ressenti une certaine gêne devant sa grande générosité. Tout est réglé ; il est trop tard pour manifester la moindre objection. Nous ne connaîtrons notre destination qu'une fois à l'aéroport et, bien sûr, Maryse nous guidera sur nos besoins vestimentaires. « Ce sera un voyage assez long, alors prévenez vos parents... mais on sera en première classe, ça va être plus confortable ! »

Elle demande à chacun de nous de préparer nos propres vœux, les paroles que nous prononcerons lors de la « cérémonie » qui doit refléter notre image. Robert et moi, nous nous appliquons à exécuter cette tâche excitante et cruciale comme de bons élèves.

Fou ? Complètement. Et irrésistiblement séduisant, n'est-ce pas ?

C'est ainsi que par un bel après-midi de juin, nous nous retrouvons, après un vol qui m'a semblé interminable – presque sans alcool, à part un léger somnifère, bravo à moi ! – et une nuit réparatrice dans une somptueuse villa... sur une féérique plage d'Hawaï. Moi qui déteste l'avion, j'ai été servie ! Notre groupe – Maryse a invité ses parents, les frères, sœurs et les parents de tous les « mariés » dont les miens, ainsi que nos enfants –, soit près de quarante de nos proches, est çà et là sur le sable. Mon père et ma mère, qui ont vécu leur baptême de l'air, ont fait preuve d'une témérité et d'un émerveillement constants, même après douze heures de vol. Ça m'a aidée à chasser mes propres appréhensions et mes petits malaises ! C'est exagéré, d'une démence digne des pires excès d'Hollywood. Je ne veux même pas songer à ce qu'a dû coûter cette extravagance, ça gâcherait sans doute mon plaisir. Je me laisse plutôt éblouir par l'atmosphère incomparable, le temps exquis, l'humeur joyeuse, la végétation luxuriante et la profusion de fleurs exotiques. Mes parents semblent aussi bien s'accommoder de cette proximité forcée, ce qui me comble.

Plus tôt, Maryse nous a offert, à Jessica, Julie et moi, de longues tuniques diaphanes et des colliers hawaïens aux pétales multicolores ; cela nous va à ravir, ainsi que nos couronnes de fleurs. Maryse rit aux éclats, ravie.

— Ça pourrait pas être plus cliché que ça, hein ? Mais on peut pas être à Hawaï et pas jouer le jeu !

Oui, jusqu'au bout, comme en témoignent les chemises de nos conjoints. Kitch au maximum, et c'est parfait. Une question me tenaille, cependant, et j'interroge Maryse :

— Maryse, c'est pas croyable, tout ça. Mais j'arrive pas à trouver le rapport entre Karma sutra pis Hawaï...

— Y'en a pas, nounoune ! C'est juste que je voulais trouver un endroit où tout le monde a déjà rêvé d'aller, comme on a toutes rêvé d'être amoureuses et heureuses. Pour le reste, on se laisse aller.

Un immense demi-cercle a été tracé dans le sable avec

des fleurs de toutes les couleurs. Quatre sentiers fleuris convergent vers le centre. Là, dans un minuscule pavillon, se tient un homme, le célébrant que Maryse a choisi, qui a bien davantage des airs de vacancier que d'officiant. C'est aussi parfait que le reste.

Les trois couples et le trio prennent place au début de chaque sentier. Sur un signal de Maryse, nous nous avançons lentement vers le centre tandis que nos familles s'approchent jusqu'au demi-cercle, demeurant un peu en retrait.

L'officiant nous demande alors de murmurer à nos conjoints les vœux que nous avons préparés. Ainsi, nous n'entendons pas les autres, tout en étant ensemble. À la dernière minute, juste avant de prononcer la première phrase que j'avais préparée, je résiste. Je ne peux me résoudre à prononcer ces mots patiemment choisis. J'ai plutôt envie de parler avec mon cœur, de laisser libre cours à la spontanéité qui m'anime en ce moment exceptionnel. Tandis que Robert m'observe de ses beaux yeux, je lui dis mon amour, depuis le premier jour. Je lui promets de venir à lui si le doute m'assaille, si je souffre, ainsi que lorsque je ressentirai le besoin de lui dire à quel point je l'aime. Puis, je l'écoute me jurer son respect, sa fidélité, sa présence à mes côtés, son amour, toujours.

Et j'y crois totalement.

Enfin.

Go, Val, Go ? Et comment !

FIN

Le mot de la fin

Chères lectrices, chers lecteurs,

Je sais, je sais... mon *happy ending* fait un peu hollywoodien, j'en conviens. Mais que voulez-vous, malgré mon sarcasme et mon cynisme, au fond je suis juste une romantique-positive-optimiste finie. J'assume ! On voudrait bien s'en défaire, mais Walt Disney et *Cendrillon* laissent des séquelles. J'avais vraiment envie que tout le monde, dans cette série, finisse heureux, amoureux et en santé ; c'est ma prérogative d'auteure et j'en profite, bon ! ;)

Après avoir pas mal « magané » les hommes dans les précédents tomes de *Baiser,* je trouvais important de rétablir un certain équilibre. Oh, je ne nie pas qu'il existe bon nombre d'imbéciles en ce bas monde, j'en ai croisé plusieurs en chair et en os (s'ils me lisent, ils se reconnaîtront peut-être un jour, mais j'en doute, Hi ! Hi !). Par contre, il existe aussi des Robert, des Mathieu, des François et des Alain. Oui, oui, pour vrai ! Plusieurs d'entre vous m'ont dit en avoir un dans leur vie, et c'est rassurant ! Ils ne sont pas toujours faciles à trouver, mais ils sont là et vous cherchent peut-être aussi, Chères Lectrices Célibataires.

Et le fameux bonheur, lui ? Ben lui aussi, il vous attend quelque part, s'il n'est pas déjà chez vous. Cool, non ? Paraît que « les gens heureux n'ont pas tout ce qu'il y a de mieux, mais font de leur mieux avec tout ce qu'ils ont » (tiens, Val l'aimerait, celle-là !). Ça fait que Go, les filles (et les gars), Go ! Mais… Je sais. J'en ai parlé avant, et je ne pouvais pas m'empêcher de l'aborder encore une fois dans ce livre : il y a la peur. La maudite peur qu'on ressent tous et toutes, tôt ou tard. Peur d'avoir mal, de se tromper ; peur de ne pas être à la hauteur à la maison, au lit ou au travail. Peur du jugement, de l'avenir, de vieillir, des conséquences. Peur d'avoir peur…

J'ai beaucoup appris de Julie, Maryse et Valérie. Des femmes comme vous (ou votre épouse), comme moi, comme nos amies, nos sœurs, nos collègues, avec leurs imperfections, leurs qualités et leurs rêves. Elles m'en ont fait comprendre, des choses, ces filles-là. Vous êtes d'ailleurs nombreuses, dans les salons du livre, sur Facebook et ailleurs, à m'avoir confié que votre sérénité d'aujourd'hui est le résultat, entre autres choses, de votre capacité à pardonner. Pour plusieurs, la « zénitude » est due au fait d'avoir surmonté la peur, la colère, les inquiétudes et les déceptions. Bravo à nous (eh oui, je m'inclus là-dedans, même si j'ai la zénitude variable), je pense qu'on a compris quelque chose, nous autres, là !

Oh, il en reste toujours, des choses à apprendre et à comprendre, et c'est ce qui rend la vie intéressante. Paraît qu'il faut avoir confiance… Ben oui ! On peut quand même se croiser les doigts, surveiller les étoiles filantes et faire des vœux avant de souffler les chandelles, ça ne peut pas nuire ! ;)

Merci de tout cœur de m'avoir accompagnée dans *Baiser,* cette belle aventure née de l'idée brillante de ma meilleure amie pendant un souper de filles (avec un p'tit verre de rouge, évidemment). Si vous me croisez dans un salon du livre ou si vous avez envie de m'écrire un mot sur Facebook, n'hésitez surtout pas. Vous n'avez pas idée combien ça fait plaisir !

D'ici là, plein d'autres histoires mijotent… on va mettre un peu d'ordre là-dedans et s'amuser encore un peu ensemble à un moment donné, si ça vous tente, OK ? Oui ?

Yesss !

À bientôt !

Marie xx ☺

Québec, Canada

Achevé d'imprimer le 10 décembre 2015

Imprimé sur du papier Enviro 100% postconsommation
traité sans chlore, accrédité ÉcoLogo et fait à partir de biogaz.

BIO GAZ
ÉNERGIE